D0718340

L'homme qui a vu l'homme

Du même auteur

Romans

Au fer rouge, Ombres Noires, 2015
L'homme qui a vu l'homme (prix Amila-Meckert 2014), Ombres Noires, 2014
Dans le ventre des mères, Ombres Noires, 2012, J'ai lu 2013
Comme un crabe, de côté, Les Petits Polars du Monde, 2014
No more Natalie, In8, « Polaroïd », 2013
Que ta volonté soit faite, Les Petits Polars du Monde, 2013
Les visages écrasés, (Trophées 813 du meilleur roman francophone 2011 ; Grand prix du roman noir 2012 du Festival international du film policier de Beaune ; Prix des lecteurs du Festival de Polar de Villeneuve-lès-Avignon), Le Seuil, 2011
Zone est, Fleuve noir, 2011
La guerre des vanités (prix Mystère de la critique 2011), Gallimard, 2010
Un singe en Isère, « Le Poulpe », Baleine, 2010
Le cinquième clandestin, La Tengo, « Mona Cabriole », 2009
Marketing viral, Au diable vauvert, 2008
Modus operandi (prix Plume Libre 2008), Au diable vauvert, 2007

Jeunesse

Luz, Syros, « Rat Noir », 2012
Interception (Prix Cognac 2013), Rageot, 2012
Un cri dans la forêt (1re édition : 2010), Syros, « Souris Noire », 2012
Liquidation totale (roman-jeu), sous le pseudonyme d'Erik Vance, Solar, 2011

Essais

La vie marchandise, coécrit avec Bernard Floris, La Tengo, 2013
Pendant qu'ils comptent les morts, coécrit avec Brigitte Font le Bret et Bernard Floris, La Tengoì, 2010
La démocratie assistée par ordinateur, Connaissances & Savoirs, 2005

Pièces radiophoniques

Comme un crabe de côté, France Culture, 2014
La cigarette, France Culture, 2013
Que ta volonté soit faite, France Culture, 2013
Fractale (France Culture, 2010), La Tengo, « Pièces à conviction », 2011

MARIN
LEDUN

L'homme qui a vu l'homme

Merci à Mari Arhex, Ramuntxo Yallah,
Hervé Delouche et Géraldine Hardy
pour leur soutien précieux.

L'auteur a bénéficié pour la rédaction de cet ouvrage,
du soutien du Conseil général des Landes.

À Luz, Anne et Gustave.

« Une rage insensée s'empara de moi, chassa mon angoisse. Mes mains communiquaient à mon arme leur sueur crispée, exaltaient sa puissance contenue. Je calculais que le malheureux se tairait encore cinq minutes, puis, fatalement, il *parlerait*. J'eus honte de souhaiter sa mort avant cette échéance. »

René CHAR,
Les Feuillets d'Hypnos, 1946.

« Le moment est venu de faire un petit pas de plus vers le précipice. »

Don WINSLOW,
La Griffe du chien, 2005.

Les faits

Écoutez :

Les pneus crissent sur le bitume gelé. Une Mégane break grise s'engage sur l'aire de repos et s'avance sur le parking. Elle freine brutalement derrière une Opel Corsa verte et lui bloque le passage. Des portières s'ouvrent. Des individus se dirigent au pas de course vers le côté avant gauche de l'automobile.

Le conducteur de la Corsa est un homme entre 30 et 35 ans. Il porte un costume sombre. Son crâne est rasé à blanc.

Autour de lui, l'aire de repos est déserte, à l'exception d'un poids lourd espagnol, d'un vieux qui regarde son chien renifler un plot en béton et d'une Golf sans roues de couleur blanche, aux vitres brisées, posée sur quatre moellons. À l'est, l'horizon est barré. Des forêts de pins rectilignes s'étendent à perte de vue, derrière un grillage haut de trois mètres. Aucune issue de ce côté-là.

Sur sa droite, se dressent des sanitaires et un mur gris infranchissable. Dans son dos, des ordres claquent dans une langue qu'il reconnaît.

Il pense aussitôt à la valise bourrée de billets de banque dans le coffre. Il croit qu'ils sont là pour ça et c'est sa première erreur.

L'air se comprime dans ses poumons. Il jette un œil à sa montre, pose la main sur la poignée, ouvre la portière et se précipite dehors.

Il les voit au moment précis où ils se jettent sur lui.

Cinq hommes.

Trois d'entre eux le saisissent par les bras et le cou, le menottent et le maintiennent debout. Des doigts glissent sous sa veste. Ils prennent ses clefs, ses faux papiers, son porte-monnaie, sa carte téléphonique, sa chaîne en or. Ses affaires passent de main en main et disparaissent dans leurs poches.

Il ne proteste pas et ne cherche pas à s'enfuir.

Il connaît les règles.

Un autre type est resté au volant du break, immatriculé dans les Pyrénées-Atlantiques. Il surveille la voie d'accès au parking.

Le moteur tourne.

Tous portent des tenues civiles. Jeans, baskets, blousons en cuir ou pulls à capuche.

Tous sont cagoulés, y compris le cinquième. Celui-là est plus petit que les autres. L'homme au crâne rasé comprend qu'il s'agit du chef. L'autre le sonde du regard sans sourciller. Un semi-automatique est braqué sur sa poitrine. Le canon de l'arme semble dire : *ne proteste pas, ne cherche pas à t'enfuir, respecte les règles à la lettre et tout se passera bien.*

Il est 10 h 15, sur une aire de repos, quelque part entre les sorties 12 et 13 de la nationale 10, en direction de Bordeaux. Le propriétaire de la Corsa n'a plus d'identité et il sait maintenant que le pire est à venir.

Cette fois-ci, il ne se trompe qu'à moitié.

Ses yeux se posent brièvement sur le coffre de sa voiture, avant de se reporter sur ses agresseurs. Ses mains tremblent. Ce détail n'a pas échappé à leur chef. Il tremble encore plus. Il crève d'envie de leur dire : « Prenez le contenu de la valise et laissez-moi là ! » Il est prêt à promettre tout ce qu'ils veulent. À mentir et trahir. À vendre. L'espace d'un instant, il imagine pouvoir assumer les conséquences.

Mais le regard du chef, vissé dans le sien, semble lui dire qu'il ignore totalement la teneur exacte du mot *conséquences*.

L'homme numéro trois lui enfile un sac sur la tête, pendant que les deux autres le tiennent.

Crâne rasé manque d'air. Il s'étouffe, crache, jusqu'au moment où il réalise qu'il parvient à respirer.

Ils le traînent sans ménagement à l'arrière de la berline, le jettent dans le coffre qu'ils referment. Il entend très nettement le moteur de sa Corsa se mettre en marche au moment où la Mégane démarre et prend de la vitesse.

Il se cogne la tête sur une caisse en métal en se recroquevillant. Les menottes lui arrachent une grimace de douleur. Il claque des dents à cause du froid et de la peur. Le tapis de sol sent un mélange de plastique neuf et d'humidité.

Les quatre hommes sont silencieux. L'autoradio est monté à plein volume. Un journaliste français crache les informations du jour. Tirs de mortier du Hamas sur des villes israéliennes. L'armée pénètre dans la bande de Gaza et tue trente Palestiniens. Victoire du parti de l'opposition au Ghana. Le break accélère encore, puis stabilise sa vitesse pendant une dizaine de minutes, peut-être moins. Il ralentit brutalement. Une série de virages. Il quitte la voie rapide.

Crâne rasé se concentre sur les battements saccadés de son cœur. Il se demande quelle sortie a été empruntée. La 12 ? 13 ? 14 ? Ses pensées sont confuses. Il cherche désespérément les noms des villages des environs, mais tout s'emmêle.

Sa respiration s'accélère.

Un rond-point, une ligne droite, un autre rond-point, une série de virages, nouvelle ligne droite. Quelle direction ? Nouveau rond-point. Non, un virage serré sur la gauche.

Il tente de résister à la panique mais perd toute notion de l'espace et du temps.

Quand il se calme enfin, la Mégane est à l'arrêt. Le coffre est ouvert. Des silhouettes se dessinent au-dessus de lui. Il bat des paupières. Il tremble de tous ses membres. Odeur douce-amère de pins et de décomposition. Des mains le saisissent et le soulèvent sans ménagement. L'un des types le frappe du poing dans le plexus. Il s'effondre, genoux à terre, le souffle coupé. Il suffoque, la toile du sac lui rentre dans la bouche, il tousse et crache. Ses poignets lui font un mal de chien. Deux cagoulés le redressent aussitôt. Une pression sur sa nuque. Celui de gauche sent le tabac. L'autre, un après-rasage écœurant.

On le pousse en avant pendant une centaine de mètres dans un sous-bois. De l'herbe haute ou des branches basses lui fouettent les jambes. Des brindilles craquent sous ses pieds.

Changement de direction.

À présent, le terrain est en pente. Ils descendent pendant quelques minutes. Les broussailles sont de plus en plus denses. Il perd l'équilibre et chute lourdement dans un amas de mousse et de ronces. Son épaule droite amortit le coup. On le relève à coups de poings et de semelles, ses menottes sont resserrées jusqu'à lui couper la circulation sanguine. L'un des ravisseurs le traite de fils de pute. Crâne rasé croit reconnaître la voix du chef. On le traîne jusqu'à une zone plus dégagée, puis le groupe s'immobilise.

Des gonds grincent.

Une porte est ouverte.

On le pousse à l'intérieur. Des relents de moisissure lui sautent à la gorge quand le type qui pue l'après-rasage lui retire le sac de la tête et le projette sur le sol. Son dos, ses côtes et son épaule lui font souffrir le martyre. Il rampe vers le coin opposé, s'adosse au mur et lève les yeux.

Une cabane de chasseur.

Deux mètres sur deux de planches de bois, de tôle ondulée et de sciure empestant l'urine.

Au fin fond de nulle part.

Au centre de la pièce, le chef le dévisage, son arme pointée sur sa tête. Les autres sont sortis. Trois trous noirs. Trois trous noirs fixés sur lui qui se rapprochent jusqu'à le toucher. Le canon de l'arme, sur son front. L'index se crispe sur la détente.

Crâne rasé serre les dents et ferme les yeux.
Le coup de feu lui bousille le tympan droit. Il n'entend plus qu'un sifflement strident. Il ouvre les yeux : il n'est pas mort. La balle a traversé la planche de bois contre laquelle il est appuyé. Le type a juste cherché à lui faire peur.
Le verrou est tiré, il est seul et il s'est pissé dessus.

Écoutez attentivement car ce n'est que le début :
Une clef tourne dans la serrure, une ou deux heures plus tard.
Ils reviennent à cinq. Leur chef tient la valise entre ses mains.
Sa valise.
Sa valise bourrée de ce fric qui n'est pas le sien.
Il l'ouvre, plonge la main à l'intérieur et en ressort une liasse de billets de cent euros en riant. Il prend les autres à témoin, qui se marrent à leur tour. Il prétend que ça ferait un joli pactole pour un type qui voudrait se la couler douce au soleil. Crâne rasé proteste mais le chef sort un billet d'avion qu'il agite sous son nez. Un claquement de doigts. L'un des cagoulés lui retire les menottes. Le chef lui met le billet d'avion entre les mains et lui ordonne de lire à voix haute.
Il est écrit, noir sur blanc :
Bordeaux – Paris – Rio de Janeiro. Samedi 3 janvier 2009.
Il relève la tête sans comprendre.
Le chef sourit. Il l'invite à poursuivre, comme s'il venait de lui faire un cadeau. Comme si

aujourd'hui c'était son putain d'anniversaire. Il obéit.

Il est encore écrit :

Départ : 16 h 35, vol AF210. Aller simple.

Crâne rasé ouvre des yeux grands comme des soucoupes.

Ses véritables nom et prénom figurent sur le billet.

Le chef le lui reprend des mains, le range et ricane.

— Tu voulais te tirer avec le pognon de tes copains basques, c'est ça ?

Crâne rasé secoue la tête. Il n'a pas réservé de billet. Il n'en a même jamais été question. Il commence à comprendre qu'il s'est fait baiser en beauté. Il évalue l'ampleur des *conséquences*.

— Non, non...

L'autre lui donne une tape amicale sur l'épaule en répétant sa question.

— Remarque, j'aurais peut-être fait pareil à ta place, pas vrai, les gars ?

Les quatre cagoulés acquiescent et se marrent de plus belle. Le chef lève la main pour qu'ils se taisent. Quand il parle, ils obéissent aussitôt.

Comme des soldats.

Il se penche et dit d'un ton faussement compatissant :

— Tes copains ne vont pas apprécier...

Crâne rasé pâlit. Il veut se lever et partir, mais six mains solides le contraignent à s'asseoir sur un tabouret. On lui remet les menottes. Serrées à bloc.

Le chef sort un briquet de sa poche et mime le geste de mettre le feu au contenu de la valise.

Crâne rasé se débat et se met à crier. Un déluge de coups de poings s'abat sur ses côtes, ses bras, ses cuisses, ses testicules, son dos, son visage.

— On te suit depuis des semaines. On connaît ton petit manège par cœur.

Il roule sur le sol, avale de la sciure, s'étouffe et se recroqueville. L'autre énonce une série de noms et d'adresses où il s'est rendu depuis septembre 2008.

— À quoi devait servir l'argent ?

Crâne rasé serre les dents et chiale comme un gamin, conscient qu'il ne lui restera que les larmes et les regrets tout le temps que durera son incommunication[1]. Serrer les dents, chialer, se taire et encaisser aussi longtemps qu'il pourra.

— Et ta famille ? Tu as pensé à ta mère ? Tu as pensé au mal que ça va lui faire ? À tout ce qu'elle va endurer ? Aux perquisitions, aux gardes à vue, au parloir, à la montagne d'emmerdes qu'elle devra supporter ? On sait où elle habite, tu sais.

Il donne l'adresse.

— On connaît ses petites habitudes.

Il dresse la liste de ses activités associatives, de ses rendez-vous de la semaine passée chez le

1. Selon la législation espagnole, l'« incommunication » (*incomunicación*) désigne la période suivant l'arrestation d'une personne présumée être liée à une organisation terroriste pendant laquelle peut avoir lieu un interrogatoire sans présence d'un avocat et/ou d'un médecin de son choix, dans un lieu tenu secret de tous pour une durée théoriquement limitée à 13 jours.

coiffeur, le cardiologue, son dîner chez les voisins.

Pendant ce temps, un cagoulé confectionne un petit tas de brindilles et de sciure puis y met le feu. La fumée et une odeur âcre envahissent la cabane. La porte est grande ouverte, mais l'air est irrespirable. Les cagoulés sortent et referment derrière eux, laissant Crâne rasé tousser et vomir son dernier repas, avant de les supplier de laisser sa mère en dehors de ça.

Peu de temps après, ils sont à nouveau là.

Ils le sortent de la cabane, le traînent jusqu'à un ruisseau. Ils le soulèvent par les pieds, lui plongent la tête dans l'eau glacée jusqu'à ce qu'il étouffe, la ressortent, la plongent à nouveau. Il est trempé, il est gelé, ses muscles sont tétanisés par le froid et la peur. Ils le ramènent à la cabane, le harcèlent de questions, le réprimandent quand il répond, profèrent des menaces contre lui et sa famille. Il tremble tellement que le chef des cagoulés lui file une couverture mais au lieu de la lui mettre sur les épaules, ils le contraignent à s'allonger, étalent la couverture sur lui, et s'assoient dessus à deux ou trois en riant.

On le remet sur son tabouret.

Le cagoulé qui sent le tabac s'approche et joue avec une cigarette allumée au-dessus de son visage, feignant d'hésiter à le brûler.

Le chef brandit ensuite un bâton et lui caresse les cuisses et l'entrejambe en monologuant sur sa petite amie et sur ce qu'elle penserait s'il lui faisait la même chose. Si elle aimerait ça. Il énumère les adresses où elle se rend, l'université où elle étudie, les gens qu'elle fréquente. Il prétend avoir des photos d'elle avec un autre type plus âgé et plus expérimenté que lui. Il dit l'avoir entendue prendre son pied sur des enregistrements. Crâne rasé pleure de rage et de colère. Il bat l'air avec ses poings menottés. Les cagoulés se donnent des tapes dans le dos tellement ils rient.

Le cauchemar ne s'arrête pas là :

Ça dure des heures et des heures.

Des jours et des jours.

Ils entrent, ils sortent. Ils lui donnent à boire et à manger pour qu'il tienne le coup. Ils le traînent au ruisseau et le ramènent. Ils l'obligent à faire des exercices, des pompes, des tractions, des flexions. Ils posent des dizaines de questions sur lui, le mouvement, les porte-valises. Ils lui demandent des noms, des adresses. En français, en espagnol. Le plus souvent en espagnol. Jamais en basque. Le chef joue le rôle du méchant. Le cagoulé qui pue l'après-rasage, celui du gentil. Ils le contraignent à signer des papiers que Crâne rasé est dans l'incapacité de lire tant les hématomes sur ses paupières sont volumineux et douloureux. Ils prétendent le libérer bientôt, puis le frappent encore. Ils simulent une exécution. Ils lui détachent les mains, lui enfilent de force un sac-poubelle sur la tête. Crâne rasé déchire le plastique avec les ongles pour ne pas s'étouffer. Il ne sait même plus ce qu'il fait là. Il ignore totalement ce que les cagoulés attendent de lui.

Ils recommencent.

Une fois, deux fois, dix fois.

Ils enfilent, il déchire. Ils enfilent, il déchire. Et ainsi de suite jusqu'à ce que le chef lui mette un rouleau de sacs entre les mains pour lui signifier qu'ils en ont un stock. Leur petit jeu est sans fin.

À nouveau. Une fois. Deux. Dix.

Ils enfilent, il déchire. Ils enfilent. Il déchire. Jusqu'à épuisement. Ses bras tombent le long de son corps. Sa tête bascule sur le côté. Ses muscles sont mous. Ils le retiennent de justesse. Ils retirent le sac.

Ses yeux sont vitreux.

Crâne rasé ne respire plus.

C'est à leur tour de paniquer.

Les cinq hommes ôtent leurs cagoules à l'unisson et redeviennent ce qu'ils sont *vraiment*.

Le sale travail est terminé.

Ils sont aux petits soins. Ils pratiquent le bouche-à-bouche et le massage cardiaque. Leurs gestes sont précis et ordonnés. Le chef réclame en espagnol qu'on lui apporte la trousse de secours. Celui qui sent le tabac se précipite jusqu'à leur véhicule. Quand il revient, un défibrillateur dans les mains, les autres ont dénudé la poitrine du jeune homme à terre et retiré les menottes. Des gouttes de sueur perlent sur le front et les tempes du chef. Il arrache le plastique et place les électrodes sur le côté droit de sa poitrine et sous son aisselle gauche, puis il donne l'ordre à tout le monde de reculer. L'appareil charge, une sonnerie retentit, le corps encaisse le choc électrique. Toujours aucun pouls. Ils reprennent aussitôt le massage cardiaque et la respiration artificielle.

Le cœur ne repart pas.

Ils remettent ça. Ils ne doivent surtout pas le perdre. Ils n'ont *pas le droit* de le perdre.

— C'est fichu, murmure l'un d'entre eux.

Le chef hurle :

— *¡ Cállate*[1] *!*

Ils seront dans la merde jusqu'au cou s'ils ne le réaniment pas. Le chef lit dans les yeux de ses hommes qu'ils en sont tous parfaitement conscients.

Il fait nuit. Une épaisse couche de givre s'étend sur les vitres de la Mégane. Le chef d'unité jette un œil à ses hommes qui s'activent en silence devant le coffre.

Il note sur son carnet : samedi 10 janvier, 20 h 34.

Le vent d'ouest s'est levé. Au-dessus de leurs têtes, les pins émettent des craquements sinistres.

Javier Cruz frissonne. Il sort un mouchoir de la poche de son jeans, s'éponge le front et passe les doigts dans ses cheveux pour masquer sa nervosité.

Un téléphone à la main, l'un de ses hommes lui fait signe de le rejoindre à l'avant du véhicule.

Après une seconde d'hésitation, le chef s'avance et saisit l'appareil.

— Cruz, j'écoute, dit-il dans un français presque sans accent, avant de noter avec attention les consignes de son supérieur.

---

1. « Tais-toi ! » en espagnol.

Les conséquences

I

1

Les essuie-glaces de la Ford Fiesta de couleur beige luttent avec bravoure contre la pluie. Iban Urtiz crache son chewing-gum et remonte sa vitre.

24 janvier 2009, une tempête d'une intensité exceptionnelle a frappé le sud-ouest de la France. Des rafales à plus de deux cents kilomètres par heure, onze morts, des toitures arrachées, des centaines d'hectares de forêt détruits, des milliers de foyers privés d'eau et d'électricité.

Sur toutes les lèvres depuis trois jours, l'événement météorologique de l'année porte un nom de code fleuri : Klaus.

À la radio, un chroniqueur local égrène les dégâts causés par Klaus dans la région. Les témoignages de pompiers, d'élus locaux et d'anonymes angoissés se succèdent à l'antenne. Un député en appelle à l'État et aux assureurs. Un maire landais se plaint que les groupes électrogènes des quartiers sud de sa commune sont siphonnés chaque nuit. Un commerçant propose de mettre en place des milices citoyennes.

Iban ricane et tend la main pour couper les informations. Il choisit un CD dans la boîte à gants et l'insère. Les premières notes d'une reprise de *Paradise City*, des Guns N' Roses, par une chanteuse à la mode s'élèvent dans l'habitacle. Il augmente le volume et allume une Winston en inspectant sa coiffure d'un coup d'œil satisfait dans le rétroviseur.

Les abords de la nationale 10 offrent un spectacle de désolation.

Branches cassées, troncs penchés ou à terre et lignes électriques forment un chaos indescriptible. Les services communaux ont taillé une saignée à coups de pelleteuses pour déblayer la route, mais les pluies diluviennes qui sont tombées sur la région depuis ont créé çà et là de véritables étangs. Canalisations bouchées ou éventrées, fossés obstrués de déchets en tout genre, évacuations barrées par un pin ou des murs effondrés. Des groupes de riverains bardés de tronçonneuses et de râteaux dégagent les jardins ou les pas de porte. De trop rares voitures d'ERDF, essentiellement des sous-traitants, passent en trombe, sans but apparent. Un convoi de camions militaires, mobilisés à grand renfort de déclarations médiatiques préfectorales, stationne au niveau de Labenne.

Des poids lourds espagnols se pressent sur la voie opposée pour alimenter les grandes surfaces du département. La crise engendrée par Klaus ne prend pas tout le monde au dépourvu.

Iban accélère.

— Fait chier !

Il atteint l'échangeur de Bénesse-Maremne, à l'instant précis où Saul « Slash » Hudson entame l'un des solos de guitare les plus efficaces jamais composés sous héroïne au cours des vingt dernières années.

Quand la tempête s'était abattue sur la côte landaise, le samedi dernier, aux alentours de 4 h 15, Iban venait de rentrer à Moliets. Il avait encore sur les lèvres le goût de Marlène, une saisonnière à la peau délicieuse, rencontrée dans un bar de Capbreton où, quelques heures plus tôt, elle terminait son service, et avec laquelle il venait de passer la nuit. Au moment où le courant et le réseau téléphonique avaient sauté, du café bouillait dans le four à micro-ondes et il était perdu dans deux épais classeurs de documents officiels et de prises de notes sur l'affaire des déchets radioactifs du port d'Anglet. Il s'était avancé jusqu'à la baie vitrée de son appartement. Il n'avait vu qu'une nuit noire balayée par le vent. Ensuite, il s'était mis en quête de son vieux poste radio à pile qu'il avait essayé de régler, sans succès, sur une fréquence locale. De guerre lasse, il avait sorti des bougies et repris le fil de ses lectures, une cigarette aux lèvres et sa tasse de café à la main.

Société Sargentis Transports Atlantique Adour, plus de vingt ans de stockage de monazite, à même le sol, dans trois entrepôts. Tous contaminés au thorium, une substance radioactive naturelle contenue dans cette terre brune venue de Madagascar.

L'histoire : fin des années 1990, un scandale éclate, vite étouffé par les autorités locales et la Sargentis. Les bâtiments sont rasés aussi sec, l'activité délocalisée. Restent les sols contaminés et les salariés mis à la retraite anticipée et ayant développé des maladies du foie, des cancers du pancréas, des poumons ou du sang. Certains sont morts. D'autres survivent tant bien que mal avec une prime offerte aux plus récalcitrants. Le rédacteur en chef de l'antenne bayonnaise de *Lurrama*, le quotidien basque pour lequel il travaille, lui a interdit la moindre publication sur le sujet.

Et à présent cette tempête et ces histoires de tuiles cassées qu'il doit couvrir pour le journal. Des kilomètres à parcourir, du sud des Landes à la frontière espagnole pour dresser l'inventaire des dégâts, prendre la photo d'un arbre tombé au milieu d'un salon et recueillir les doléances des habitants excédés.

Le journaliste de presse d'information régionale Iban Urtiz se contrefiche de Klaus.

L'odeur du sexe de Marlène, voilà ce qui tourne en boucle dans ses pensées, quand il arrive en vue de Bayonne et que sonne son portable. Goiri, le rédacteur en chef.

Iban éteint l'autoradio.

— Tout ce que vous voulez, mais pas Klaus ! dit-il aussitôt après avoir décroché.

Rire appuyé de Goiri.

— Te voilà exaucé. Une conférence de presse organisée par une famille basque, à propos d'un type du nom de...

Il cherche dans ses papiers.

— Jokin Sasco.

— Qu'a-t-il fait ?

— Il a disparu.

— En quoi ça nous intéresse ?

Goiri soupire et enchaîne, sans prendre la peine de répondre.

— Ça se passe à Istilharte, à une trentaine de kilomètres de Bayonne. Elizabe est déjà en route.

Marko Elizabe, cameraman et réalisateur indépendant, s'occupe des activités Internet du journal, section vidéo. L'un des pires fouille-merde de *Lurrama*. Toujours sur les bons coups avant Iban, jamais sur les chiens écrasés et les tuiles cassées.

— Depuis quand a-t-on besoin d'un cameraman pour une conférence de presse basque ?

— Il est originaire de là-bas, c'est lui qui m'a averti pour la famille Sasco. Je veux que tu couvres la conférence avec lui.

— Ce type ne peut pas me sacquer !

— Tu viens de monter en grade. Tu es officiellement son partenaire.

Iban se dit que Goiri lui refile cette affaire pour l'empêcher de fouiller du côté de la société Sargentis et des stocks de thorium radioactifs.

— Elizabe est au courant ?

— Tu verras ça sur place. Magne-toi, ça commence à 11 heures.

Goiri raccroche avant qu'Iban ait eu le temps de lui demander pourquoi ils devaient être deux sur ce coup-là.

Une partie de la réponse à sa question tombe exactement trente-cinq minutes plus tard quand il débarque à la salle des fêtes d'Istilharte, les pieds trempés, de la neige sur le capot et sa carte de presse *Lurrama* à la main en guise de carton d'invitation.

Répartis sur une dizaine de rangs, les journalistes locaux composent l'essentiel de l'assistance, appareils photo, caméras, carnets de notes, enregistreurs, portables, la presse basque au grand complet. Ils ne sont pas seuls. Installés dans les rangs du fond, des types de la Direction centrale du renseignement intérieur français les observent avec curiosité.

Iban repère sans difficulté la silhouette d'ancien première ligne de Marko Elizabe, assis sur la droite. Il le rejoint en se faufilant entre les chaises et lui lance un « Salut Marko ! » empreint d'ironie. Nuque épaisse, mâchoire carrée, les cheveux poivre et sel en broussaille, le cameraman affiche la cinquantaine bien tassée. Il arbore un large sourire, mécanique, en entendant son nom, qui se mue rapidement en grimace quand il aperçoit Iban.

Iban lui serre la main, au moment où la famille Sasco, son comité de soutien et ses avocats s'installent à la tribune.

— C'est qui, ce Jokin Sasco, le numéro deux d'ETA ou quoi ?

— Ferme ta gueule, *erdaldun*[1].

Elizabe insiste sur le dernier mot. Iban retire sa main.

— Ne m'appelle pas comme ça !

— Pourquoi, tu parles le basque, maintenant ?

— Ça te fait marrer, pas vrai ?

— Contente-toi d'écouter, au lieu de dire des conneries.

---

1. En langue basque, *erdaldun* signifie « celui qui parle une langue étrangère », par opposition à *euskaldun* qui désigne « celui qui parle le basque ».

Sur l'estrade, cinq chaises sont disposées derrière une table, face au parterre de journalistes et de types des renseignements. Quatre hommes, dont deux avocats engoncés dans leur costume, connus pour assurer la défense des membres d'ETA, et une femme, 25 ans, peut-être plus, tenant entre ses mains, tourné vers l'assistance, le portrait en couleurs d'un homme plus âgé qui lui ressemble. Ce dernier sourit à l'objectif, ce que semble démentir la gravité de son regard. La femme porte un simple jeans et un pull à col roulé gris. Son visage est ceint de longs cheveux détachés aussi noirs et intenses que ses yeux.

Une lionne prête à attaquer, se dit Iban.

— Eztia, la sœur cadette de Jokin, le type sur la photo, murmure Elizabe, comme s'il lisait dans ses pensées.

Iban enregistre le nom.

— Et le type à sa droite ?

— Peio, leur frère aîné.

Derrière, une vingtaine de personnes de tous âges se tiennent debout, les bras croisés, soutien humain aussi épais et solide qu'un rocher. Ni cagoule, ni drapeau. Pas de banderole. Aucun slogan. Des femmes et des hommes muets à visage découvert qui n'ont pas à répondre aux questions, ni à se donner en spectacle. Des hommes et des femmes autour d'une photo brandie par Eztia Sasco. Une démonstration de force, comme pour dire, par leur seule présence : « Voilà ce que nous avons à vous dire. L'un des nôtres a disparu. Maintenant, au travail, journalistes ! Et rapportez les faits tels que nous nous apprêtons à les énoncer à l'État français. »

Iban se penche vers Elizabe.

— Ça fait froid dans le dos, non ?

Le cameraman plante son regard dans le sien.

— Tu n'as vraiment rien dans le crâne, pas vrai, *erdaldun* ? Tu ne connais rien à rien.

Puis il pointe du doigt la tribune et lui fait signe de se taire. Iban tourne la tête, balaie l'assemblée et croise les yeux d'un des types des renseignements qui le fixe sans ciller, une grimace naissante sur ses lèvres. Iban frissonne.

Le plus âgé des avocats de la famille Sasco, cheveux courts et traits inexpressifs, approche son visage de l'unique micro de la tribune. L'assistance se tait brusquement. Il entrouvre la bouche mais ne parle pas encore. Iban se demande s'il s'agit d'une mise en scène ou d'une émotion sincère. Un souffle régulier sort des haut-parleurs, une bonne dizaine de secondes, avant que sa voix, grave, résonne enfin dans la salle, en langue basque.

— Merde, souffle Iban en envoyant un coup de coude à Elizabe qui sourit.

— Ton tour va venir.

La plupart des journalistes prennent des notes. Les caméras et les enregistreurs tournent. Le discours dure plus d'une minute.

L'avocat fait ensuite glisser le micro vers son collègue, avant de s'adosser à sa chaise et de croiser les bras.

— Jokin Sasco a disparu depuis vingt-quatre jours. Il a été vu pour la dernière fois, le samedi 3 janvier 2009, à 8 h 15, au pied de l'immeuble dans lequel il vit, à Bayonne, entrant dans sa voiture, une Opel Corsa verte immatriculée dans les

Pyrénées-Atlantiques, et quittant le parking. Il était en bonne santé physique et mentale, il venait de se faire raser les cheveux et la barbe. Il portait un costume sombre. Il devait aller directement à Bordeaux, chez un ami, avec lequel il devait passer le week-end, avant de se rendre au siège de la société Delfexpo, le lundi 5 janvier, à 10 heures pour un entretien d'embauche pour un poste de consultant en développement informatique. Vous pouvez aisément vérifier cela. Le dimanche soir, à 20 h 30, cet ami a contacté la sœur de Jokin Sasco, pour la prévenir qu'il ne l'avait pas rejoint chez lui comme prévu. Jokin Sasco est un homme précis et ponctuel, mais assez indépendant de caractère. Cet ami et lui ne se connaissant pas depuis longtemps, il n'est pas exclu que Jokin Sasco ait préféré se rendre à l'hôtel. Cela n'a pu être vérifié. Le lundi 5 janvier, à 11 heures, le secrétariat de direction de la société Delfexpo a finalement téléphoné au domicile de Jokin Sasco et de sa sœur pour signaler qu'il ne s'était pas présenté à son entretien. Inquiète d'être sans nouvelles et n'excluant aucune hypothèse quant aux motifs de sa disparition, la famille Sasco a souhaité organiser cette conférence de presse.

L'avocat marque une pause avant de reprendre, d'une voix monocorde :

— Jokin Sasco est un militant *abertzale*[1] de longue date. Il a passé dix ans dans les prisons espagnoles. Assez vite après sa sortie, du fait de la situation répressive existant au Pays basque

1. Littéralement en langue basque, « qui aime la terre de ses ancêtres, patriote ».

sud, il est venu s'installer au Pays basque nord. Il mène ici une vie tout à fait normale, résidant à Bayonne, chez sa sœur Eztia Sasco. Les raisons de sa disparition sont obscures. Les hypothèses sont par conséquent ouvertes. Celle de l'enlèvement politique n'est pas à exclure. Mandatés par la famille Sasco, nous, maîtres Vallet et Otxoa, avons déposé une plainte au parquet de Bayonne sur la base de l'article 74.1 du Code pénal français pour « disparition inquiétante », ce mardi 27 janvier 2009. Nous appelons également la population basque à nous livrer toute information concernant les déplacements de Jokin Sasco depuis le 3 janvier 2009. Nous interpellons enfin les autorités françaises pour qu'elles mettent en œuvre le dispositif nécessaire pour nous dire où se trouve aujourd'hui Jokin Sasco. Le peuple basque restera vigilant jusqu'à ce que la lumière soit faite sur cette affaire. Jusqu'à ce que nous sachions enfin *où est Jokin*.

L'avocat cesse de parler et relève la tête. Il adresse un signe à un homme, situé derrière lui, dans le groupe de soutien. Ce dernier s'avance, descend dans l'assistance, un paquet de feuilles à la main, et commence à les distribuer aux journalistes.

— Le communiqué, dit Elizabe en attrapant son exemplaire qu'il plie et empoche.

Iban récupère le sien, digérant tant bien que mal la somme d'informations qui vient de leur être livrée. La suite s'enchaîne très vite. Les types du renseignement intérieur disparaissent par une porte latérale et les journalistes sont priés de quitter les lieux. Sur l'estrade, les proches de Sasco n'ont pas bougé.

« Un putain de mystère », pense-t-il en se dirigeant vers la sortie.

L'homme chargé de la distribution des communiqués se colle derrière lui pour le presser de partir. Iban proteste d'une voix forte, le regard braqué sur la tribune.

Alertée par le bruit, Eztia Sasco pose un instant les yeux sur lui. Iban y lit une lueur amusée, noyée dans un océan de tristesse. Il hoche la tête et lui adresse un petit salut de la main, avant que les battants ne se referment sèchement sur lui et n'interrompent leur bref échange. Il fait demi-tour, Marko Elizabe est face à lui, secouant la tête avec mépris.

— Tu ne peux pas t'en empêcher, hein, *erdaldun* ?

Iban hausse les épaules et plonge le nez dans le communiqué.

— C'est plus fort que toi. Tu ne respectes pas les codes. Et en plus, tu fais les yeux doux à la sœur d'un type qui est peut-être mort !

Iban ne lève pas les yeux de son papier.

— Va chier ! Je n'ai rien fait de tout ça.

— On est au Pays basque, ici. Pas dans ta putain d'école de journalisme ! Tu es peut-être né dans le coin mais tu n'y vis que depuis un an. Je sais ce qui se passe dans ta petite tête, mais tu ne connais rien, tu ne sais rien et tu vas te planter.

Iban se raidit.

— Tu n'as pas à me parler comme ça.

— Je n'ai pas... Non, mais quel connard !

Elizabe pose un doigt accusateur sur sa poitrine

— Écoute ! Goiri veut qu'on fasse équipe pour que tu me surveilles, mais toi et moi, ça ne va pas être possible. Je ne bosse pas avec un irresponsable. Tu vas de ton côté, je vais du mien et personne ne lui dit rien, c'est la seule chose à faire. D'accord, Urtiz ?

Iban s'allume une Winston.

— Eh bien voilà ! Tu vois que ce n'est pas si difficile de m'appeler par mon nom de famille.

Il tend son paquet de cigarettes.

— T'en veux une ?

Elizabe lève les yeux au ciel et regagne sa voiture en le traitant de gamin. Iban le rejoint en courant et lui attrape le bras. Il ne rit plus.

— Attends ! Ne t'énerve pas... Dis-moi, qu'est-ce qu'ils ont voulu dire par « enlèvement politique » ? C'est quoi, un genre de provocation ?

Le cameraman se dégage d'un geste brusque et le toise avec condescendance.

Iban lève les mains au ciel.

— Qu'est-ce que j'ai encore dit ?

— Laisse tomber.

Elizabe secoue la tête d'un air désolé, ouvre la bouche pour parler, se ravise et s'engouffre dans sa voiture. Iban le regarde disparaître à l'angle de la rue en le traitant mentalement d'enfoiré de première et en espérant qu'il n'ira pas pleurer dans les jupes de Mikel Goiri.

Iban ouvre la portière de la Ford Fiesta, s'installe au volant sans la refermer et tire une latte sur sa cigarette avant de jeter le mégot dans la neige. Il expire lentement la fumée en repensant à la mise en scène à laquelle il vient d'assister. Il sort son carnet, griffonne un moment, puis il le range et s'allume une autre cigarette pour réfléchir.

Des noms et des sigles entendus dans les médias émergent des brumes de son cerveau. Les groupes antiterroristes de libération, les tristement célèbres GAL, impliqués dans l'exécution de militants ETA, les enlèvements politiques, la guerre sale, ETA, les victimes innocentes. La colère des proches de Jokin Sasco, les paroles étranges du cameraman et les yeux sombres de sa sœur Eztia s'y superposent pour former un tableau confus.

Iban prend conscience d'une présence et sursaute. À côté de lui, se tient un type aux traits fermés, cernes sous les yeux et menton proéminant, massif, peut-être un flic ou un proche de Sasco.

— Putain, vous êtes qui, vous ?

L'homme écarte la question d'un geste de la main, pose la main sur le toit de la voiture et se penche vers lui.

— T'es encore là ?

— Je crois que je vous ai vu, à la tribune. Vous êtes de la famille Sasco ?

Le Basque sourit et dit :

— Et toi ?

— Non, bien sûr que non.

Le sourire a disparu des lèvres du type. Il se penche un peu plus et saisit le bras du journaliste.

— La disparition de Jokin Sasco t'intéresse ?

Iban grimace.

— Je suis là pour ça.
— Tu travailles pour *Lurrama*.
— C'est quoi ? Un interrogatoire ?
L'homme jette un œil au coin de la rue par où est parti Elizabe.
— Marko fait du bon travail, il est impliqué, mais il manque de...
Il paraît chercher ses mots.
— De soutien, dit-il finalement. Qu'en penses-tu ?
Mal à l'aise, Iban ne sait pas quoi répondre. Il tire sur son bras que l'autre finit par lâcher. Il insère la clef dans le démarreur et fait mine de la tourner.
— Sois prudent.
Iban joue nerveusement avec l'embrayage.
— C'est ça.
— Tu dois choisir ton camp.
— Quel camp ? De quoi est-ce que vous parlez ?
Le type recule d'un pas, le fixe durement, puis il s'éloigne et pénètre dans la salle des fêtes sans regarder en arrière.
Les yeux dans le vague, Iban regarde la porte, sans réagir. La cloche de l'église voisine qui sonne midi le tire de sa torpeur. Il secoue la tête, cherche la clef dans sa poche et se rappelle qu'elle est déjà sur le contact.
— Qu'est-ce qu'ils ont tous, aujourd'hui ? marmonne-t-il en démarrant.

2

Eztia Sasco observe Peio faire des messes basses avec les avocats et trois types de l'organisation dans un coin de la salle. Elle se doute qu'il y est question de stratégie, de Jokin et du mouvement. Elle connaît leur laïus par cœur. Tout le monde est à cran depuis que son frère a disparu.

Elle se retient de les rejoindre, certaine que les conversations cesseront sitôt qu'elle s'approchera.

Peio cherche à la protéger, mais elle n'est plus une gamine. Elle a supplié Jokin de ne pas accepter cette valise. Elle a tenté de le persuader. La violence pour répondre à la violence, elle est lasse de toutes ces conneries.

Jusqu'à ce que Jokin disparaisse.

Avec leur mère, depuis le 3 janvier, ils comptent les jours. Depuis le 8, ils retiennent leur souffle. Le 13, ils ont compris que quelque chose n'allait pas et que ceux d'en face avaient franchi la ligne jaune.

Le pire est à craindre.

Seulement le pire.

Des larmes lui montent aux yeux. Elle tourne la tête pour que personne ne la voie craquer. Elle fouille dans son sac un instant, se dirige vers la porte, entrouvre le battant et s'allume une cigarette. La neige a cessé de tomber. Le spectacle des toits blanchis a quelque chose de reposant. Une Ford Fiesta stationne au milieu du parking. Quelqu'un fume, assis au volant. Eztia croit reconnaître le type qui la dévisageait bizarrement à la fin de la conférence de presse. Elle ne se souvient pas de l'avoir déjà vu auparavant.

La femme d'Adon Dibarrat, un ami d'enfance de Jokin, s'approche et pose une main sur son épaule. Eztia cherche son prénom sans parvenir à le retrouver et esquisse un sourire poli. La femme tripote nerveusement la fermeture éclair de son blouson. Elle lui demande si elle tient le coup. Eztia hoche la tête, incapable de prononcer un mot. Elle se concentre sur le bout incandescent de sa cigarette. Une bourrasque glacée balaie la neige à leurs pieds. Eztia réajuste le col de son pull. La femme retire sa main, lentement, et jette un bref coup d'œil en direction des hommes.

— Si tu as besoin de quoi que ce soit, surtout, n'hésite pas.

Eztia la remercie. L'autre comprend qu'elle veut rester seule et retourne à l'intérieur. Eztia jette son mégot et glisse une deuxième cigarette entre ses lèvres.

— Tu fumes trop, dit son frère, dans son dos.

Elle hausse les épaules et fait volte-face. Peio a une canette de bière à la main. Ses yeux brillent à cause du stress et du manque de sommeil. Elle le fixe un long moment avant de lâcher :

— J'ai peur.

Le bruit d'un moteur qui démarre le dispense de répondre. Ils tournent la tête en même temps. La Ford Fiesta s'éloigne en direction de la vallée.

— Tu le connais ?

— Il était avec Marko Elizabe, je crois.

Peio boit une longue gorgée de bière.

— C'est un journaliste de *Lurrama*. J'ai envoyé Eneko voir ce qu'il voulait. Je n'aime pas trop les fouineurs.

— C'est le but d'une conférence de presse, non ?

— Tu sais très bien ce que…

Eztia l'interrompt brutalement.

— Écoute, tu organises avec tes amis cette conférence sans même me consulter, vous envoyez des invitations à tout le monde, soi-disant pour le bien de la cause, tu me mets cette photo de Jokin entre les mains, et maintenant tu m'expliques que je dois me méfier des journalistes. Alors non, je ne saisis pas très bien où tu veux en venir. Jokin a disparu depuis trop longtemps. Tu comprends ce que ça signifie ? Pour ce qu'on en sait, il est peut-être mort à l'heure qu'il est.

— Ne dis pas ça !

— Ouvre les yeux, merde, ils ont enlevé notre frère ! Ce ne sont pas de foutus articles de presse qui nous rendront son corps.

— C'est une manière de leur mettre la pression, de faire bouger les lignes.

— Pression, mon cul ! Ça fait des années que ça dure. Votre stratégie n'a rien donné, la voilà la vérité. Jokin n'est pas le premier et ça continuera, encore et encore. Tout ce que je sais, c'est que nous sommes les baisés de l'histoire. Tu as vu les mecs des renseignements, dans la salle, tout à l'heure ? Merde, j'ai eu l'impression qu'ils venaient au théâtre. Ils étaient ici comme chez eux ! Pourquoi est-ce qu'on tolère leur présence, tu peux me le dire ?

Eztia tremble de colère. Peio tend le bras et lui caresse la joue en signe d'apaisement. Elle recule instinctivement la tête pour éviter le contact de ses doigts. Il s'énerve.

— Tu fais chier.

Elle tire une latte sur sa cigarette et s'avance dehors, sous l'auvent.

— Bon, je dois aller bosser. Cette discussion ne rime à rien. Tu t'occupes de maman ?

Il acquiesce.

— Tu fais quoi, ce soir ?

— Pure curiosité ou interrogatoire en règle ?

— Ne le prends pas comme ça. Je m'inquiète pour toi, c'est tout.

Elle hausse les épaules.

— Que veux-tu que je fasse ? La même chose que depuis trois semaines. Appeler les hôpitaux et les morgues de la région, et après, j'irai voir maman pour pleurer avec elle.

— Je fais le maximum pour le retrouver.

— Ne me raconte pas de salades, Peio. Tu fais ce que tu peux, c'est déjà pas mal. Si ça t'aide à digérer, tant mieux pour toi.

— Parle-moi sur un autre ton !

Eztia écrase sa cigarette du talon et exhibe ses clefs de voiture.

— Je suis en retard.

3

Alirio Pinto est occupé à soulever de la fonte quand la sonnerie du téléphone retentit. Trois coups. Il grimace, poursuit son effort un moment, avant de déposer les haltères à ses pieds et de s'étirer.

La pièce empeste la transpiration.

Une unique fenêtre donne sur la rue Abel-Guichemerre. L'aménagement est spartiate. Un matelas posé à même le sol, un réfrigérateur *small size* neuf, un banc de musculation recouvert de skaï déchiré par endroits, un téléviseur, un lecteur DVD, une collection d'une vingtaine de westerns spaghetti et une ligne fixe sans accès Internet.

Pinto sait qui appelle, il n'est pas pressé. Il ne décroche pas, comme convenu. García est le seul à connaître ce numéro – le sien comme celui des autres. García gère les aspects pratiques. Il centralise le fric, paie le loyer, les factures d'eau et d'électricité du studio dacquois qui sert de planque à Pinto.

Il hésite un instant à ignorer l'appel. Il pourra toujours expliquer qu'il était sorti se dégourdir les jambes. Quinze jours à faire le mort entre quatre murs donnent le droit à un ou deux manquements au règlement.

Comme si García lisait dans ses pensées, le téléphone retentit à nouveau.

Deuxième série de trois sonneries.

Code d'urgence.

Pinto profère un juron, regarde l'heure et calcule le temps qu'il lui reste. Il ouvre la fenêtre en grand pour aérer et se dirige à contrecœur vers la salle de bains. Il jette un coup d'œil au miroir. Une barbe de huit jours recouvre ses joues, masquant en partie la vilaine cicatrice dont il a hérité en prison au cours d'une bagarre, dix ans plus tôt. Il inspecte sommairement le résultat de l'entraînement intensif qu'il s'est imposé ces derniers jours. Satisfait, il saisit la boîte d'amphétamines posée sur le rebord du lavabo et en extrait deux gélules qu'il gobe aussitôt avec gourmandise. Puis il baisse la tête et pénètre dans la cabine de douche.

Il s'en extirpe un quart d'heure plus tard avec le sentiment d'être invincible. Les amphétamines font leur petit effet. Pinto a l'impression d'avoir vingt ans de moins. Ses yeux brillent d'une drôle de lueur.

Il branche sa tondeuse, se rase le crâne et la barbe, avant de s'asperger généreusement le visage d'après-rasage.

De retour dans la pièce principale, il ramasse le semi-automatique et les munitions qui traînent sur le matelas, s'accroupit, soulève une latte du parquet et y enfouit le tout. Une fois sa tâche terminée, il referme la fenêtre et s'habille rapidement, jeans, T-shirt blanc, pull à capuche et baskets. Il parachève son œuvre d'une casquette de couleur grise à la visière élimée. Il balaie une dernière fois le studio du regard, attrape ses clefs et sort.

Sitôt dehors, Pinto gagne le trottoir opposé, goûtant au plaisir de voir grandir son reflet dans la vitrine de l'agence immobilière d'en face, puis il descend la rue jusqu'au croisement avec l'avenue des Jardins et tourne à droite pour rejoindre le boulevard Saint-Pierre. Là, il se dirige vers la cabine téléphonique qui fait l'angle, consulte sa montre, vérifie que les environs sont déserts avant de composer de mémoire le numéro d'Adis García.

Une seule sonnerie.

Son responsable parle en espagnol. Il est surexcité.

— Tu es au courant ?

— De quoi ?

— Merde, tu vis dans quel monde ?

Pinto se retient de lui faire remarquer que ces dernières semaines, son seul souci a été *précisément* de ne pas se mêler au commun des mortels.

— Dis-moi plutôt pourquoi tu appelles !

— Jokin Sasco.

Pinto déglutit. Des images de la nuit du 10 au 11 janvier derniers et de la montagne d'ennuis qui en ont découlé lui reviennent à l'esprit et se superposent à celles des années passées derrière les barreaux. Un frisson lui parcourt le dos.

— Ils l'ont retrouvé ?

— Heureusement que non !

— Tant mieux, parce que j'ai déjà payé une fois pour leurs conneries. Ça m'a coûté onze ans, et toi seize. Je ne veux pas remettre ça.

— C'est pas la question, putain !

Pinto donne un coup de poing dans la vitre de la cabine.

— Alors pourquoi tu me parles de ce connard ?

— Sa famille vient de donner une conférence de presse à Istilharte, ce matin, devant tout le gratin de la presse locale. Des Français, des Espagnols, des Basques. Ils étaient tous là.

Pinto s'attendait à pire. Il est presque soulagé par la réponse de García mais son ton le rend nerveux.

— Qu'est-ce que tu veux que ça me foute ?

— Ils portent officiellement plainte pour disparition inquiétante. C'est le branle-bas de combat en haut lieu. Le nouveau procureur de la République de Bayonne est sur les dents. L'antiterrorisme s'en mêle. Il risque d'y avoir des retombées.

— De quel genre ?

— Enquête officielle et tout le bordel.

Pinto tripote nerveusement le câble du combiné.

— Je veux dire, pour nous, ça change quoi ?

— J'en sais rien.

— Tu n'as reçu aucune consigne ?

— Non.

— Merde.

Silence à l'autre bout du fil. Pinto s'impatiente.

— Ils n'ont pas intérêt à nous lâcher. Ça fait déjà deux semaines qu'on est sans nouvelles.

— Tu as touché ton fric, comme nous tous.

— Mais je suis coincé dans vingt mètres carrés et ma tête est mise à prix !

García proteste, mais Pinto lui coupe la parole.

— Écoute, j'ai rien à perdre, dans cette affaire.

— Moi non plus, mais on n'en est pas là.

Il ricane.

— Qu'est-ce que t'en sais ?

— On doit juste rester discrets un moment, le temps que l'affaire se tasse.

Pinto se passe la main sur le crâne, dubitatif. García demande :

— Sinon, tu n'as besoin de rien ?

— Ça va.

— Si tu veux changer de piaule, tu n'hésites pas.

— Le coin est sympa, je ne me plains pas. Dis-moi plutôt quel est le programme.

Il sent poindre une hésitation dans la voix de son interlocuteur.

— On patiente.

— Comme toujours…

— De mon côté, je les appelle et je te tiens au courant.

— Y a intérêt.

Sa réponse reste en suspens. García a déjà coupé.

Le combiné à la main, Pinto reste immobile un long moment avant de se décider à raccrocher.

À l'extérieur de la cabine, le froid lui mord la peau du visage. Il parcourt le boulevard des yeux et tombe sur une femme, à une vingtaine de mètres de là. Ronde, blonde, cheveux longs, petite taille, son gros cul serré dans un jeans, comme il les aime. Un portable vissé à l'oreille, elle attend au passage clouté qu'une camionnette soit passée. Elle tourne la tête dans sa direction, esquisse un sourire, sans doute destiné à son interlocuteur, puis s'élance, une fois la voie libre. Pinto la suit du regard jusqu'à ce qu'elle disparaisse dans une rue adjacente.

Il réalise qu'il n'a pas baisé depuis longtemps et ça lui file la trique rien que d'y penser. Il serait peut-être temps qu'il se change les idées et commence à dépenser son fric.

En s'éloignant, il se demande combien ça lui coûterait de se faire livrer à domicile et s'il pourrait choisir la taille. La dernière pute qu'il s'est tapée mesurait un mètre soixante-quinze et ça ne lui avait pas procuré l'effet escompté, même s'il lui rendait encore vingt bons centimètres. Avec les petites, ce genre de choses n'arrive pas. Elles savent y faire avec les grands types comme lui. C'est un truc que les autres n'ont pas. Un truc qu'il ne s'explique pas.

4

Quand Iban Urtiz débarque au bureau, l'équipe de rédaction de *Lurrama* est réunie pour le débriefing hebdomadaire. Une vingtaine de personnes s'agitent, plus quelques stagiaires. Marko Elizabe est absent.

Mikel Goiri essaie de calmer les esprits et de recentrer la discussion sur l'ordre du jour. De temps à autre, il lance des coups d'œil inquisiteurs à Iban. Une odeur de café sature l'air, mêlée de petites touches de déodorant et d'eau de toilette bon marché. Les échanges se font en français, en espagnol ou en basque. Iban se concentre une dizaine de minutes pour ne pas perdre le fil, avant de finalement lâcher prise.

Il s'éclipse discrètement de la salle de rédaction et rejoint son poste de travail. Il sort le communiqué de sa poche, l'étale devant lui et lance une recherche au nom de Jokin Sasco dans la base de données du journal.

Le moteur de recherche livre la photo d'un jeune homme de 18 ans, mal rasé, au regard ivre de colère. Menottes aux poignets, il porte un costume sombre trop large pour lui. Deux policiers de la Guardia Civil aux mâchoires crispées l'encadrent. La légende indique qu'ils s'apprêtent à l'escorter jusqu'au centre pénitentiaire de Madrid V où il purgera une peine de dix ans pour appartenance à une mouvance terroriste et participation à des actions violentes. La scène se déroule le 4 février 1998. L'article qui suit, à la gloire des forces de police espagnoles, est sans intérêt.

Iban suspend sa lecture et relève la tête.

Les paroles du type qui a cherché à l'intimider à la sortie de la conférence de presse lui reviennent, comme un écho à ce cliché, montrant un gamin que l'on va enfermer telle une bête.

« Tu dois choisir ton camp. »

Pour la première fois depuis dix mois qu'il a été embauché, Iban prend conscience qu'il ne connaît ni ce pays, ni ses habitants. Une étrange mécanique se met en branle dans son cerveau. Les paroles d'Elizabe prennent une nouvelle signification.

Choisir son camp.

Iban porte un jeans neuf, des Converse noires et dépasse la plupart des hommes de son entourage d'une tête. Une gueule d'ange, des yeux clairs, presque imberbe. Il a 27 ans et une carte de presse en poche. Son nom de famille, Urtiz, lui a été légué par un père basque, ouvrier dans le bâtiment, qu'il n'a pas connu. Iban est l'un des prénoms les plus répandus dans l'Occident chrétien. Il a été choisi par sa mère. À la mort de son père, elle est rentrée l'élever en Savoie, sa région natale.

Il ne sait pratiquement rien du Pays basque et de son histoire.

Il n'est pas des leurs.

Il n'est pas *euskaldun*.

Iban entre un autre nom dans la base.

Il range dans un coin de sa tête la société Sargentis, les stocks de thorium radioactif, les types en phase terminale. Il oublie Marlène, la douceur de sa peau et l'odeur de son sexe. Il ne pense plus qu'à Jokin Sasco.

Il se dit qu'il va enfin pouvoir exercer son métier de journaliste. Il se croit malin. D'une certaine manière, il l'est peut-être. Comme tant d'autres avant lui.

Eztia Sasco le fixe à l'écran. La photo a été prise à Bayonne, le 7 mars 2008, deux jours après la sortie de prison de son frère, lors d'une manifestation. Son regard est toujours aussi froid et triste, en dépit du soulagement que doit représenter pour elle la libération de Jokin Sasco.

Iban coupe la connexion, attrape son blouson et quitte le bureau pour aller déjeuner.

Le local de la préposée aux archives du journal et à la documentation, une stagiaire brune d'une vingtaine d'années qui carbure à l'Efferalgan codéiné et aux cures d'amaigrissement, est à peine plus grand qu'un placard à chaussures.

Stéphanie Jourdan secoue la tête d'un air désolé. Iban la fixe sans ciller et lui fait son plus beau sourire.

— Je t'en prie. Il y a des milliers de fichiers dans ces archives. Sans ton aide, je ne m'y retrouverai jamais.

— Et sur le serveur ?

— La plupart ne sont pas numérisés et quatre-vingt-quinze pour cent des sites Internet qui traitent de ce qui m'intéresse sont en basque. Je ne parle pas le basque.

La fille hésite, il lit ça dans ses yeux, mais elle ne cède pas.

Il insiste :

— S'il te plaît. Une petite heure de ton temps...

— Goiri m'a affectée à la tempête Klaus. C'est ma première expérience sur le terrain, je ne peux pas laisser passer ça. Je dois être dans le nord du département dans...

Elle consulte sa montre.

— Deux heures de l'après-midi ! Merde, je suis déjà en retard !

Elle bouscule Iban, attrape sa veste et son sac, puis se rue dans le couloir. Iban se retient de lui crier qu'une fois son stage terminé, Goiri ne l'embauchera jamais. La porte claque. Il pousse un long soupir contrarié.

Sa liste de noms en main, il contemple le désastre : quinze mètres carrés d'étagères surchargées de piles de cartons en partie éventrés. Il allume une Winston, en dépit de l'interdiction de fumer.

— Tempête à la con !

Il quitte son blouson et se met au travail. Rapidement, il met la main sur une douzaine de cartons étiquetés *ETA*, couvrant les années 1997 à 2008. À l'intérieur, des dépêches AFP, des communiqués, des articles de presse découpés à la main, des clichés de mauvaise qualité, des impressions en noir et blanc pour la plupart, et une poignée de notes manuscrites. Il reconnaît l'écriture de

Goiri, ainsi qu'une autre, hachée, vaguement familière. Probablement celle d'Elizabe. Hormis les dates inscrites sur les tranches, aucun classement spécifique, comme si cette documentation avait été rangée là pour ne plus jamais en sortir.

Iban se passe les doigts dans les cheveux et éteint sa cigarette. Il dégage sommairement la table située sous la fenêtre et y vide le contenu du carton numéro un.

Il est un peu plus de 16 heures quand Iban vient à bout des derniers classeurs.

Jokin Sasco est loin d'être un militant de premier plan. Son nom est peu mentionné. Son procès est l'une des rares occasions qui livrent quelques éléments sur ses activités militantes officielles, même s'il n'en reste que la version de l'accusation – Jokin Sasco a refusé, comme d'autres militants jugés avec lui cette semaine-là, de répondre aux questions qui lui étaient posées. Sa décision est lourde de conséquences : les accusés ne reconnaissent pas le système judiciaire qui s'apprête à les condamner et demandent à être jugés par un tribunal basque.

L'homme est né en 1976, à Bilbao, capitale de la province Biscaye et la ville la plus importante de la communauté autonome basque. On peut l'imaginer grandir sur les bords de l'estuaire Nervión, avec des copains de son âge. Il commence à se politiser à l'adolescence, au début des années 1990. Comme tant d'autres, il s'indigne de la répression et de la guerre sale menées par des commandos paramilitaires et parapoliciers, les célèbres groupes antiterroristes de libération, les GAL, durant les années 1980, à l'encontre des militants basques espagnols et français, ainsi que de leurs familles et leurs proches. Comme tant d'autres, il rejoint les rangs d'ETA et intègre un commando armé en août 1996. Il est arrêté le 12 décembre 1997, dans une cache d'armes d'ETA, avec trois autres militants.

Les quatre hommes sont jugés par l'Audience nationale, à Madrid, à grands renforts médiatiques. Leur procès s'étale du 30 janvier au 4 février 1998 et ils écopent de peines allant de sept à vingt ans de prison. Jokin Sasco prend dix ans fermes. Il est incarcéré loin de ses compagnons de lutte, au centre pénitentiaire de Madrid V, puis transféré à celui de Gijón. Il vient de fêter ses 18 ans. Il ne sera libéré que le 5 mars 2008, sans avoir bénéficié de la plus infime remise de peine.

Il sort de prison sans diplôme et dans un climat de méfiance généralisée. Il n'a d'autre solution que de retourner à Bilbao où des proches l'hébergent quelque temps. Le harcèlement policier, les tracasseries administratives contraignantes et la surveillance dont il est l'objet ont raison de ses nerfs. Le 23 septembre 2008, il passe la frontière et s'installe chez sa sœur, à Bayonne, où il cherche activement du travail jusqu'à sa disparition, le 3 janvier 2009.

Durant cette période, Iban suit sa trace sur des photos de manifestations officielles, militant pour la libération et le rapprochement des prisonniers politiques basques dispersés sur les territoires français et espagnol. Par contre, rien dans les cartons ne prouve que Jokin Sasco ait gardé des contacts avec ETA ou son ancien commando.

Rien ne prouve le contraire non plus.

Aux dires de ses proches et de sa famille, les années passées derrière les barreaux auraient épuisé sa colère et l'ancien prisonnier n'aurait qu'un désir : trouver un bon travail, se marier, avoir des enfants et mener une existence paisible.

Dans *son* pays.

Iban revoit le regard triste d'Eztia Sasco sur cette photo du 7 mars 2008, le surlendemain de la libération de son frère. Le même que ce matin. Comme si elle savait quelque chose depuis le début.

Ou qu'elle le redoutait.

Il se dit : les apparences sont parfois trompeuses.

La bouche sèche, il résiste à la tentation d'allumer une cigarette. Il ouvre la fenêtre du local, ferme la porte et descend boire une pression au bar d'en face. Sur son portable, un SMS de Marlène qui lui demande ce qu'il fait ce soir. Il répond en quelques mots laconiques : « J'ai du boulot, ne compte pas trop sur moi. »

Les idées plus claires, il remonte une vingtaine de minutes plus tard, tape son article sur la conférence de presse, agrémenté d'une courte biographie, et l'envoie par courriel à Goiri. Il met son poste informatique en veille, retourne dans la salle des archives et s'assied face à la table pour réfléchir.

Bilan de ses recherches : rien ou presque.

Jokin Sasco peut se trouver n'importe où, avec n'importe qui. Pour ce qu'Iban en sait, ce type est un ancien *etarra*[1], ce qui ne signifie pas nécessairement qu'il a récidivé après sa libération. Peut-être qu'il se cache, qu'ETA l'a mis au frais parce qu'il menaçait l'organisation ou peut-être s'est-il cassé la jambe en allant pisser sur une aire d'autoroute. Peut-être est-il tombé dans un trou. Et après ? Des types disparaissent chaque jour sur le territoire français sans que la Guardia Civil espagnole, le juge Garzón ou les GAL soient dans le coup.

Du bout des doigts, Iban joue un moment avec son paquet de Winston, le regard perdu.

Face à lui, la pluie dessine des entrelacs complexes sur les carreaux de la fenêtre. L'horizon est barré de nuages noirs que le soleil couchant éclaire par endroits d'une inquiétante lueur orangée. Encore agité par l'onde de choc de la tempête Klaus, l'océan est un vaste champ de ruines mouvantes qui n'en finit pas de déverser sa colère sur les plages d'Anglet et de Bayonne, en un rugissement de vagues et d'écume que le double vitrage ne parvient pas à assourdir.

Comme s'il s'apprêtait à tout instant à recracher le cadavre de Jokin Sasco.

« Dans son pays », pense Iban.

Des éclats de rire dans le couloir le font sursauter et le tirent de sa rêverie. Il se lève pour fermer la porte. Il glisse une Winston entre ses lèvres sans l'allumer et se replonge dans les archives, en se concentrant cette fois-ci sur les relations de Sasco.

---

1. Militant d'Euskadi Ta Askatasuna (Pays basque et liberté).

Il tombe sans tarder sur une militante *abertzale* de 24 ans, Élea Viscaya, présentée comme la petite amie de Sasco.

Son nom apparaît dans la presse en juillet 2005, à l'occasion d'une manifestation organisée à San Sebastián pour la libération de prisonniers politiques basques, parmi lesquels figure Jokin Sasco. Elle est interviewée à deux reprises, en tant que porte-parole.

Un article de *Lurrama* signé Marko Elizabe révèle qu'elle nourrit depuis le début de l'année une correspondance assidue avec Sasco. Le cliché illustrant le papier, de bonne qualité, montre une jeune femme belle comme le diable, à l'air déterminé et à la silhouette élancée. Vingt ans, de longues boucles brunes, des yeux immenses, un menton carré et des lèvres fines.

Pas étonnant que Sasco ait craqué pour elle, du fond de sa cellule.

Iban retrouve sa trace à maintes reprises, entre 2005 et 2008, en tête de cortège des manifestations ou en soutien lors de conférences de presse organisées par les proches de militants incarcérés. Au cours de cette période, elle est officiellement propulsée au rang de « petite amie » de Jokin Sasco. Le 7 mars 2008, deux jours après la libération de ce dernier, elle figure sur les différentes photos les représentant, elle, lui et sa sœur, Eztia, main dans la main. Ses yeux remplis de larmes de joie trahissent son émotion et ses sentiments pour l'ancien prisonnier.

Les semaines et les mois suivants, alors que Jokin Sasco se fait de plus en plus discret, elle appelle à poursuivre la lutte dans les colonnes de la plupart des canards basques. Elle vit désormais en France, près de Saint-Jean-de-Luz, où elle travaille comme serveuse dans une brasserie avec vue sur la baie. De manière inexpliquée, à partir de juin 2008, Élea Viscaya ne fait plus parler d'elle.

Surpris, Iban feuillette un instant sa documentation et revient sur les articles du jour concernant la disparition de Jokin Sasco, en vain. Élea Viscaya est bel et bien sortie des écrans radar médiatiques et militants. Plus étonnant encore : son absence à la conférence de presse de ce matin, à Istilharte. Il faudrait vérifier sur les images tournées par Elizabe, mais Iban est quasiment sûr qu'il l'aurait remarquée, si elle avait été là.

Soit sa relation avec Sasco n'a pas supporté les affres du quotidien et l'absence de barreaux, soit la famille Sasco l'a écartée.

Iban appelle les renseignements. Aucune ligne n'est attribuée au nom d'Élea Viscaya. Même chose auprès de Paul, un journaliste de Saint-Jean-de-Luz qu'il a croisé à plusieurs reprises depuis son embauche à *Lurrama*. Il parvient cependant à dénicher le nom et le numéro de la brasserie pour laquelle elle bossait avant de quitter le circuit.

Un homme à la voix rocailleuse répond à la dixième sonnerie. Il se présente comme le gérant de l'établissement. Iban formule sa requête en se faisant passer pour un ami. Le type se ferme aussitôt comme une huître.

— Pas le temps.

— Il faut que je lui parle.

— Je vais devoir raccrocher.

— On m'a dit qu'elle travaillait pour vous depuis le printemps 2008.

Iban sent que son interlocuteur hésite. Il en remet une couche.

— Je vous en prie, c'est vraiment important.

— Elle a démissionné début juin 2008 pour raisons personnelles. Je ne l'ai jamais revue depuis. Une petite très bien…

— Quelles étaient ces raisons personnelles ?

Nouvelle hésitation à l'autre bout du fil. Le ton devient cassant.

— Vous prétendez être un ami d'Élea.

— Oui.

— Si c'était le cas, vous seriez au courant.

— De quoi ?

Le type raccroche avant qu'il ait pu répéter sa question.

Iban tape du poing sur la table.

— Connard !

Il se lève et allume une cigarette pour se calmer. Il fait le point. Élea Viscaya s'évanouit dans la nature en juin dernier. Sept mois plus tard, son petit ami présumé disparaît à son tour. De là, à échafauder des hypothèses paranos, il n'y a qu'un pas.

Planté devant la fenêtre, Iban compose le numéro de Marko Elizabe. Dehors, la nuit est déjà tombée, la pluie et le vent ont baissé d'intensité. Le portable vissé à l'oreille, il ouvre la fenêtre pour aérer.

Le cameraman répond à sa première tentative. Iban prononce le nom d'Élea Viscaya. Elizabe joue à l'étonné. Il demande :

— Pourquoi t'intéresses-tu à elle ?

— C'est ma seule piste.

— Je ne suis pas le bureau des renseignements.

— Je sais que tu as couvert la plupart des manifestations de soutien aux prisonniers politiques basques depuis la fin des années 1990 pour *Lurrama*. Si tu as bien fait ton boulot, et je sais que c'est le cas, tu connais cette fille et tu as des informations pour moi.

— Cherche dans son entourage.

— Merde, Marko, elle n'est pas dans l'annuaire et on sait tous les deux qu'aucun Basque ne renseignerait un *erdaldun* comme moi.

Elizabe ironise :

— Sans blague !

— J'ai besoin de toi. La fille a disparu en juin dernier pour des raisons personnelles. Peut-être qu'en enquêtant sur elle, je saurais pourquoi il a disparu à son tour. Peut-être sont-ils ensemble.

— Ben voyons.

Iban ricane.

— Ah ouais, j'oubliais, ta fameuse théorie du complot…

— Tu ne sais même pas de quoi tu parles.

— Je me fous de ce que tu penses !

— Alors, ne m'appelle pas !

— Tu sais où elle est, oui ou non ?

Elizabe se tait un long moment avant de répondre :

— Je vais voir.

— Merci.

— Ne me remercie pas, je n'ai rien promis. Et si je peux me permettre : fais attention où tu mets les pieds.

Elizabe raccroche aussi sec. Iban se retient de presser la touche *bis* de son téléphone pour l'insulter et lui dire qu'il est assez grand pour savoir ce qu'il fait. Il jette le reste de sa cigarette par la fenêtre, referme et quitte la pièce.

Une petite voix lui souffle à l'oreille : cherche à qui profite le crime.

Il consulte l'horloge.

18 h 05.

Il balaie la salle principale du regard. La plupart des postes sont vides et Mikel Goiri est encore dans son bureau.

Il se dirige vers l'accueil, se penche par-dessus le comptoir, saisit l'annuaire et l'ouvre à la lettre S.

Sasco Eztia. Hauts-de-Sainte-Croix, quartier nord de Bayonne. L'un des plus beaux panoramas sur la ville. Ou sur la zone industrielle. Tout dépend de quel point de vue on se place.

Quitte ou double.

Iban mémorise le numéro et file s'asseoir à son poste de travail pour téléphoner.

Répondeur.

Il ne laisse aucun message et raccroche.

Il jette un regard en direction du bureau de Goiri et recommence.

Un déclic, suivi d'une voix féminine.

— Je voudrais parler à Eztia Sasco, s'il vous plaît.

— C'est moi. Qui êtes-vous ?

— Pardon, je me présente. Iban Urtiz, journaliste. J'étais à la conférence de presse, ce matin, et j'aimerais vous rencontrer.

— Quel journal ?

— *Lurrama*.
— Quel est votre nom, déjà ?
— Iban Urtiz.
Elle marque un temps d'arrêt, puis demande d'un ton méfiant :
— Elizabe ne travaille plus pour Mikel Goiri ?
— Si, mais…
— Un moment, je vous prie.
— Pas de problème.
Des chuchotements lui parviennent, à l'autre bout de la ligne, puis des cris. La sœur de Sasco se dispute avec une autre personne. Un homme lui prend le téléphone des mains et hurle dans le combiné :
— Ne rappelle plus jamais ici !
Iban n'a pas le temps de protester. C'est la troisième fois en moins d'une heure qu'on lui raccroche au nez. Il commence à comprendre pourquoi Goiri l'a mis sur l'affaire Sasco. Personne ne parle à un *erdaldun*. Le rédacteur en chef n'est pas stupide. La question est donc : quel intérêt Goiri a-t-il à mettre quelqu'un comme lui sur cette affaire, alors qu'il dispose de journalistes basques dans ses rangs ?
Il pense : à qui profite le crime ?
Un signal sonore l'avertit d'un nouveau message. Goiri le félicite pour son article et lui donne carte blanche pour le suivant.
Iban tourne la tête. De la lumière filtre encore sous la porte du rédacteur en chef.
Il s'étire, ouvre Internet et lance une recherche sur le nom d'Élea Viscaya. Il abandonne vingt minutes plus tard, à cours de réponses et de pistes à explorer. Il tend la main pour éteindre

son ordinateur, mais suspend son geste au dernier moment. Après une brève hésitation, il entre le nom de son père, Xabi Urtiz, dans la base de données de *Lurrama*, et presse la touche *Entrée*.

Articles correspondant à l'occurrence : zéro.

Iban s'adosse à son siège et émet un ricanement moqueur.

— Qu'est-ce que tu t'attendais à trouver, *erdaldun* ?

À sa mort, Iban avait seulement 6 ans. Trop peu de souvenirs, des rêves, des images éparses, une maison aux volets verts, un coin de plage désert, un homme immense plongeant dans les vagues en riant. Le fantasme d'un homme libre et inaccessible à jamais.

Chassant ces pensées inutiles, il éteint son poste, récupère ses clefs de voiture et descend quatre à quatre les escaliers de l'immeuble.

En mettant en marche le moteur de la Ford Fiesta, il n'a qu'une certitude. Marko Elizabe avait au moins raison sur un point : Iban ne connaît vraiment rien à rien.

Il passe la seconde, accélère et s'insère dans le trafic. Sur l'autoroute, la circulation est fluide, le lecteur CD diffuse la version *live* de *Double Talkin' Jive* des Guns N' Roses, enregistrée à Tokyo dix-sept ans plus tôt, le 22 février 1992. Qui pourrait croire qu'une tempête de force 5 s'est abattue trois jours auparavant sur la façade atlantique et qu'un homme a disparu depuis près d'un mois ?

Iban se gare en bas de chez lui. Il pleut des trombes d'eau sur Moliets. Le téléphone de son appartement sonne à tout rompre. Il hésite une seconde, se débarrasse en hâte de ses affaires et fonce prendre une douche.

Quand Iban sort de la salle de bains, le voyant rouge du répondeur clignote. Il enfile un caleçon et un T-shirt, sort une pizza du congélateur et l'enfourne dans le micro-ondes, avant d'écouter le message.

Marlène.

Il presse la touche *supprimer* sans l'écouter.

Une fois son repas réchauffé, il allume le téléviseur, croque dans sa pizza brûlante et zappe sur les chaînes d'informations nationales. Rien sur l'affaire Sasco. Qui s'intéresserait à l'histoire d'un ancien taulard indépendantiste basque ?

Le visage d'Élea Viscaya défile en surimpression devant ses yeux.

Iban bascule sur un canal basque.

À l'écran, un journaliste qu'il connaît de vue dresse un bilan de la politique de produits AOC mise en place en Basse-Navarre.

Iban change de chaîne et tombe sur un film avec Clint Eastwood. Soirée thématique. Il grogne de plaisir, attrape un cendrier et allume une cigarette. Il s'endort comme une masse vers 3 heures du matin, au milieu d'une scène interminable où l'inspecteur Harry se fait démolir le portrait pour la deuxième fois en moins de cinq minutes, en espérant confusément que cela n'ait rien de prémonitoire.

5

Bayonne, quelques heures plus tôt. La vieille ville protège les insomniaques. De jeunes fêtards s'égayent le long des berges. Marko Elizabe quitte le quai de Lesseps et s'engage à faible allure sur le pont de l'Adour. Il repense au coup de fil d'Iban Urtiz, en fin d'après-midi. Il se demande ce que le gamin mijote en ressortant des cartons l'ancienne petite amie de Jokin Sasco. Sa requête l'a pris au dépourvu. Comment diable cet enfoiré s'est-il retrouvé sur les traces d'Élea Viscaya aussi rapidement ? Qu'est-ce qu'il croit ? Qu'il peut débarquer de nulle part et se mêler des histoires d'un pays qui n'est pas le sien ?

Elizabe tapote nerveusement le volant du bout des doigts et tourne à droite. Il a passé l'après-midi et une bonne partie de la soirée suspendu au téléphone à secouer certains contacts et ça a fini par payer. Son cerveau carbure à plein régime. Il a conscience d'être sur le fil du rasoir depuis trop longtemps. L'affaire Sasco réveille des fantômes et aiguise tous les appétits. Chaque détail l'inquiète.

Il sera fixé bientôt.

Elizabe se gare à deux pas de la cathédrale et s'engouffre dans le hall de l'immeuble du numéro 7 de la rue des Faures, après avoir vérifié que le trottoir était désert. Il grimpe jusqu'au quatrième étage et frappe à la porte de droite.

Le lieutenant Gabi Arreitz, de la brigade territoriale de Maremne Adour Côte-Sud, ouvre et lève sur lui un regard suspicieux. Petit et râblé, il porte un jeans et une chemise froissée. Les deux hommes échangent une brève poignée de main, puis Arreitz jette un coup d'œil nerveux dans la cage d'escalier avant de le laisser entrer.

Un désordre indescriptible règne dans l'appartement. Une odeur aigre, mélange de tabac froid et d'alcool éventé, plane dans l'air surchauffé. Elizabe enjambe un carton de pizza jeté au milieu du couloir et suit son interlocuteur jusqu'à la pièce qui lui sert de bureau.

Arreitz dit :

— J'ai appris pour ta femme. Je suis désolé.

— Je te remercie.

— On m'a dit que le cancer l'avait emportée rapidement.

— Je préférerais qu'on parle d'autre chose, si ça ne te dérange pas.

Le gendarme fait signe qu'il comprend.

— Tu bois quelque chose ?

Elizabe fait non de la tête. Il n'apprécie pas le ton familier sur lequel le gendarme l'entreprend. Les deux hommes se connaissent de vue, mais ils ne sont pas amis. Sa femme Mari ne l'avait probablement jamais rencontré.

Arreitz se fraie un passage jusqu'au poste informatique. Il extrait un disque du lecteur, le place dans un boîtier et le tend à Elizabe qui s'en saisit sans hésiter.

— Qu'y a-t-il, là-dedans ?

— Un paquet d'emmerdes dont je suis bien content de me débarrasser.

— Pourquoi me le donner à moi ?

— Parce que tu es le seul à être venu le réclamer.

— Comme tu voudras.

Elizabe range le boîtier dans la poche de sa veste et en sort un paquet de billets de vingt et de cinquante qu'il dépose sur la table. D'un geste vif, le gendarme les fait disparaître dans un tiroir. Il raccompagne Elizabe jusqu'à l'entrée sans un mot.

— Une dernière question.

— Je t'écoute.

— Pourquoi ne pas exploiter toi-même le contenu de cette vidéo ou le signaler au bureau du procureur ?

Arreitz se marre comme s'il s'agissait d'une blague de mauvais goût, puis son rire s'interrompt aussi brusquement qu'il était venu. Il pousse Elizabe sur le palier et lui claque la porte au nez.

À peine Marko Elizabe a-t-il tourné la clef dans la serrure, qu'une multitude de chats rapplique de tous les coins de la maison et converge vers lui en miaulant d'excitation.

— Voilà, voilà ! Vous avez faim, pas vrai ?

Il tire le verrou, enlève sa veste en poussant un soupir de satisfaction, la jette sur le dossier d'une chaise et se dirige vers la cuisine. Un chat au pelage roux saute d'un bond sur le plan de travail, s'assoit à côté du cadre photo de Mari et le fixe en ronronnant. Un sourire aux lèvres, Elizabe le caresse de la main, les yeux rivés sur le visage rayonnant de sa femme, puis il ouvre un placard et sort de quoi préparer un repas pour tout le monde.

Une heure plus tard, après une douche réparatrice, il insère le DVD fourni par Arreitz dans le lecteur et abandonne sa vieille carcasse dans le canapé, la télécommande à la main.

Il presse la touche *play*.

Des sanitaires sont au premier plan. Derrière, apparaît la quasi-totalité du parking de l'aire de repos Le Souquet. La date et l'heure s'affichent en haut à droite de l'écran. Samedi 3 janvier 2009 – 9 h 00.

Elizabe met sur pause et se lève pour aller chercher une carte qu'il étale sur la table basse, face à lui. L'aire est située sur la nationale 10, au kilomètre 128, à peu près à mi-chemin entre les sorties numéros 12 et 13, face au lieu-dit Péliou, sur la commune de Lesperon.

Elizabe remet la vidéo en marche.

À 9 h 35, un poids lourd espagnol se gare dans le fond. Personne ne descend, mais Elizabe voit distinctement une silhouette tirer les rideaux de la cabine. Le chauffeur s'apprête à dormir. Une demi-heure après, c'est au tour d'une Renault Express blanche immatriculée dans les Landes. Son propriétaire, un vieil homme habillé comme un paysan, sort se détendre les jambes, ouvre le hayon arrière, d'où s'échappe un chien au pelage de couleur beige, sorte de croisement entre un

Parson Russell et un griffon. L'animal court un moment de manière désordonnée, puis se met à renifler chaque motte d'herbe. Son maître ne le quitte pas des yeux.

Elizabe se raidit.

À 10 h 11, une Opel Corsa verte s'engage sur l'aire de repos. Un homme au crâne rasé portant un costume sombre s'en extrait et se dirige vers les sanitaires. Il en ressort à 10 h 13 et s'engouffre dans son véhicule.

Elizabe a largement le temps de reconnaître Jokin Sasco.

Il semble que l'homme n'ait pas encore démarré le moteur quand une Mégane break grise immatriculée dans les Pyrénées-Atlantiques arrive à son tour à vive allure et s'immobilise derrière l'Opel pour l'empêcher de reculer. Tout ce joli monde, au pied de la caméra de vidéosurveillance, *comme un fait exprès*. Il est 10 h 14. Elizabe retient sa respiration pour ce qui va suivre.

Un film muet de moins d'une minute.

À 10 h 15, il ne reste plus qu'un camionneur endormi et un vieil homme paniqué qui se précipite dans son véhicule, clébard sous le bras, et déguerpit sans demander son reste. L'enregistrement s'interrompt approximativement une heure après.

Elizabe réfléchit un long moment, avant de relancer une deuxième fois la vidéo. Cette fois-ci, il l'arrête au moment précis où la Mégane passe pour la dernière fois devant la caméra avant de quitter le parking. La vitre du conducteur est baissée. Un paquet de Ducados bleues entre les doigts, ce dernier achève de retirer sa cagoule, laissant apparaître les traits tirés d'un homme affichant la cinquantaine dont Elizabe n'avait pas revu la sale gueule depuis près de vingt ans.

Un gros matou noir grimpe sur ses genoux et vient se frotter contre son bras, interrompant le fil de ses pensées.

Elizabe le chasse patiemment, puis il se repasse la bande pour la dernière fois en prenant soin de noter les numéros des plaques et les horaires précis de chaque déplacement de véhicules. Il retire ensuite le DVD du lecteur et le copie sur son ordinateur portable, avant d'en enregistrer un exemplaire sur deux clefs USB qu'il dissimule, avec l'original, dans sa bibliothèque et dans sa piaule. Il se connecte à sa messagerie personnelle, y poste une autre copie de la vidéo, puis il envoie un message au lieutenant Gabi Arreitz pour lui demander d'identifier les propriétaires d'une Renault Express blanche immatriculée 2315 AZ 40 et d'une Mégane break grise dont le numéro est le 680 QS 64.

Il se rend ensuite dans sa chambre, règle le réveil à 6 heures et avale un somnifère, priant pour que cessent les tremblements qui agitent ses mains et le nœud qui lui tord le ventre. Il se déshabille et se glisse sur le côté gauche du lit, par habitude. Il s'endort presque aussitôt. Ses chats veillent sur lui.

Le centre-ville de Tarnos est calme, le ciel s'éclaircit à peine. L'horloge de l'église sonne sept coups. Les jambes lourdes, en sueur, Elizabe abrège son footing et rentre chez lui après un crochet par la boulangerie. La rumeur de l'océan déchaîné, à l'ouest, l'accompagne jusqu'aux quartiers nord. Arrivé dans sa rue, il salue une voisine matinale et rentre prendre une douche et préparer ses affaires pour la journée.

Ce n'est qu'une fois au volant de sa voiture, sur la bretelle d'accès à l'autoroute, qu'il repense à la promesse qu'il a faite à Iban Urtiz. De la main droite, il ouvre sa sacoche et en tire un carnet de cuir marron qu'il feuillette du bout du doigt jusqu'à tomber sur l'information qu'il cherche. Il compose un numéro, échange quelques mots avec son interlocuteur, puis coupe la communication avant de rappeler son collègue de *Lurrama*.

Le téléphone sonne une dizaine de fois avant qu'Urtiz décroche.

— Bon dieu de merde, quelle heure il est ?

— C'est Noël, *erdaldun* ! L'heure de récupérer tes cadeaux au pied de la cheminée.

— C'est quoi ces conneries ?

— J'ai l'adresse que tu m'as demandée.

Elizabe se rabat sur la voie de droite pour laisser passer une berline pressée.

— Tu as de quoi noter ?

6

La dernière habitation connue d'Élea Viscaya est un petit appartement miteux situé à l'extrémité sud d'Hendaye, à quelques centaines de mètres de la frontière espagnole. Un immeuble de trois étages, sans balcon, vue dégagée sur les voies ferrées et les wagons de marchandises. D'après les sources d'Elizabe, la petite amie de Sasco y vivait encore en octobre 2008.

Iban Urtiz vérifie l'adresse une dernière fois, avant de se décider à éteindre ses phares et couper le moteur.

Le parking du 12, rue du Pont baigne dans le brouillard. Le soleil, pourtant déjà haut quand il a quitté Moliets, diffuse ici un halo de lumière grisâtre déchiré par la silhouette sombre d'un train progressant avec lenteur vers le nord. Des relents de fioul et un parfum entêtant de mimosas en fleur planent dans l'air. Une odeur d'exil forcé.

La porte vitrée du hall est grande ouverte. Iban se dirige vers les boîtes aux lettres. Élea Viscaya, deuxième étage, gauche. Aucun autre nom. Sans trop y croire, il s'attendait à ce que Jokin Sasco soit aussi mentionné.

Un courant d'air glacial balaie la cage d'escalier. Iban ajuste le col de son blouson et gravit les marches en grimaçant. Il presse le bouton de la sonnette, une fois, deux fois, mais personne ne répond. Il attend trente secondes, recommence, puis il tourne la poignée, qui est verrouillée.

De la musique s'échappe de l'appartement de droite. Il sonne. Un instant plus tard, une femme d'une soixantaine d'années en robe de chambre lui ouvre, cigarette au bec.

— C'est pour quoi ?

Iban se présente comme un vieil ami d'Élea Viscaya, en priant pour que son interlocutrice n'ait pas une subite envie de tester ses compétences linguistiques en basque.

— Vous savez quand elle rentre ?

À présent, la femme le dévisage avec méfiance. Elle referme imperceptiblement sa porte.

— La petite ne vit plus ici depuis l'automne.

— Son nom est toujours sur la boîte aux lettres...

— L'appartement n'a pas été reloué et j'imagine que la propriétaire n'a pas eu le temps de faire le ménage.

Elle l'observe un instant et ajoute :

— L'affaire l'a beaucoup secouée.

— Quelle affaire ?

— Pour un ami, vous êtes plutôt mal renseigné.

Iban balbutie :

— Nous nous sommes perdus de vue, ces derniers temps.

La femme sourit. Iban demande :

— Vous savez où elle habite, maintenant ?

Elle inspire une longue bouffée, expire et pose sur lui un regard amusé.

— Non.

— Auriez-vous les coordonnées de sa propriétaire ?

— Vous l'avez devant vous.

Un large sourire éclaire son visage.

— Vous n'êtes pas basque, je me trompe ?

Iban se demande si elle est sénile ou si elle se moque de lui.

— Par mon père, si.

— Voyez-vous ça.

Le ton de sa voix agace Iban.

— Bon, je vais y aller.

— Soyez pas pressé comme ça ! J'ignore où elle vit, mais je sais comment la contacter. Vous connaissez Simon ?

Iban ment.

— Bien sûr.

Nouveau sourire de la femme qui semble vouloir dire : « Je ne vous crois pas vraiment, mais vous avez une bonne tête. »

— Ça ne m'étonne pas. Le copain de la petite est un *erdaldun*, comme vous.

— Son copain ?

— Ça aussi, vous l'ignorez ?

Elle est hilare. Iban se dit qu'il doit avoir l'air sacrément stupide.

— Décidément, vous ne savez pas grand-chose.

Elle fait demi-tour et lui fait signe de la suivre à l'intérieur. Elle fouille d'une main dans un panier en osier situé à côté du téléphone et écrase sa cigarette de l'autre.

— J'ai son téléphone, quelque part. Simon est un type assez discret. Sympathique mais pas causant. Je ne connais même pas son nom de famille… Je l'appelle une fois par mois pour le courrier. Il vient le récupérer dès qu'il peut, la plupart du temps assez vite.

Elle pousse un petit cri de victoire, griffonne sur un bout de papier qu'elle lui tend.

Elle déclare :

— Vous n'êtes pas d'ici, ça se voit.

On le saura, pense Iban en prenant le numéro.

— Mais vous n'avez ni la tête, ni les méthodes d'un flic. Simon est assez grand pour vous répondre s'il le souhaite. Ou pas.

— Je veux juste parler à Élea.

La femme hoche la tête en silence et le raccompagne à la porte.

Elle ne sourit plus.

— Après les histoires de la petite, Simon l'a persuadée de déménager pour qu'ils soient plus tranquilles. Les flics, les proches et les militants, ça n'a pas arrêté pendant tout l'été. Elle a souffert. Comme nous tous. Et ils continuent…

— Qui, *ils* ?

Elle poursuit sans tenir compte de son intervention.

— Vous avez entendu parler de cette nouvelle disparition ? Cet homme, Jokin Sasco…

Iban acquiesce, se retenant de l'interroger sur ce qu'elle entend par *nouvelle* disparition.

— Ça fait des années que ça dure, mais personne ne s'habitue à leurs saloperies.

Elle s'interrompt, prise d'une quinte de toux. Il lui faut un long moment avant de reprendre son souffle.

Elle dit :

— Même une vieille comme moi. La liberté a un prix, jeune homme. Chaque jour un peu plus élevé. Pensez-y avant d'appeler Simon ou Élea.

Iban cherche quelque chose à répliquer, mais déjà la femme le pousse fermement sur le palier et referme, le laissant avec plus de questions qu'il n'en avait avant de sonner chez elle.

« Tout le monde parle par énigme dans ce pays ou est-ce qu'il y a un truc qui m'échappe ? » se demande-t-il en dévalant les marches.

Iban est de retour à Bayonne une demi-heure plus tard, sous le soleil. Goiri n'a pas encore intégré son bureau et la moitié des journalistes quadrillent le département, à la recherche de témoignages croustillants sur Klaus.

Il s'affale à son poste sans quitter son blouson et allume l'ordinateur, puis il compose le numéro que la femme lui a laissé. Cinq sonneries, un répondeur s'enclenche, une voix d'homme, plutôt sèche, aucun nom.

« Bonjour, vous êtes bien au 05... »

Après une brève hésitation, il laisse un message sous sa véritable identité et explique qu'il cherche à joindre Élea Viscaya. Au moins, les choses seront claires.

Sa boîte aux lettres professionnelle contient une trentaine de nouveaux messages qu'il fait défiler. Spam, spam, spam, une convocation à une conférence de presse donnée par le procureur de la République, le lendemain en fin d'après-midi. Une autre série de spam, deux courts messages de Marlène qui lui propose un restaurant, trois emails du service comptabilité qui s'inquiète que ses notes de frais ne soient jamais accompagnées de justificatifs, et un dernier, sans objet, envoyé depuis une adresse uniquement composée de chiffres.

Le message est bref mais son sens est sans équivoque :

« Tu t'amuses bien, petit écureuil ? Tu fouines, tu joues au journaliste et tu fourres ton nez dans les affaires des autres, mais on te tient à l'œil. »

Iban déglutit.

Il relit l'avertissement une bonne dizaine de fois avant de se décider à le garder pour lui – Goiri pourrait avoir envie de lui retirer l'affaire, à peine vingt-quatre heures après le début de son enquête. Il l'enregistre sur son disque dur dans un fichier qu'il baptise *JS*, comme Jokin Sasco, puis il le transfère à Marko Elizabe pour avis, en indiquant « Pourquoi un écureuil ? » dans l'objet de son message. Il efface ensuite toute trace de l'envoi anonyme et se redresse.

N'importe qui peut se procurer son adresse professionnelle, mais qui s'inquiéterait d'un petit journaliste basque qui en sait moins qu'une femme de 60 ans cloîtrée dans un vieil immeuble d'Hendaye ? Pourquoi le menacer, lui ? Et quel lien avec son enquête sur Sasco ? Enfin, si l'on peut parler d'enquête... Pour le moment, à part des énigmes et des messages sur des répondeurs téléphoniques, la moisson n'est pas brillante.

L'arrivée d'un courrier électronique interrompt ses réflexions.

Elizabe n'a pas tardé :

« Je reçois les mêmes conneries depuis vingt ans. Avant ils faisaient ça par voie postale, voilà tout. Marko. PS : L'écureuil n'est rien d'autre qu'un rat. Prends-le comme tu veux, mais je serais toi, j'éviterais de répondre. »

Iban lui demande aussitôt s'il sait qui lui a envoyé ça, les flics ou les soutiens de Sasco ? La réponse fuse, trente secondes plus tard : « T'es con ou tu le fais exprès ? »

Pour ce qu'Iban en sait, ça pourrait tout aussi bien être Elizabe qui cherche à lui ficher la trouille pour le tester ou l'évincer. Une forme de bizutage. Les menaces peuvent également venir de la famille Sasco elle-même, qui n'a pas apprécié son coup de fil, et entend s'assurer qu'il ne poussera pas ses investigations plus avant.

À court d'idées, il quitte son blouson et allume une cigarette sur le palier. Le regard courroucé, une secrétaire l'observe du coin de l'œil par l'entrebâillement de la porte. Il rentre et se met au travail.

Saturé d'informations, Iban quitte le bureau vers 19 heures, persuadé d'avoir perdu son temps et prêt à retourner aux tuiles cassées par le grand méchant Klaus. Des colonnes de camions immatriculés en Haute-Savoie et en Grande-Bretagne se pressent sur l'autoroute pour venir pallier les déficiences des équipes d'ERDF et réparer les pylônes et lignes électriques détruits par la tempête.

Le petit ami d'Élea Viscaya téléphone au moment où il atteint la sortie numéro 11, au niveau de Magescq. William Axl Rose chante dans le poste une reprise acoustique de *Jumpin' Jack Flash*.

Il coupe le son en jurant et prend l'appel. La voix est semblable à celle du répondeur, mais le numéro qui s'affiche n'est pas celui qu'il a composé plus tôt dans la journée.

— Vous êtes Simon ?

— On va dire ça.

Le levier de vitesse dans une main, le portable coincé entre l'oreille et l'épaule, Iban va à la pêche aux informations :

— Ce n'est pas votre vrai prénom ?

Simon l'interrompt sèchement.

— Qu'est-ce que vous voulez ?

— Je veux rencontrer Élea Viscaya.

— Je ne sais pas si ça va être possible. Elle n'est pas prête à ça.

— J'enquête sur la disparition de Jokin Sasco.

— Elle ne veut pas s'exprimer à ce sujet. Elle a coupé les ponts.

— Avec qui ?

Silence à l'autre bout de la ligne. Iban essaie de rattraper le coup. Il tourne brusquement à droite pour garer la Ford Fiesta sur le parking d'une supérette. Appels de phares d'une berline, derrière lui, et coups de klaxon rageurs. Iban répond d'un doigt d'honneur.

— Est-ce que ça vous dirait qu'on se voie ce soir, à Bayonne ?

— Non, non, il faut un endroit neutre.

Le type réfléchit. Iban devine qu'il est inquiet, qu'il a sincèrement peur.

Simon dit :

— Mardi 3 février. Un bar de Labenne appelé Le Sept, vous connaissez ?

— Je trouverai. À quelle heure ?

— Vingt-deux heures. Vous viendrez seul.

— Et Élea ?

— On verra.

Fin de la communication.

Iban regagne la route de Moliets, sentant monter en lui une excitation qu'il n'espérait plus. Une fois parvenu chez lui, il rappelle Marlène.

— Tu es toujours partante pour ce soir ?

Elle se marre.

— Tu t'attaches…

Il aime son rire, mais ne répond pas à sa remarque. Il clôt l'échange d'un ricanement plus embarrassé que drôle. Il jette son sac sur le canapé. Le répondeur clignote. Un message de sa mère qui aimerait avoir de ses nouvelles. Il tend la main pour l'effacer, se ravise et file prendre une douche, sans un regard pour le désordre qui règne dans son appartement.

La pizzeria, dénichée après une heure à tourner en voiture dans les villages environnants, est comble. La table que leur a installée la serveuse, une petite brune arborant un immense tatouage maori dans le dos, est coincée entre le bar et une famille nombreuse aux gamins bruyants.

Marlène porte un léger pull échancré qui met en valeur sa poitrine et ses épaules délicates. Ses cheveux sont attachés, dévoilant la finesse de sa nuque à chaque fois qu'elle tourne la tête pour regarder ce qu'il se passe aux tables voisines.

La jeune femme est d'humeur joyeuse. Elle passe le repas à raconter les anecdotes que les clients du bar où elle travaille lui rapportent à longueur de journée depuis le passage de la tempête Klaus. Toitures arrachées, casse-tête des assurances, petites vieilles paniquées dont les volets électriques, privés de courant, n'ont pu être rouverts depuis dix jours. Le patron lui a parlé d'un type qui est resté assis sur sa terrasse, installé pendant quatre jours et quatre nuits dans son rocking-chair, un fusil à la main, pour surveiller les congélateurs remplis de gibier que ses voisins étaient venus brancher sur son groupe électrogène. L'homme était le seul à en posséder un dans le quartier et quand les pylônes sont tombés, le 24 janvier au matin, tous ont craint que le produit de leur chasse soit foutu. Et que des indiscrets découvrent qu'ils braconnaient.

La tête ailleurs, Iban sourit poliment sans décrocher un mot. L'envie de fumer le démange.

Marlène change de sujet de manière abrupte.

— Parle-moi de toi.

— Je ne suis pas d'un naturel bavard.

— Je vois ça.

Elle affiche une moue dubitative, repousse son assiette et s'essuie la commissure des lèvres avec sa serviette.

— Iban Urtiz, c'est basque ou espagnol, comme nom ?

— C'est une question que tout le monde me pose.

— Tu ne me réponds pas.

— Ni l'un, ni l'autre. Enfin, pas vraiment. Un peu basque, par mon père.

Elle rit.

— Tu parles la langue ?

— Non.

— Pourtant, tu bosses pour un quotidien franco-espagnol dont la moitié des colonnes sont en basque.

— J'écris en français, un employé de *Lurrama* s'occupe des traductions. Ça t'étonne ?

— Un peu oui. J'ai lu ton nom à la fin d'un article sur ce type qui a disparu...

— Jokin Sasco.

— C'est ça. Le texte était écrit dans les deux langues. J'ai cru que...

— Je suis né au Pays basque, mais je l'ai quitté très jeune, avec ma mère. J'ai vécu en Savoie, près de Chambéry, puis j'ai fait mes études à Grenoble.

— Tes parents se sont séparés ?

— Mon père est mort. Un accident de chantier.

— Je suis désolée.

— Tu n'y es pour rien.

— Il te manque ?

— Je n'ai pas très envie de parler de ça.

Iban se passe nerveusement la main dans les cheveux. Il repense à son affaire, à Élea Viscaya et au mystère qui entoure Marko Elizabe. Il se dit que venir ici n'était peut-être pas une si bonne idée.

Marlène l'observe un moment en silence, en jouant avec sa gourmette du bout des doigts. Iban remarque que des taches de rousseur s'égrènent à la naissance de ses seins. Il se détend un peu.

Elle s'en aperçoit et demande :

— Pourquoi es-tu revenu dans le coin ?
— Je ne sais pas trop.
— Peut-être pour connaître tes origines...
— Pas vraiment. J'imagine que c'est plutôt une sorte de hasard. Je sortais de mon école de journalisme et je m'ennuyais dans la presse régionale. J'ai vu passer ce poste, j'ai postulé et ils m'ont pris. L'idée était de changer d'air, à court terme. C'est aussi bête que ça.

Pourtant les raisons de son retour au Pays basque ne lui paraissent plus si évidentes. Marlène pose la bonne question. Pourquoi est-il revenu ? Sans doute parce qu'il n'a jamais vraiment su pourquoi sa mère et lui étaient partis, vingt et un ans auparavant. C'est un point qu'ils n'abordent jamais ensemble, par omission plus que par volonté délibérée. Xabi Urtiz est un sujet tabou dans leur vie. Maintenant qu'Iban découvre l'histoire du coin, il réalise qu'il ignore dans quel camp son père se situait. Ce père né dans les années 1960 aurait pu être un militant d'ETA. À moins qu'il n'ait été du côté du terrorisme d'État, à l'époque des GAL. Ça expliquerait le silence de sa mère ou son désir de couper les ponts. Peut-être était-il simplement un *erdaldun*, comme lui, un type du pays qui ne parle pas la langue et qui se pose trop de questions encombrantes...

Marlène insiste.
— C'est tout ?
— C'est tout.
— Tu n'es décidément pas bavard.
Iban sourit.

— Fin de la conversation. On se tire d'ici et on va chez toi ?

Elle lui rend son sourire.

— J'ai une bouteille de bas-armagnac qui n'attend que nous.

Cinq heures plus tard, au moment de s'endormir contre les fesses de Marlène, et passablement ivre, la seule image qu'il lui reste est celle d'Eztia Sasco, tenant à deux mains la photo de son frère disparu. Comme si elle était le point nodal de toute cette affaire. Sans qu'Iban trouve la moindre explication, cette pensée provoque un sourire qu'il ne perd qu'au réveil, quand Marlène le secoue en partant au boulot.

— Tu fais des rêves de bébé, dit-elle avant de claquer la porte.

7

Eztia Sasco se redresse et s'étire. La première chose qui lui vient à l'esprit est un nombre.

Vingt-six jours que son frère a disparu.

Elle se glisse hors du lit en prenant garde de ne pas réveiller Thomas, un saisonnier de vingt et un ans qui travaille dans la même exploitation agricole qu'elle. Elle enfile une culotte et un T-shirt en frissonnant et se rend aux toilettes. Une fois sa vessie soulagée, elle gagne la cuisine, prépare du café et allume sa première cigarette de la journée. Sa tasse brûlante dans la main, elle s'approche de la fenêtre et l'ouvre en grand. Bayonne dort encore.

Elle attrape son portable et fait défiler les appels entrants. Élea a essayé de la joindre vers minuit. Elle a laissé un message.

« Il faut que je te voie, de toute urgence. Je suis chez moi toute la journée. »

Eztia répond qu'elle essaiera de passer dans l'après-midi.

Elle range le téléphone et jette un œil au parking de la tour. Elle croise le regard d'un homme, qui l'observe par la vitre avant droite d'une 206 blanche.

La même caisse était garée un peu plus loin, hier soir, ainsi que la nuit d'avant, elle en est presque certaine. Et il y a fort à parier qu'elle sera à nouveau là ce soir.

Eztia l'observe un moment pensivement, puis elle jette son mégot, referme la fenêtre, va dans la salle de bains puis retourne dans la chambre. Thomas est allongé sur le côté, un mince filet de bave à la commissure de ses lèvres. Elle sourit, ramasse ses fringues et retourne s'habiller dans le salon. Le saisonnier émerge alors qu'elle s'apprête à sortir.

— Quelle heure il est ?

— 6 h 30.

— Tu pars déjà au boulot ?

— J'ai demandé à passer sur l'équipe du matin.

Thomas hoche la tête.

— Tu veux que je te dépose ?

— Je préfère autant qu'on ne nous voie pas ensemble. Les autres s'imagineraient des choses...

Elle tire un bonnet de sa poche et se l'enfonce sur le crâne.

— Tu claqueras la porte derrière toi en partant.

— Tu ne me laisses pas un jeu de clefs ?

— À ton avis ?

Elle le dévisage et ajoute :

— L'appartement est sous bonne garde, de toute façon.

Quand elle franchit la porte vitrée du hall d'entrée de l'immeuble, la 206 est toujours là, mais seul le siège passager avant est occupé.

Cheveux courts, bouclés, le genre sportif, blouson noir, le type doit avoir la trentaine. Un flic, sans aucun doute. Il fixe un point situé devant lui. Eztia suit son regard et aperçoit la silhouette du conducteur, de l'autre côté du parking, sortant du bureau de tabac. Elle serre les poings et s'approche à grands pas de la 206.

Elle crie :

— Foutez-nous la paix !

Elle se met à courir, pendant que le flic se déplace sur le siège conducteur, sans la quitter des yeux.

Elle crie encore plus fort, pour que le deuxième flic qui arrive en courant l'entende aussi.

— Vous ne croyez pas que vous nous avez assez fait de mal comme ça, à moi et aux miens ?

La 206 démarre bien avant qu'elle ne la rejoigne, stoppe devant le numéro 2, puis repart aussitôt et disparaît derrière l'immeuble.

Eztia s'immobilise enfin, essoufflée et en larmes, à l'emplacement exact qu'occupait le véhicule un instant plus tôt.

Elle murmure :

— Je vous en prie, foutez-moi la paix.

Milieu d'après-midi. Élea Viscaya ouvre la porte et embrasse Eztia avant de retourner se lover dans le canapé du salon. Des cernes gris assombrissent son regard. Des restes du déjeuner traînent sur la table basse. La radio diffuse un flash d'informations. Eztia comprend tout de suite à sa mine défaite qu'Élea ne lui a pas demandé de venir pour lui donner des nouvelles de Jokin.

Déçue, elle retire son blouson et s'assied dans le fauteuil, face à Élea qui lui demande :

— Le boulot, ça va ? Pas trop crevée ?

Eztia secoue la tête.

— Simon n'est pas là ?

— Il termine vers 17 heures. On a un peu de temps devant nous.

— Vous vous êtes disputés ?

— C'est à cause de ce journaliste...

Eztia l'interrompt.

— Lequel ?

— Un type nommé Iban Urtiz qui bosse pour *Lurrama*. Il veut me rencontrer.

— Pour parler de quoi ? De Jokin ?

— J'en sais rien. Peut-être... Il prétend que mon histoire l'intéresse.

— Comment serait-il au courant ? Il n'y a rien eu dans la presse.

— C'est ce que Simon n'arrête pas de me dire. C'est lui qui l'a eu au téléphone. Il me tanne pour s'y rendre seul et expliquer à ce journaliste où est sa place. Il a même convenu d'un rendez-vous.

— Il veut te protéger.

Élea lève les bras en signe d'agacement.

— Ce ne sont pas ses affaires, merde ! J'en ai marre que l'on me dicte ma conduite.

Eztia se tait. Elle partage l'avis d'Élea. L'attitude de Simon, qui lui rappelle celle de son frère Peio envers elle, l'exaspère. Elle allume une cigarette pour réfléchir au meilleur moyen de donner son opinion sans brusquer son amie.

— Tu comptes y aller ?

— Je ne suis pas certaine d'être prête à remuer la merde.

Devinant le fil de sa pensée, Eztia complète :

— Mais Jokin a disparu.

— Et je ne sais plus trop où j'en suis.

Élea demande une cigarette à Eztia qui lui tend son paquet et le briquet. Les deux femmes fument un moment et s'observent en silence. Eztia raconte l'histoire des deux flics qu'elle a surpris en bas de chez elle, le matin même. Elle parle aussi des pressions de Peio pour qu'elle se conforme aux consignes des avocats et évite de déblatérer dans la presse ou sur la place publique. Tout le monde redoute que l'affaire soit enterrée en même temps qu'ils craignent une récupération sensationnaliste par les politiques et les médias. Élea se détend un peu.

Eztia soupire :

— C'est toujours les mêmes conneries. J'ai passé mon adolescence au parloir pour voir Jokin. Je croyais avoir vécu le pire et maintenant ça recommence. Je me sens impuissante... Aux yeux des autres, on doit paraître dures, dures et résistantes, dures pour masquer notre angoisse. Il faut redresser la tête et serrer les dents, mais qu'est-ce que ça change ? Qui pense à nous ? Qui sèche nos larmes ? Qui se soucie du sort des gens comme nous ? Leurs lois nous définissent comme des terroristes et ça recommence, toujours et encore, comme si c'était un cercle sans fin. Et les deux flics en bas de chez moi qui me harcèlent ? Et toi ? Et Jokin ? Aujourd'hui, mon frère est Dieu sait où, peut-être enfermé, torturé ou même mort, et ça me rend malade rien que d'y penser, à un point que tu ne peux pas imaginer. Vingt-six jours, putain, vingt-six jours ! Que crois-tu qu'il reste de lui, après vingt-six jours. Je préférerais être à sa place tiens !

— Tu ne peux pas dire ça.

— J'en prends le droit !

Élea la fixe durement. Ses lèvres tremblent de colère. Eztia ne baisse pas les yeux.

— Au moins je saurais la vérité.

— La vérité ? Qu'est-ce que tu en sais de la vérité ? Tu ne te rends pas compte de ce que ça implique. Moi, je l'ai vécu. Dans ma chair.

— Alors, je suis condamnée à me taire et c'est Peio qui a raison.

Eztia se lève et jette de toutes ses forces son paquet de cigarettes contre le mur. Élea quitte la pièce et revient avec de l'eau et du café qu'elle dépose sur la table basse, puis elle ramasse le paquet de cigarettes et le tend à son amie avec un sourire qui se veut réconfortant. Elle glisse sa main dans celle d'Eztia et la prend dans ses bras un moment.

Dix-huit heures sonnent. Les deux femmes finissent par se détacher. Élea éteint la radio et insère un CD de Django Reinhardt dans le lecteur. Eztia s'agenouille sur le tapis, remplit les tasses de café. Elle allume deux cigarettes et lui en tend une.

— Simon déteste que je fume dans l'appartement.

Eztia éclate de rire.

— On l'emmerde !

Élea porte la tasse à ses lèvres et grimace.

— Le café est froid.

Un bruit de clefs en provenance de la porte d'entrée leur parvient. La voix de Simon résonne dans le couloir. Le visage d'Élea se ferme. Eztia se penche vers elle et lui saisit le bras.

— Tu devrais aller voir cet Iban Urtiz et tout lui raconter. Tu dois parler et te faire entendre.

Elle ajoute, plus bas :

— Nous devrions tous nous faire entendre.

8

Engoncé dans une épaisse parka beige, Marko Elizabe fait le pied de grue devant une agence de location automobile au sud de Dax en attendant le retour de l'employé. Le lieutenant Gabi Arreitz l'a rappelé dans l'après-midi pour lui fournir la provenance des véhicules de la vidéo. La Mégane break grise, celle qui l'intéresse le plus, semble avoir été louée.

Debout devant l'entrée des bureaux, le cameraman extirpe les vieux dossiers de sa mémoire.

La présence d'Adis García sur l'enregistrement de vidéosurveillance du 3 janvier dernier n'est une bonne nouvelle pour personne. En revanche, elle constitue une piste sérieuse qui cadre parfaitement avec les hypothèses les plus paranos.

De nationalité espagnole, le conducteur de la Mégane break grise possède un casier judiciaire.

García est tout sauf un désaxé et un sociopathe. À l'époque, les groupes antiterroristes de libération recrutaient dans l'armée et la police mais aussi chez les prisonniers de droit commun en échange de remises de peine ou parce qu'ils n'avaient plus rien à perdre. Les types comme lui sont formatés idéologiquement mais ils roulent surtout pour le fric. Beaucoup de fric. Ce sont de véritables entrepreneurs.

Elizabe ne comprend pas ce que García fout sur l'opération Sasco et qui sont les commanditaires. Les GAL ont été démantelés à la fin des années 1980. Pourquoi les gouvernements espagnol ou français iraient-ils se replonger dans la guerre sale ?

Plongé dans ses réflexions, Elizabe n'entend pas arriver l'employé.

— Vous désirez ?

La trentaine, la calvitie prononcée, le type arbore l'air suffisant de celui qui a tout compris sur les roulements à billes et leur fonction dans la société. Le badge agrafé au revers de sa veste indique qu'il se prénomme Jean-Daniel et le sourire qui illumine son visage laisse supposer qu'il le prend plutôt bien.

Elizabe déclare :

— Début janvier dernier, mon voisin a loué chez vous une Mégane break. Il m'a conseillé de prendre le même modèle.

L'employé le conduit à l'intérieur, ouvre un classeur vert et lui présente un modèle toutes options de couleur noire. Elizabe secoue la tête.

— Vous avez la même en gris ?

Jean-Daniel acquiesce et énumère une série de dégradés de gris. Elizabe l'interrompt sèchement et lui donne le numéro d'immatriculation de la voiture conduite par Adis García. L'employé relève la tête et l'évalue un instant du regard. Une lueur s'allume dans ses yeux. Il replonge le nez dans ses fiches, note une référence, sort un dossier d'un tiroir et l'ouvre en grand.

Son doigt indique un nom et une adresse.

— C'est lui, votre voisin ?

Sans prendre la peine de répondre, Elizabe tourne les papiers vers lui et note mentalement : Adis García, 6 rue des Camélias, troisième étage, Bayonne, suivi d'un numéro de ligne fixe locale. Location du 2 au 12 janvier.

Il referme le dossier et le tend à l'employé, un sourire aux lèvres.

— Non. Sans doute une erreur.

Une fois dehors, Elizabe compose sur son portable le numéro indiqué. Une boîte vocale automatique s'enclenche. « Le numéro que vous demandez n'est pas attribué... » Il raccroche avant la fin. Coordonnées bidon.

Après vérification, l'adresse est également fausse. Aucune rue des Camélias à Bayonne. Adis García n'est pas non plus dans l'annuaire.

Elizabe n'est pas étonné. Il ne s'attendait pas à ce que García se laisse repérer aussi facilement. Il ne repart pas les mains vides pour autant. L'opération Sasco débute le 2 janvier et se clôt le 12. Dix jours durant lesquels Adis García tenait le volant, en toute impunité, sous sa véritable identité.

« Comme s'il partait en vacances avec femme et enfants », pense Elizabe.

Il regagne sa caisse et prend la direction du village de Josse, pour rendre visite au propriétaire de la Renault Express.

Les rangées de pins défilent sur le bord de la route. Les arbres couchés par Klaus rompent la monotonie des lignes. Il atteint la ferme du vieil agriculteur peu avant le coucher du soleil.

Le champ de maïs en friche qui encercle les bâtiments n'est plus qu'une immense mare d'eau de pluie. Victor Cazenave est dans la cour, courbé au-dessus d'un groupe électrogène qu'il s'échine à faire démarrer. Bottes coupées au niveau de la cheville, pantalon de bleu de travail et veste informe. Derrière lui, le moteur d'un tracteur fait un vacarme d'enfer. Deux chiens sortent de nulle part et se précipitent sur lui en aboyant, semant la panique parmi la volaille. Elizabe observe avec dépit le bas de son pantalon maculé de boue. Il soupire et s'avance entre les flaques.

— Besoin d'aide pour lancer cet engin ?

Le vieil homme se redresse et le dévisage longuement, avant de secouer la tête. Ses yeux sont d'un bleu acier presque transparent.

Sa voix, haut perchée, est cassante :

— Qu'est-ce que vous voulez ?

Elizabe lui tend sa carte de presse pour l'impressionner. L'autre ne prend même pas la peine d'y jeter un œil.

— C'est à propos du 3 janvier dernier.

Cazenave se raidit. Il se décide à saisir la carte et à la déchiffrer.

— Journaliste, hein ?

— Pour *Lurrama*, vous connaissez ?

— Je ne suis pas client.

— Vous avez assisté à l'enlèvement d'un homme, sur l'aire de repos Le Souquet, commune de Lesperon, je crois.

Pour toute réponse, Cazenave se détourne et lui montre du doigt l'orée de la forêt la plus proche.

— Le grand bordel. Un mikado géant.

— C'est à vous ?

— À moi, au voisin, qu'est-ce que ça change ? Y en a pour des mois à nettoyer.

Elizabe hoche la tête, compatissant. Son regard tombe sur le groupe électrogène.

L'homme dit :

— Plus d'électricité non plus. Cinq jours déjà. Personne n'a rien à foutre des gens comme moi. Mais pas de problème, je me débrouillais déjà très bien tout seul avant.

Sans plus se préoccuper de son interlocuteur, il se penche sur sa machine et tire le démarreur d'un coup sec, sans succès.

— Tempête de merde.

Il finit par relever la tête et fixer Elizabe, comme s'il découvrait la présence d'une tique sur son avant-bras et qu'il hésitait entre la brûler ou l'arracher pour l'écraser sous le talon de sa botte.

— Pour votre gars, là, à Lesperon, je n'ai rien à dire. Je suis allé le signaler aux gendarmes de Seignosse. Ça n'a pas eu l'air de les passionner mais vous pouvez toujours voir avec eux. Maintenant, si vous pouviez pousser votre véhicule, je dois déplacer mon tracteur.

Elizabe n'insiste pas. Il remonte dans sa voiture et fait demi-tour.

À la gendarmerie, le flic de garde n'est guère plus loquace que Victor Cazenave. Il le fait poireauter près d'une heure avant de lui apprendre que le dossier a été transmis au bureau du procureur de Bayonne le 11 janvier dernier, ce qui signifie que les flics ne mettront pas longtemps à mettre la main sur la vidéo et qu'Elizabe n'est plus le seul sur la piste de l'enlèvement, si cela a jamais été le cas.

Le coup de pouce du lieutenant Arreitz n'est peut-être qu'une fuite contrôlée. Ou une façon comme une autre de se donner bonne conscience.

Il fait nuit lorsque Elizabe quitte Seignosse. Les routes du sud des Landes sont peu fréquentées, comme si les habitants craignaient de croiser une nouvelle fois Klaus-le-grand-méchant-loup. Les rares véhicules qu'il croise filent comme des fantômes. Certains quartiers sont encore plongés dans le noir mais aucun lampadaire des zones industrielles ne manque à l'appel, comme si les rafales de vent s'arrêtaient aux portes de l'industrie et du commerce.

Cette pensée fait sourire Elizabe qui songe aux paroles de Victor Cazenave. Le vieil homme n'a peut-être pas tort, après tout. Tout le monde se fiche des gens comme eux.

Elizabe se réveille de bonne heure avec une mélodie obsédante en tête :

Faire sortir Adis García de son trou.

Le cameraman attrape son répertoire téléphonique. Des listes de contacts en France et en Espagne défilent. Des flics, des fonctionnaires, des juges, quelques rares amis et encore d'autres journalistes. Il passe la matinée au téléphone. Ses chats l'observent s'agiter.

Peu avant midi, un ami, correspondant du quotidien *El Mundo*, le met sur la piste de Bastian Ruiz, l'avocat qui a fait sortir García de prison en 2003. Elizabe se maudit de ne pas y avoir pensé plus tôt.

— Tu as ses coordonnées ?

Le journaliste espagnol s'offusque :

— Ça me ferait mal d'avoir le nom de cette ordure dans mon carnet d'adresses. Mais tu trouveras ça sans difficulté aux archives du tribunal de Donostia[1] qui a condamné García en 1987, ou dans le bottin.

— Tu connais quelqu'un là-bas ?

— Je peux te filer le numéro d'un greffier. Appelle-le de ma part. Il ne fera pas de miracles mais tu gagneras du temps.

Elizabe note le nom et le numéro que lui indique son ami.

— Je te revaudrai ça.

— Ne fais aucune promesse que tu ne tiendras pas, Marko. La petite conférence de presse de la famille Sasco fait beaucoup de bruit de ce côté-ci des Pyrénées. Cette affaire va t'attirer les pires emmerdes.

— Je sais ce que je fais.

L'autre éclate de rire.

— Bordel, bien sûr que tu le sais ! Mais tu y retournes quand même, comme un boxeur qui connaît le résultat du match à l'avance et qui est payé pour tenir jusqu'au dernier round.

— Pas cette fois.

— On se revoit en enfer, conclut l'Espagnol en riant de plus belle.

Elizabe se rafraîchit la mémoire. Maître Bastian Ruiz a bien bossé ces vingt dernières années. Adis García n'a pas été le seul à bénéficier de

1. San Sebastian en basque.

ses services. D'autres flics impliqués, d'autres histoires invraisemblables liées à des bavures et des arrestations violentes de militants plus ou moins liés à ETA. Ruiz a choisi son camp et soigne ses plaidoiries. Son nom de baptême circule aux côtés de ceux du juge Garzón et d'une poignée de hauts fonctionnaires. Ruiz, bête noire des milieux indépendantistes, prince des prétoires et grand ami des flics espagnols.

En fin d'après-midi, Elizabe est prêt à affronter une meute de hyènes.

La secrétaire de Ruiz a reçu des consignes, mais Elizabe ne lui laisse pas le temps d'en placer une. Mis bout à bout, le prénom et le patronyme d'Adis García sonnent comme des sésames. L'avocat prend l'appel. Le ton de sa voix est mielleux.

Elizabe décline son identité et balance les formules de politesse d'usage. Il parle vite, très vite. Il dit qu'il cherche les coordonnées de García.

Il précise :

— À titre personnel.

Ruiz n'est pas né de la dernière pluie et ralentit la cadence. Il joue au con et explique qu'il n'est plus en contact avec son client depuis des lustres. Il feint de mal se souvenir du contenu du dossier. Il est pressé, un rendez-vous professionnel urgent à Saint-Jean-de-Luz. Il est déjà en retard. Elizabe insiste. Il répète son numéro de journaliste entêté. Il connaît sa partition par cœur. Il sait que García a bénéficié d'une liberté conditionnelle sous contrôle judiciaire jusqu'en 2008. Il comprend que son avocat, tenu au secret, ne divulgue pas ce genre d'informations, mais il a vraiment un besoin urgent de contacter son client. Il ajoute que, « quelle heureuse coïncidence », il a justement son après-midi de libre. Ils pourraient se retrouver là-bas quand cela arrangera l'avocat, et dans un lieu de son choix. Ruiz tergiverse, puis il s'agace et interrompt leur échange de manière brutale.

Le combiné entre les mains, Elizabe se marre. Il est plus remonté que jamais. Il s'habille en vitesse, donne à manger aux chats et grimpe dans sa voiture.

Il se gare rue de Sault, dans le centre de Bayonne, moins d'une demi-heure plus tard. Immeuble cossu, vieilles pierres, lourde porte en chêne massif, dorures et interphone. Elizabe sonne, sourit à la caméra de vidéosurveillance, entre et grimpe les escaliers quatre à quatre. La secrétaire, une femme au visage placide, explique que son employeur ne reçoit que sur rendez-vous, mais Elizabe répond que ça ne lui prendra que quelques minutes et force la porte de son bureau.

Ruiz est au téléphone, debout au centre de la pièce. Costume sombre impeccable, cheveux clairsemés et favoris. L'homme est obèse et impressionnant. Il a l'air d'un géant.

Il coupe la communication, furieux.

— Qui vous a permis d'entrer ?

Il jette un œil à sa secrétaire, dans l'encadrement de la porte. Elle balbutie. Elle a fait ce qu'elle a pu. Il la congédie d'un mouvement de tête.

Elizabe lui glisse sa carte de visite dans la main et dit :

— Mettez-moi en relation avec Adis García.

— Je vous ai déjà précisé qu'il n'était plus mon client. Vous me traitez de menteur ?

— Passez-lui un message de ma part.

— Je viens de vous dire que...

Elizabe le coupe.

— J'ai quelque chose en ma possession qui l'intéressera beaucoup. Je dois le rencontrer le plus vite possible.

Ruiz lève les mains au ciel en signe d'impuissance. Elizabe poursuit :

— Dites-lui seulement que je suis au courant pour Jokin Sasco.

L'avocat se fige. Fébrile, le journaliste se retient d'évoquer la vidéo. Pas encore, pas tout de suite.

— Tout a un prix, même moi. Les négociations sont ouvertes. Je ne veux pas sa tête, mais la solution de l'énigme Jokin Sasco. Je veux les têtes *au-dessus* de la sienne.

Il désigne sa carte de visite du doigt.

— Il peut me joindre vingt-quatre heures sur vingt-quatre.

Pensif, Ruiz l'empoche, contourne son bureau et s'assoit. Les yeux braqués sur Elizabe, il sort un mouchoir de la poche de sa veste et s'éponge longuement le front.

Il dit :

— Je vais voir ce que je peux faire.

9

Assis à la terrasse d'un café du Grand Mail de Saint-Paul-lès-Dax, Alirio Pinto observe les allées et venues des voitures sur le parking en tripotant nerveusement son portable.

Les nerfs à vif, le cerveau qui tourne à vide, le manque de sommeil. Les heures d'entraînement et les développés couchés, par moments, ça ne suffit plus. L'inaction et le doute le minent, mais il n'y a pas que ça. Le corps se déglingue malgré tout et personne ne pourra plus enrayer le processus, pas même ses gélules d'amphétamines.

García est en retard et ne répond pas à ses messages.

Pinto l'a appelé quatre heures plus tôt. Il a tout de suite senti les trémolos caractéristiques de l'improvisation dans le ton de sa voix.

García lui a ordonné de vider sa planque, de la quitter sur-le-champ sans rien laisser derrière lui et de le rejoindre ici.

Quand il lui a demandé des explications, l'autre a simplement dit :

— Pas au téléphone, putain !

García n'a pas l'habitude de prendre une menace à la légère. Pinto a obéi sans hésiter. Il a déposé ses haltères, son téléviseur et son matelas dans un garde-meubles, à l'ouest de la ville. Il a fourré le reste dans le coffre d'une Clio blanche immatriculée dans les Landes, louée à la semaine chez Avis sous sa véritable identité, mais avec une fausse adresse. Il s'est appliqué à dissimuler ses armes dans la roue de secours. Puis il est remonté vers le nord, en direction de la zone commerciale. Ce n'est qu'une fois son expresso à la main qu'il s'est laissé aller et a commencé à gamberger.

Il se souvient de l'avant et de l'après.

Les jours de planque entre Tarnos, Bayonne et Bordeaux, enfermés des heures durant dans des voitures de location qui empestent les cigarettes espagnoles de García, à guetter la bonne occasion et attendre le feu vert de la hiérarchie. La fine équipe : cinq connards serrés comme des sardines dans une boîte. Le flic espagnol, Javier Cruz – ou ex-flic, il n'a jamais trop su –, en charge du matériel et du recrutement. García, à l'intendance. Adrian et Hassan, deux électrons libres, de jeunes militaires espagnols virés de l'armée pour indiscipline et vendus au plus offrant. Et lui, Alirio Pinto, aux sales besognes, comme toujours. Il a fait ses preuves ces dernières années. Les types comme Cruz et García savent qu'ils peuvent compter sur lui.

Or, comme si les cris et les larmes de Sasco ne suffisaient pas, l'un des militaires, il ne sait plus lequel, a merdé. Toute l'opération est partie en vrille. Il a fallu improviser.

Au début, García a été le plus professionnel. C'est lui qui a eu l'idée du bar sur Bordeaux et de l'appartement, derrière la gare. Encore lui qui s'est occupé des détails administratifs. Cruz s'est chargé de prévenir l'antiterrorisme français, mais grâce à García et à son sens de l'organisation, tout s'est déroulé à la perfection. En moins de vingt-quatre heures, le problème Jokin Sasco était réglé. Les deux gamins sont retournés au diable, quelque part dans le sud-ouest de l'Espagne, et Cruz a disparu de la circulation. García et Pinto, par contre, ont dû rester dans les environs, moyennant une rallonge, pour assurer le suivi. C'était l'affaire de deux, trois jours.

Sauf qu'à un moment donné, quelque chose a foiré et depuis plus rien ne se passe comme prévu. La machine s'enraye petit à petit. Les journées de planque se muent en semaines. La famille du Basque donne de la voix un peu partout, dans la presse, sur les murs, dans les micros de ces enculés de journalistes. Les flics s'en mêlent. La chasse aux sorcières peut commencer, comme au bon vieux temps des GAL, et des procès des années 1980. Ceux qui mettent les mains dans le cambouis sont les cibles de demain.

Pinto se met à regretter le jour où il a accepté de participer à l'enlèvement de ce trou du cul de terroriste. Non, cela a commencé bien avant, en 2004, le jour où García est venu le sortir du merdier dans lequel il croupissait et lui a proposé de se joindre à lui. Le camp, l'entraînement militaire, les repérages, les premières missions, les gamins qui se pissaient dessus à peine ils les touchaient.

Il se dit :

Et maintenant, Adis García le combattant panique. Il essaie de le cacher, mais sa fiabilité n'est plus ce qu'elle était. Il a dépassé l'âge légal.

Pinto pense à son semi-automatique, enveloppé dans un T-shirt propre et calé entre la roue de secours et le cric avec les munitions, sous la banquette arrière de la Clio de location. Peut-être devrait-il le garder sur lui si de drôles d'idées germaient dans la tête de García ou de ses contacts.

Il compose le numéro de García et porte le téléphone à son oreille. Encore ce fichu répondeur. Il l'enfouit dans sa poche. Il se met à pleuvoir. Il se lève pour aller s'abriter, au chaud dans la galerie marchande. Il continue de surveiller la terrasse depuis le hall d'entrée. Une femme brune, la quarantaine, habillée en noir attire son attention. Elle est postée devant l'entrée, légèrement en retrait, et le regarde bizarrement. Un type qui doit être son mari et une chiée de gosses la rejoignent, poussant un caddie vide. Ils s'engouffrent dans une allée du centre commercial.

Pinto secoue la tête.

Il réfléchit trop. Ou mal. Va savoir. Il voit des flics et des indépendantistes partout. Il ne sait pas desquels il doit se méfier le plus.

García arrive finalement à pied avec plus d'une heure de retard. À voir sa tête de déterré, les nouvelles sont mauvaises.

Il pleut des seaux. Les clients du centre commercial courent dans tous les sens. Un ballet de parapluies et de caddies.

Pinto vient à sa rencontre et lui serre la main. Ils piquent un sprint jusqu'à la Clio. Malgré la pluie, García entrouvre aussitôt sa vitre et allume l'une de ses saloperies de Ducados bleues.

Il est bavard. Il raconte à Pinto que son avocat, Bastian Ruiz, l'a appelé. Un journaliste basque est venu le harceler pour obtenir ses coordonnées. Il avait l'air sacrément bien renseigné sur son compte.

— Qu'est-ce qu'on en a à faire ?

— Il connaît mon nom, putain !

Pinto est sur la défensive.

— La moitié des Basques connaissent ton nom, depuis ta libération, il y a six ans.

García tire nerveusement sur sa cigarette.

— Ruiz dit qu'il est au courant pour l'enlèvement de Sasco. Il aurait quelque chose pour moi.

— Il a que dalle, c'est du bluff !

— Le journaliste prétend le contraire et, d'après Ruiz, il est sûr de son coup.

— Tu as un nom ?

— Cet enfoiré a même laissé sa putain de carte de visite, paraît-il !

Pinto se gratte la nuque.

— La ferme et les cabanes étaient sécurisées, ça ne peut pas venir de là.

— Le propriétaire a peut-être cafté.

— Impossible. Il est mouillé jusqu'au cou et personne ne peut remonter jusqu'à lui.

García jette son mégot par la vitre et se prend la tête entre les mains.

— Je ne comprends pas comment il est arrivé jusqu'à moi.

— Il n'y avait qu'un vieux avec son clébard sur l'aire de repos, mais à part des cagoules et une Mégane break, il n'a rien vu.

— Ce n'est peut-être pas un vieux ordinaire.

— À l'époque, Cruz a fait le nécessaire pour qu'il ne parle pas.

— Et les caméras de vidéosurveillance ?

— Cruz a dit qu'elles étaient sous contrôle.

— Alors qui ?

— Ça fait des heures que je cherche la réponse.

Pinto regarde ailleurs.

Derrière la baie vitrée du café, un gamin de 12 ou 13 ans poussant un caddie plein à craquer sur le passage piéton se bat contre la pluie et les bourrasques. Il est trempé de la tête aux pieds et, de l'autre côté de l'allée, un connard qui est sans doute son père, le visage congestionné, lui crie dessus. Une bagnole arrive dans l'autre sens. Le conducteur est du genre pressé et impatient. Concert de klaxons et d'insultes, le gosse balise, le père en remet une couche, la voiture les frôle et s'éloigne. Pas besoin d'être devin pour comprendre qui va s'en prendre plein la gueule devant tout le monde.

Pinto détourne les yeux, écœuré, et revient sur García.

— Ton avocat a une idée sur la question ?

— Il dit qu'on doit être prudents, ça sent le coup fourré, même. Si ça se trouve, le journaliste vient uniquement à la pêche aux informations. Il a pu trouver mon nom dans un vieux canard, échafauder un plan et tirer des conclusions hasardeuses. Je suis sûr qu'ils sont dix ou cent à avoir eu la même idée. Ruiz me conseille de laisser couler, de me mettre au vert et d'attendre que le journaliste se lasse.

— Et toi, tu en penses quoi ? Tu veux qu'on s'en occupe ?

— Je suis d'avis de le contacter pour savoir ce qu'il veut exactement. Il faut gagner du temps. On avisera après.

— Et si c'était un piège ?

— On a son adresse. Il ne peut pas être aussi con.

Pinto acquiesce lentement. Il dévisage García. Sa parano reprend le dessus. Il envisage toutes les hypothèses, à commencer par celle-ci : García lui bourre le mou depuis cinq minutes. Le cœur n'y est pas et Pinto n'est pas dupe. García ne lui a toujours pas dit pourquoi il avait dû quitter la planque de Dax.

Il se tait et attend que García se décide à cracher le morceau.

— Il y a autre chose... Avant de t'appeler, j'ai tenté de contacter Cruz.

Pinto joue l'étonné.

— Tenté ?

— Le numéro que j'utilise d'habitude pour le joindre n'était plus attribué.

— Il n'y en a pas un de secours ?

— Si.

— Laisse-moi deviner. La ligne a été coupée aussi ?

García hoche la tête et allume une autre cigarette. La lenteur de son geste exaspère Pinto.

— Qu'est-ce qu'il faut en déduire ?

— Je n'en sais trop rien. Il existe une procédure standard en cas de pépin.

— Traduction ?

— Couper les ponts, faire les morts quelque temps, jusqu'à ce que l'avis de tempête soit passé.

— Aucune raison de s'inquiéter, donc ?

À cet instant précis, Pinto pense exactement l'inverse : privés de ressources et de soutien logistique, devenus témoins gênants, lâchés dans la nature... Que débute le tir aux pigeons !

García prend son temps avant de répondre :

— Aucune.

— Si je comprends bien ce que tu es en train de me dire, ils *ne* nous lâchent *pas*, ils *ne* protègent *pas* leur cul et ils *ne* cherchent *pas* à nous faire porter le chapeau. Ils font seulement les morts et espèrent que nous aussi.

Il sonde García du regard et ajoute :

— Dès que Sasco retombe dans l'oubli, ils reviennent vers nous et on reprend nos petites affaires comme avant. C'est bien ça ?

— C'est comme ça que je vois les choses.

— Putains de conneries, pas vrai ?

— Écoute, je suis dans le même bain que toi. À partir de maintenant, on est inséparables. On veille l'un sur l'autre.

— On pourrait se tirer loin de tout ce merdier, se retirer, tu vois.

García grimace.

— Il vaut mieux éviter.

Pinto s'adosse à son siège et médite ses paroles sans le quitter des yeux.

Il dit :

— Il nous faut un endroit sûr.

García se passe la main sur le crâne. Il a déjà réfléchi à cette question.

— J'ai un ami qui m'a parlé de gîtes à louer, plus au nord, loin des grands axes. Personne ne viendra nous chercher là-bas.

— Ton ami a des armes aussi ?

García lève les yeux au ciel.

— Et le journaliste ? demande Pinto.

— Ruiz dit qu'il serait prêt à négocier ce qu'il veut me montrer.

— Une histoire de fric ?

García sourit pour la première fois depuis le début de leur entretien.

— C'est toujours une histoire de fric.

Biscarosse, front de mer, tard dans la nuit. Le vent et les rouleaux montent à l'assaut de la dune.

L'atmosphère de la pièce est chargée de sel. Le cendrier est déjà plein. Dans un coin, un carton rempli de pâtes, de sauce tomate en tube, d'eau minérale et de saloperies sucrées auxquelles tenait García. De la vaisselle sale et des canettes de bière vides s'empilent dans l'évier. À l'intérieur, toutes les portes sont grandes ouvertes. García dort à l'autre bout de la baraque, au fond du couloir, mais Pinto entend ses ronflements comme s'il partageait le même matelas. En se penchant un peu, il peut même apercevoir ses pieds qui dépassent des couvertures.

Les armes sont disposées sur la table. Le poste radio à piles flambant neuf est éteint. Pinto sifflote en nettoyant son .38 à canon court.

Il est soulagé. L'angoisse s'est – presque – dissipée aussi vite qu'elle était apparue. Tout bien considéré, cette mise au vert ressemble à une opération comme les autres. Il retrouve ses réflexes. Il doit sauver sa peau, c'est la seule différence.

García et lui n'ont pas perdu de temps. Ils ont établi un plan de bataille. Ils ont dressé la liste de toutes les personnes approchées pendant l'opération Sasco. Sur une carte, ils ont tracé au feutre rouge leurs moindres déplacements du 2 au 12 janvier, jusqu'à la boulangerie où García achetait le pain pour toute l'équipe. Puis ils ont rappelé Ruiz au sujet de Marko Elizabe. Ils ont donné leur feu vert. Demain, ils doivent descendre dans le sud faire des repérages. Il faut aussi s'assurer qu'Elizabe agit seul. Ruiz a fait sa part de boulot. Il s'est renseigné sur le journaliste et prétend qu'il n'y a pas de problème. Il leur a dégotté l'adresse du gars et de son principal collaborateur, un certain Iban Urtiz, ainsi que le nom du journal pour lequel ils bossent.

« Mais qui peut faire confiance à un avocat qui fait sortir de prison des fils de pute comme Adis García ? » pense Pinto, un sourire aux lèvres.

10

Samedi 31 janvier au matin, avenue de la Légion-Tchèque, grande conférence de presse aux accents républicains organisée par le procureur de la République au tribunal de grande instance de Bayonne. Annonce officielle de la « disparition inquiétante » de Jokin Sasco, devant un parterre de journalistes locaux, de proches de Sasco, de membres des forces de police et de gendarmerie du département. L'État est contraint de réagir au vu et au su de tous à la conférence donnée quatre jours plus tôt par la famille. La presse nationale est toujours la grande absente, alors que les communiqués des préfets ou des députés d'Aquitaine relatifs aux dégâts de Klaus font salle comble deux fois par jour.

Iban est en avance. Il cherche Eztia Sasco du regard, sans la trouver. Déçu, il demande à une journaliste télé si elle a vu Elizabe.

Celle-ci s'étonne :

— Marko ne vient jamais aux grands-messes, tu ne le savais pas ?

Il grimace et préfère changer de sujet.

La star du jour, Jean-Marie Delpierre, ne tarde pas à faire son entrée et à prendre le micro.

Plutôt grand, front dégarni, costume deux pièces, chemise anthracite et gestes posés. *Disparition inquiétante, bla-bla-bla...* Iban prend des notes, mais l'essentiel du texte l'attendait déjà au journal, une heure plus tôt, par le biais d'une dépêche AFP. *J'ouvre officiellement l'enquête en commençant par contacter les différents services compétents de la police judiciaire.*

Iban n'écoute que d'une oreille. Il reconnaît dans l'assistance l'un des types du renseignement, croisé à Istilharte. Épaules larges, cheveux taillés court, nuque de taureau, jeans et blouson en skaï noir. Le policier se retourne pour le dévisager, sourire en coin.

Iban pense :

« Putain de connard ! »

Il soutient un moment le regard du type qui finit par se lasser.

Le discours du procureur de la République est déjà terminé. Trois minutes, montre en main. Pas de réponses aux questions des journalistes. Communication verrouillée. Delpierre offre un sourire compatissant de circonstance. Goiri soutient qu'il est de bonne foi. Iban s'avance pour établir le contact.

Fuyant son regard, Delpierre serre la main tendue et tourne la tête. Comme Iban insiste, un conseiller, la quarantaine, raie sur le côté, s'interpose et lui demande pour quel organe de presse il travaille. Iban s'amuse du vocabulaire employé et laisse sa carte, le type lui promet de le rappeler le lendemain à la première heure pour prendre rendez-vous. Client suivant. La salle se vide peu à peu.

Sur le chemin du retour, Iban constate que le nom de Jokin Sasco a fait son apparition sur les murs de la ville, accolé aux mots « vérité » et « martyr ». Le mouvement lancé par la famille prend de l'ampleur, quoi qu'en dise le procureur.

Iban passe les deux jours suivants à attendre, sans résultat, le coup de fil du conseiller de Delpierre et à faire ce à quoi il aurait dû s'atteler depuis le 27 janvier : contacter tous les hôpitaux, les services médico-légaux de la police et les morgues de la région, privilégiant un triangle Bayonne – Bordeaux – Toulouse.

Il n'obtient aucun résultat avant le 1er février, date à laquelle un médecin de l'hôpital de Dax lui signale un corps ressemblant à la description de Jokin Sasco. L'homme, a priori un Espagnol sans papiers sur lui, serait entré aux urgences avec un trauma crânien, une semaine plus tôt, et décédé le jour même. La police a été contactée, comme le veut la procédure, mais ne serait pas encore venue le récupérer.

Iban croit que sa chance a tourné et se rend immédiatement sur les lieux avec l'accord de Goiri, mais là-bas, deux mauvaises nouvelles l'attendent. La police judiciaire est déjà sur place, prévenue par le même médecin, ainsi que la famille du défunt, un saisonnier portugais porté disparu depuis le 22 janvier, venue reconnaître le macchabée.

L'enquête officielle poursuit son cours. Dès le 2 février, Iban se voit opposer des fins de non-recevoir à chaque nouveau coup de fil.

Les services hospitaliers concernés ont reçu des consignes claires :

Pas de journalistes.

Pas de curieux.

Iban se dit : pas de petit écureuil.

Pas de rat comme lui.

Le 3 février au matin, toujours aucun article dans la presse nationale concernant la disparition de Sasco, pas même un entrefilet, à l'exception d'un bref communiqué sur le site Internet de la Ligue des droits de l'homme, repris sans conséquence par une poignée de forums de discussions de militants d'extrême gauche. Rien à se mettre sous la dent, même si le nom de Jokin Sasco continue à fleurir sur les murs de Bayonne et du Pays basque espagnol.

Elizabe lui-même semble s'être volatilisé.

Comme si toute cette affaire se jouait ailleurs et qu'Iban cherchait au mauvais endroit.

La journée du 3 février est d'une longueur exaspérante. La fin de l'après-midi arrive comme une délivrance. Iban récupère du matériel d'enregistrement au local technique, puis fonce à Labenne. Il a trois heures d'avance, qu'il consacre à des repérages sur le lieu du rendez-vous, un bar branché tenu par un couple de surfeurs, avec tout le folklore nécessaire. Puis il casse la croûte dans une pizzeria située deux rues plus bas, avant de revenir s'installer au Sept, à une table près de la porte.

Le bar est à moitié plein. La sono déverse un flot de mauvais punk californien.

Un type qui n'a pas le profil de la clientèle des lieux débarque à l'heure dite au rendez-vous, au volant d'une Clio blanche de location immatriculée dans le Gers. Entre 25 et 30 ans, un mètre quatre-vingt-cinq, des bras gros comme les cuisses d'Iban, cheveux bruns, regard dur et poings au fond des poches. Il balaie les environs des yeux, entre, renouvelle l'opération, puis fait un signe de la main en direction de la voiture. Une femme s'en extrait.

Iban reconnaît Élea Viscaya du premier coup.

La jeune femme repère Iban et s'avance à grandes enjambées, suivie de son copain. Elle accepte la main qu'Iban lui tend. Simon l'ignore, aussi agressif qu'Élea paraît déterminée. Iban comprend tout de suite que c'est elle qui mène la danse. Elle a persuadé Simon de venir au rendez-vous et non l'inverse. Le type est dingue d'elle, ça crève les yeux.

Iban s'efface pour les laisser s'asseoir. Élea prend la parole la première.

— Qu'est-ce que vous voulez savoir ?

— Où est Jokin Sasco.

Il pose un enregistreur numérique sur la table. Simon intervient :

— Pas de photo, ni de caméra ou de micro.

— Je peux quand même prendre des notes ?

Élea lève la main à l'intention de Simon qui serre les dents. Un serveur prend la commande. Iban sort son carnet. Élea attend qu'il soit parti pour répondre.

— J'ignore où se trouve Jokin.

Elle saisit la main de son petit ami. Un voile sombre passe devant ses yeux.

— Laissez-moi vous raconter une histoire qui vous mettra peut-être sur la piste.

Iban saisit son stylo.

— J'ai été enlevée le 17 juin 2008, à 10 heures, par quatre hommes cagoulés en civil, et enfermée dans une berline aux vitres teintées, alors que je me rendais à mon cours de danse, dans la banlieue de Bilbo[1]...

Le trajet dure plusieurs heures, en direction du nord. Trois, peut-être quatre. Élea Viscaya est incapable d'être plus précise. Elle est certaine qu'ils ont passé la frontière franco-espagnole. Elle est menottée entre deux hommes qui lui déshabillent le haut du corps. Ils l'insultent et la menacent sans interruption, puis lui retirent son pantalon. L'un d'entre eux la frappe à la tête à plusieurs reprises, pendant que l'autre la contraint à écarter les jambes, agitant un bâton devant ses yeux. Elle pleure, elle hurle, elle supplie, mais rien ne semble les arrêter. Elle serre les jambes et les fesses de toutes ses forces. La scène se reproduit à trois reprises avant qu'ils n'arrivent à destination, dans une maison isolée.

Là, elle est enfermée dans une pièce de taille réduite, deux mètres par quatre, munie de toilettes, d'un lit et d'un lavabo. L'endroit empeste l'urine et le moisi. Elle est affamée. Elle hurle, tape contre la porte, sans parvenir à dormir, pendant deux jours. Puis les hommes qui l'ont enlevée reviennent et son enfer recommence de plus belle.

1. Bilbao en basque.

Elle reçoit des coups, doit exécuter des postures qui mettent à mal ses muscles et ses articulations. Ils l'obligent à se baisser et à se relever sans arrêt, ils la menottent dans des positions inconfortables pendant des heures. Ils plaquent son buste sur une table et lui jettent de l'eau glacée sur l'entrejambe, puis menacent de la violer. Pendant ce temps, les hommes lui demandent des noms, menacent sa famille si elle se tait. Elle ne porte plus qu'une culotte et subit régulièrement des attouchements qui la laissent prostrée. À deux reprises, ils la conduisent hors de la pièce, dans une salle de bains où ils la plongent de manière répétée dans une baignoire remplie à ras bord, avant de lui glisser un sac plastique sur la tête jusqu'à étouffement. Elle n'a pas mangé depuis quatre jours. Elle dit être incapable de se souvenir si elle a parlé ou non et perd toute notion du temps.

Le 22 juin 2008, Élea est retrouvée et identifiée, errante, vêtue des mêmes jeans, baskets, T-shirt et pull à capuche qu'elle portait le jour de son enlèvement, sur un trottoir, dans la banlieue est de Saint-Jean-de-Luz. Le lendemain, aux urgences de l'hôpital public, elle se bornera à parler d'hommes cagoulés et dénoncera les tortures qu'elle a subies au médecin de garde. Même chose au policier venu recueillir sa déposition.

— Je n'ai pas répondu à ses questions, conclut-elle, les yeux gonflés de larmes.

Le souffle coupé, Iban a arrêté de prendre des notes. Élea ne ment pas, il le lit dans son regard.

— Pourquoi ?

— Les interrogatoires et les gardes à vue rendent les filles silencieuses et dures.

Comme Iban fronce les sourcils, Simon précise :

— Nous ne reconnaissons pas leur justice.

— Je ne comprends pas.

Simon ricane et lâche la main d'Élea. Iban ne tient pas compte de sa réaction et poursuit :

— C'était dans votre intérêt de porter plainte.

— Vous connaissez mal notre histoire, monsieur Urtiz. Les coupables ne sont jamais inquiétés.

— C'est de la torture !

Elle réprime une grimace de dédain.

— C'est ma parole contre celle de cagoulés espagnols fantomatiques opérant sur le territoire français en toute impunité.

— Il y a forcément une trace quelque part. Ces agissements sont condamnables.

— Comment, bordel ?

Elle sous-entend : fais ton boulot de journaliste, Iban Urtiz. Réunis les preuves nécessaires – *si seulement tu en es capable !*

Il ne trouve rien à répondre.

Élea dit :

— Nous ne valons rien pour eux.

— Nous ?

Élea ferme les yeux et récite, comme un chant appris par cœur :

— Patxi Errecart, Bixente Hirigoyen, Oihan Borotra, Julen Bertiz, Iñaki Goya, Txomin Zunda et tant d'autres. Les martyrs de leur sale guerre. Et maintenant Jokin Sasco.

Iban écrit à toute allure sur son carnet. Simon intervient :

— On n'a aucune certitude à son sujet. Il s'agit peut-être d'un règlement de comptes entre fractions séparatistes.

Élea secoue la tête.

— Tu crois vraiment ce que tu viens de dire ?

Elle recule sur sa chaise et remonte nerveusement la manche de son pull, révélant deux vilaines cicatrices d'une dizaine de centimètres. Son copain détourne le regard.

— Je vis avec ça depuis sept mois. Tu sais que j'en ai quatre autres comme ça sur l'abdomen et dans le dos. Je les lui montre toutes ou est-ce assez valable comme preuve *pour toi* ?

Simon se lève d'un mouvement brusque et se précipite vers la sortie. Élea esquisse un geste pour le retenir et fond en larmes. Des gamins s'époumonent deux tables derrière eux. Sur la leur, des chopes de bière blonde aux trois quarts vides. Le volume de la musique augmente d'un cran.

La voix d'Élea n'est plus qu'un murmure :

— J'aimais Jokin. Mais après ça...

Elle désigne son bras du menton.

— Je n'avais plus la force, vous comprenez ?

Iban acquiesce. Il l'entend à peine.

— C'était trop dur... Sur le moment, j'ai marqué le coup, j'ai tenu tête au juge et aux policiers, mais après... Les cauchemars, la peur que ça recommence, l'impression d'être suivie, de voir des types louches à chaque coin de rue. Ils ont fini par gagner. J'ai laissé tomber Jokin parce que j'avais besoin de me reconstruire. Lui avait assez de volonté et de colère pour continuer de se battre.

Elle renifle.

— Simon était là, il m'a aidée. Sans lui...

Iban s'approche d'Élea et pose une main sur son épaule.

— Je suis désolé.

Elle se redresse, se frotte les yeux et le dévisage d'un air de défi.

— Prouvez-le, dit-elle avant de quitter la table.

*

*   *

Iban reste un moment au Sept à digérer leur échange. Il descend quelques bières blondes en silence, insensible à la mauvaise musique et aux cris gonflés par l'alcool des surfeurs décolorés et de leurs groupies que le patron essaie de mettre dehors.

Le récit d'Élea Viscaya infuse dans son cerveau, à la manière d'un excitant. Des connexions fragiles s'établissent avec ses recherches sur Sasco et les appels à la prudence d'Elizabe. Iban se visualise, planté à un carrefour, au milieu d'une foule étrange composée de jeunes gens venus pleurer, venger ou fêter la disparition d'un homme. Les uns portent des cagoules, les autres des masques de cire. Perdu, un rat se faufile entre leurs pieds pour éviter les mauvais coups. Les faits et les conséquences. Iban commence peu à peu à mesurer l'ampleur du chaos.

Il relit ses notes pour la énième fois, avant de prendre une décision, puis il range son carnet et vide son verre.

Les gardes à vue rendent les filles silencieuses et dures, se répète-t-il mentalement en traversant le parking.

11

Amaia Sasco vit seule, à l'abri du vacarme de l'autoroute et de la voie ferrée et à portée de vue de l'appartement d'Eztia.

Versant sud des Hauts-de-Sainte-Croix. Une maison basse, à l'ombre des tours, volets verts, structure rectangulaire, croix basque gravée dans le bois au-dessus de l'entrée. Style traditionnel et non-militant. Pas de portraits sur les murs, ni de journaux qui traînent sur la table basse, aucune bibliothèque. Austère, solide et silencieux, comme son occupante.

Amaia.

Appuyée contre la cheminée, Eztia observe sa mère qui s'est enfin assoupie dans son fauteuil. Ses doigts s'agrippent aux accoudoirs comme si des mains invisibles cherchaient à l'arracher à son sommeil. Sa respiration est rapide et saccadée.

Eztia quitte la pièce sans un bruit, récupère la clef de la cave pendue à un clou dans le hall. Jokin n'a rien laissé traîner dans son appartement depuis son emménagement chez elle. Elle a été ferme sur ce point. Elle ne voulait pas d'emmerdes. Il a tenu parole – depuis un mois, elle a eu le temps de vérifier. Jokin n'est pas Peio. Il ne se cache pas derrière des mensonges. À présent, elle le regrette parce que les petits secrets de son frère lui révéleraient peut-être où il se trouve. Pourtant, elle soupçonne Amaia d'avoir accepté que ses fils utilisent sa cave comme planque, feignant de ne rien savoir, comme à son habitude, pour les protéger d'eux-mêmes. Même si cela devait lui attirer les pires ennuis. Sa mère traite toujours Peio et Jokin comme les deux gamins qui jouaient aux pirates sur les berges de l'estuaire Nervión de Bilbo, mais elle en sait plus qu'elle ne le laisse entendre.

Eztia n'est pas dupe.

Elle descend quelques marches, hésite un instant, puis referme la porte derrière elle et s'enfonce dans le sous-sol. Elle traverse l'ancien atelier de son père, transformé en buanderie, et gagne le cellier, où sa mère entrepose conserves, saucissons et des antiquités emmaillotées dans des housses en plastique. Un soupirail donnant sous le perron diffuse une lumière pâle.

Eztia tourne l'interrupteur et se dirige vers une pile de cartons dont elle examine le contenu.

Des tracts avec le logo de la Ligue des droits de l'homme concernant le rapprochement des prisonniers politiques. Des coupures de presse, certaines récentes, des livres. Peio aime la paperasse et il semble qu'il ait réussi à contaminer leur frère.

Mais aussi : du matériel de randonnée, des piles, deux lampes frontales, des cordes. Rien de compromettant. Rien non plus qui la mette sur une piste.

Elle sonde le fond des cartons, puis elle remet les affaires en place et scrute le sol, les angles, les étagères. Elle cherche des traces récentes dans la poussière qui recouvre certains meubles ou objets. Elle tapote les panneaux muraux et le plafond, en quête d'une planque. Son cœur bat à tout rompre dans sa poitrine. Elle redoute ce qu'elle pourrait y trouver. Moins cependant que la honte qu'elle éprouve à soupçonner ses frères et sa mère.

Elle pense : il n'y a pas de fumée sans feu.

Elle revient dans l'atelier et tapote encore, doucement, du plat de la main, tire la machine à laver et une armoire, se penche pour regarder derrière, s'allonge pour voir dessous, renverse les tiroirs, mais le papier peint rétro et les vieilles planches ne dissimulent rien d'autre que les fruits de son imagination.

Eztia hoche la tête en grimaçant comme s'il s'agissait d'une évidence. Jokin n'impliquerait pas Amaia. Ce n'est pas son genre. Elle est à la fois déçue et infiniment rassurée.

Puis elle se demande où est-ce qu'elle a oublié de chercher.

Elle jette un œil à sa montre, se recoiffe et remonte rejoindre sa mère avant que celle-ci ne se réveille.

Peio débarque sur les coups de 19 heures. Il affiche une mine de déterré. Amaia s'active aux fourneaux. Une odeur de soupe plane dans l'air. Ils fêtent un drôle d'anniversaire, ce soir.

Eztia bouillonne. Une foule de questions lui brûle les lèvres. Elle se retient d'interroger son frère.

Elle annonce :

— J'ai peur.

Peio se raidit. Son regard est braqué en direction de la cuisine.

— Tais-toi !

Eztia répète, plus fort :

— J'ai peur, merde !

Elle dévisage son frère d'un air de défi :

— Pas toi ?

Il se tourne enfin vers elle, excédé.

— Prends sur toi, bon sang ! Pense à Jokin !

Il désigne la cuisine de la main.

— Pense à ce qu'*elle* doit ressentir !

Le bon vieux procédé de la culpabilisation. L'esprit de Peio n'est que machination et calcul.

« Parfois, je me demande ce qui te différencie de ceux d'en face », pense Eztia.

Amaia fait irruption dans la salle à manger et dépose la soupière sur la table.

Eztia explose :

— Tu crois que je n'ai pas le droit de me plaindre, n'est-ce pas ? Tu imagines avoir le droit de me sermonner parce que tu sers une cause plus noble que la mienne ?

Son frère secoue la tête et porte une cuillère à sa bouche.

Eztia ricane.

— Peio, l'homme de l'ombre ! Dans quel camp es-tu, dis-moi ?

— Arrêtez ! dit Amaia d'une voix sèche.

Eztia lui fait face.

— Toi aussi, tu prends sa défense !

Elle attend un démenti qui ne vient pas.

— Il nous manipule, maman ! Avec ses amis, ils jouent un double jeu. Ils ont entraîné Jokin dans leurs conneries et voilà le résultat ! Depuis qu'on est sans nouvelles de lui, tout ce joli monde complote. Ils se réunissent, se posent les mauvaises questions, échafaudent des plans, mais la vérité, c'est que la disparition de Jokin intervient au plus mauvais moment pour leurs petites affaires. La dissolution d'ETA, les négociations pour la libération des prisonniers politiques, le rapatriement du fric de la lutte, voilà ce qui les occupe ! La cause passe avant tout le reste. Avant Jokin.

Peio balance sa cuillère devant lui et repousse son assiette.

— Tu dis n'importe quoi.

Eztia pointe un doigt accusateur vers lui.

— Ah ouais ? Parlons des faits, dans ce cas. Toutes ces années où Jokin était incarcéré, qui était au parloir pendant que tu organisais tes foutues réunions ?

Peio secoue la tête. Il fuit son regard. Elle poursuit sa litanie.

— Ce n'était pas toi non plus qui te tapais les allers-retours pour Madrid et qui attendais des heures, parfois pour rien. Qui s'occupait des colis ? Qui envoyait des lettres ? Qui essuyait les propos obscènes de certains gardiens qui avaient les pleins pouvoirs sur lui comme sur ses visiteurs ? Qui était là tous les soirs pour consoler maman ? Qui suait à la ferme pour payer les factures, hein ? Dis-moi, toi qui es si malin ! Qui a bouffé de la vache enragée pendant tout ce temps ?

— J'étais actif, tu le sais très bien.

Eztia lève les mains au plafond.

— C'est vrai, j'oubliais. Tu es un héros combattant prêt à tous les sacrifices.

Son frère se redresse et la gifle violemment.

— Pauvre idiote !

De la main, elle se raccroche au dossier de sa chaise pour ne pas tomber. Amaia pousse un cri.

— Va te faire foutre, Peio ! crache Eztia.

Les larmes aux yeux, elle quitte la table, attrape sa veste et ses cigarettes.

— Pardon, maman ! crie-t-elle en claquant la porte d'entrée.

De retour dans son appartement, Eztia a avalé des pâtes trop cuites et descendu deux des Pills de trente-trois centilitres qu'elle stocke dans le bas du réfrigérateur. La bière glacée lui fait mal aux dents. L'alcool lui monte à la tête. Enfoncée dans le canapé, elle fume une cigarette.

Sans quitter sa place, elle tend la main et attrape le téléphone, ainsi que la liste des hôpitaux et des cliniques de la région qu'elle a dressée avec sa mère.

Son travail à elle.

Celui d'une vraie patriote.

D'une *abertzale* qui soutient et s'inquiète des siens.

Elle élimine d'office ceux du Pays basque. Si Jokin s'y trouvait, l'information aurait probablement déjà filtré.

Elle compose un premier numéro.

— Service des urgences du CHU de Toulouse, je vous écoute.

— Je suis Eztia Sasco, je vous ai déjà appelé hier. C'est à propos de mon frère, Jokin Sasco. Il a 32 ans, plutôt grand, crâne rasé ou cheveux courts. Il porte un costume sombre...

La standardiste se racle la gorge. Eztia se demande si la communication n'a pas été coupée.

— Allô ? Vous m'entendez ?

— Oui, oui. Je sais qui vous êtes. Vous avez déjà téléphoné plusieurs fois cette semaine.

— Mon frère a-t-il été admis chez vous ?

Nouveau raclement de gorge.

— Pas que je sache... Attendez, je consulte les fiches d'entrée.

Froissement de feuilles, chuchotements à l'autre bout du fil.

— Je n'ai rien à ce nom.

— Peut-être un patient correspond-il à la description...

Son interlocutrice l'interrompt, gênée.

— Non. Je suis désolée.

— Ce n'est pas grave, je rappellerai demain.

Eztia la remercie, puis raccroche. Elle se dit que cette piste est morte. Elle devrait commencer à contacter les morgues et les cimetières. Elle éclate en sanglots et se maudit d'y avoir pensé.

Elle reprend son souffle et passe au numéro suivant.

12

Le réfrigérateur émet des petits bruits étranges. Les yeux rivés sur le portrait de sa femme, Elizabe tripote du bout des doigts la clef USB sur laquelle est enregistrée la vidéo de l'enlèvement de Sasco. La chaudière de la maison s'est encore déréglée, la température atteint des sommets. Les chats somnolent quelque part dans un coin plus frais.

Devant lui, étalées sur le plan de travail de la cuisine, des photos.

Le résultat de centaines d'heures de planque :

Peio Sasco et deux militants, à une terrasse de café dans la vieille ville. Prise il y a trois mois.

Peio et sa sœur, Eztia, distants, au pied de la tour C des Hauts-de-Sainte-Croix.

Peio et sa mère.

Nord de Bayonne, sur un parking après la sortie 5B, Peio file une valise par la vitre entrouverte d'une Peugeot 806 louée et repart avec une enveloppe.

Peio, jamais en photo avec son frère Jokin, même le jour de la libération de ce dernier, le 5 mars 2008.

Les deux frères n'apparaissent pas ensemble. Jokin Sasco fuit les appareils photo. Il ne file aucune valise, ne discute avec aucun militant aux terrasses des cafés de la vieille ville. En dépit de son passé de militant, Jokin colle mal au contexte familial.

Elizabe pense : trop de prudence.

Perplexe, il se lève et repousse sa chaise d'une ruade. Il remet les clichés de Peio dans une enveloppe et en extrait une poignée d'autres :

Adis García, entre 1984 et 1986, à son procès en 1987, puis en novembre 2003, à sa sortie de prison. D'autres visages, d'autres mercenaires impliqués dans des procès similaires dans les années 1980.

Elizabe scrute chaque cliché à la recherche de l'une des silhouettes aperçues sur la vidéo de l'aire d'autoroute, sans résultat. Il fouille dans sa mémoire et le déclic s'opère. Une rencontre bizarre, sept ans auparavant, lui revient à l'esprit.

Automne 2002. Elizabe avait ses entrées dans un troquet du centre-ville, réputé pour être un repère de flics. Il y passait de temps à autre pour glaner des bribes d'informations sur les procès et les interpellations en cours et avait sympathisé avec le patron. La soirée était avancée, le bar presque vide et Elizabe suffisamment éméché pour oser aborder un client à la mine patibulaire, la soixantaine. Les mains du type tremblaient. Il était saoul.

L'histoire :

Elizabe paie une tournée, puis une deuxième. Un ersatz de confiance s'installe. Le type est un excité et le prend pour un flic. La conversation s'oriente très vite sur les GAL et l'histoire du Pays basque nord, entre 1983 et 1987. Le type en a gros sur la patate. Il verserait presque dans le mélo, la larme à l'œil. Il se présente comme un mercenaire. Il décrit le quadruple meurtre de l'hôtel Monbar de Bayonne où des militants basques soupçonnés d'appartenir à ETA furent exécutés fin 1985. Il mime la scène en riant, *bam ! bam ! bam ! bam !* comme s'il tenait lui-même l'arme. Il dit « on », il dit « nous », mais Elizabe n'est pas dupe car il sait que les deux responsables ont été arrêtés le jour même. Il laisse l'autre parler et jouer les gros bras. Le type est visiblement bien renseigné pour un mythomane. Il évoque aussi des actions à Saint-Jean-de-Luz et Hendaye. Ses propos sont confus. Il a pu lire ça dans la presse locale. Il a pu en entendre parler.

Elizabe commande une bouteille et remplit les verres en souriant.

Le type remonte le temps. Il évoque son entrée à la Légion étrangère, « Oncle Bob » Denard, l'Afrique, l'aéroport militaire de Villacoublay par où transitaient les chargements d'armes, son exil à Biarritz, en 1982. Il prétend avoir été contacté peu après, sans dire par qui. Son œil brille quand il raccroche son histoire à celles d'autres mercenaires payés pour faire couler le sang basque. Il explique qu'il y a toujours du boulot pour les hommes comme lui. Il jette un œil autour d'eux d'un air mystérieux et soulève sa veste, révélant la crosse d'un pistolet Walther P38. Il précise : *calibre 9*, comme s'il s'agissait d'un grade militaire, de la Légion d'honneur ou d'une étoile à son nom gravée sur un trottoir d'Hollywood Boulevard.

De la haine dans la voix, il ajoute posséder un autre modèle sous son matelas, au cas où ces *salauds de Basques* viendraient le chercher.

Un ange passe. Elizabe est au bord de la nausée. Il feint de tremper ses lèvres dans son verre pour que l'autre poursuive son laïus, mais son interlocuteur se tait et le dévisage bizarrement, avant de se lever pour aller pisser, payer puis partir sans un mot. Renseignements pris, le patron ne le connaissait pas non plus et il n'est jamais revenu.

Sept ans plus tôt et rien n'a changé.

Adis García réapparaît comme par magie. L'ombre de la guerre sale plane. Les mercenaires, les mythomanes qui gravitent dans leur sillon et tous ceux qui fantasment, un P38 calé dans leur ceinture, le canon pointé contre leurs couilles. Combien d'autres tarés encore en liberté ? N'importe lequel d'entre eux a pu enlever, séquestrer ou tuer Jokin Sasco.

Pour leur propre compte ou celui d'un commanditaire haut placé.

Pour le fric ou pour la gloire.

— Putain de casse-tête ! marmonne Elizabe.

Il range le désordre étalé sur la table, met de l'eau à bouillir, embrasse la photo de Mari. Il garde un moment la clef USB dans la paume de sa main. De drôles de pensées lui traversent l'esprit. De très mauvaises pensées. Le genre à lui valoir une montagne d'emmerdements.

Il se demande quand Adis García le contactera. Combien vaut ce film. Et qui serait prêt à le lui acheter.

Des nombres à cinq ou six chiffres défilent devant ses yeux. L'espace d'un instant, il se voit en train de les baiser tous. Les militants, les mercenaires, les amoureux du sang et de la violence, les haut-gradés et les paranos. Il s'imagine faisant sa valise et se tirant loin de tout ce merdier.

Il sourit.

Il croise à nouveau le regard de Mari et pense :

Le fric ou la gloire ?

Il ne sourit plus, en même temps qu'une trouille bleue lui tenaille le ventre. Elle ne disparaît pas quand il enfouit la clef au fond de sa poche.

Il réalise que la bouilloire siffle depuis un bon moment. Il éteint le gaz, se prépare une tasse de thé et gagne son bureau pour se mettre au travail dans l'espoir de se changer les idées.

13

Alirio Pinto et Adis García passent une bonne partie de la journée à jouer aux cartes et à boire des bières. À la tombée de la nuit, ils s'habillent, planquent des armes dans le coffre de la Clio et partent faire un peu d'exercice dans le sud des Landes.

En poche, leur feuille de route : tournée générale de leurs contacts dans l'opération Sasco.

Visites surprises, coups de pied dans les portes, intimidation afin d'être certains que personne n'a parlé et que personne ne parlera.

Genre : « Hé, ça fait un bail ! On ne dérange pas, j'espère ? »

Ou encore : « On passait par là et on s'est dit : Tiens, comment va-t-il ? A-t-il besoin d'un peu de fric ? »

Fournisseurs, propriétaires des planques, indics, vendeurs de matériel.

Partant du principe suivant : pour savoir s'il y a eu des fuites, il suffit de remonter la chaîne et de vérifier qu'aucun maillon ne s'est fissuré ou n'a cassé en cours de route.

García s'occupe des formules de politesse, demande des nouvelles, s'émerveille devant les photos de famille accrochées aux murs, ce type de choses. Pinto joue le rôle du méchant, secoue ceux qui feignent l'étonnement et leur fait chanter *La Marseillaise* pour s'assurer de leur loyauté, si nécessaire.

Toutes les cinq minutes, García consulte son portable au cas où Xavier Cruz les appellerait pour les supplier de ne pas se faire remarquer.

L'idée est de générer suffisamment de bruit pour que ses oreilles sifflent et qu'il ne les oublie pas.

En même temps, Pinto et García vérifient de leurs propres yeux que les commanditaires de l'opération Sasco ne cherchent pas à les doubler. Double bénéfice. La bonne vieille technique du coup de pied dans la fourmilière.

Dans la voiture, pour tuer le temps entre deux visites, García se remémore ses principaux faits d'armes. Il les enjolive en se donnant le beau rôle. Intérieurement, Pinto se fend la gueule parce que son compagnon en invente la moitié, mais il raconte ses histoires avec tellement de bagou et force détails qu'on jurerait qu'il possède le double des clefs des ministères de l'Intérieur français et espagnol et qu'il baise les femmes de la plupart des officiers supérieurs de l'antiterrorisme des deux camps.

Vers 4 heures du matin, à court d'anecdotes, il propose d'aller se défouler dans une discothèque de Seignosse qu'il fréquentait, quelques années plus tôt.

Le Huec, carrément surréaliste.

Piscine vide, murs décrépis, stroboscopes tournant à plein régime, musique de nuls, deux pistes de danse désertes, un bar sur trois ouvert, une douzaine de clients en tout et pour tout. Dehors, l'enseigne lumineuse précise en grosses lettres : *Gratuit pour les filles* – pas l'ombre d'une chatte !

Pinto pousse un sifflement de dépit.

— Merde !

— Je sens au contraire qu'on va se marrer.

— Tu parles de péquenots !

García hausse les épaules sans répondre et commande deux whiskies. Il décide aussitôt de chercher des poux à un client dont la tête ne lui revient pas. Deux bouseux du coin s'en mêlent, Pinto arrive à la rescousse et distribue des beignes. Le videur, un costaud au crâne rasé et à l'accent prononcé du Sud-Ouest, intervient.

Bon prince, García s'excuse et paie un coup à boire à tout le monde. Le type les raccompagne vers la sortie. Sur le pas de la porte, Pinto voit soudain le visage de son compagnon s'éclairer d'une lueur d'amusement, une fraction de seconde plus tard son crâne percute le nez du videur.

— Putain ce que ça fait du bien ! lâche García, essoufflé, une fois la Clio lancée en direction du nord. Ils ne nous baiseront pas, mon vieux. Personne ne nous baisera, fais-moi confiance !

Pinto acquiesce.

— Tu l'as dit.

García allume une Ducados, froisse son paquet vide, le balance sur la banquette arrière. L'odeur âcre du tabac envahit l'habitacle. Il baisse la vitre et sort leur feuille de route de sa poche.

Il tapote du doigt l'avant-dernier nom de leur liste.

— La nuit n'est pas terminée.

Moliets. Domicile du collègue de Marko Elizabe. Iban Urtiz : appartement de célibataire, odeur de mâle et de tabac froid.

Un immeuble de deux étages sans prétention. Construction récente, quartier résidentiel milieu de gamme. Parking privé, ni interphone, ni concierge. La plupart des appartements sont vides l'hiver. À cinq minutes de la plage à pied, à deux pas du centre-ville. Maître Bastian Ruiz lui a fourni des renseignements solides.

Pinto les a fait entrer en forçant les serrures grâce à deux crochets. García pénètre le premier et allume toutes les lampes sans se soucier du voisinage.

García explore tranquillement les lieux. Ses doigts glissent sur les murs blancs. Il disparaît au bout du couloir. Pinto maintient la porte d'entrée légèrement entrouverte et fait le guet. La cage d'escalier est calme. García est de retour dans la pièce principale dix minutes plus tard avec une photo d'Urtiz qu'il lui met sous le nez avant de l'empocher.

Il dit :

— Pas de labo photo, pas d'archives. Rien que des affaires personnelles, des putains de stocks de préservatifs et des revues pornos.

García fait apparaître un magazine qu'il balance à son coéquipier. Ce dernier s'en saisit au vol et lui désigne de la main l'ordinateur portable qui trône au milieu du bureau.

Placide, García hoche la tête, prend une photo en plan large de la pièce avec son téléphone, avant de mettre en marche l'ordinateur. Il bute sur le mot de passe. Pas le temps. Il l'éteint et s'en désintéresse aussitôt.

Il se concentre ensuite sur la paperasse qui encombre le reste de l'espace.

Factures, notes de frais, coupures de presse, copies d'emails sans intérêt. Aucun agenda. Un dossier attire son attention. Il l'ouvre.

Il brandit une liasse de feuilles imprimées et s'exclame :

— L'avocat a vu juste. Le petit journaliste s'intéresse beaucoup à l'affaire Sasco. C'est un bon élève. On dirait qu'il ramène des devoirs à la maison.

— Rien sur nous ?

García sourit, le nez dans les papiers.

— Pas là-dedans, en tout cas.

Pinto trouve qu'il en rajoute mais se retient d'en faire la remarque.

Il dit :

— On se tire ?

García ne répond pas. Il s'efforce de tout remettre en ordre sur le bureau. Il s'empare d'une pomme qui traîne sur le plateau de la cuisine à l'américaine, croque dedans avec gourmandise avant de rejoindre la sortie. Pinto lance un regard sur le palier, puis s'efface pour le laisser passer.

— Je crois qu'on n'a plus rien à faire ici.

La main sur la rambarde de l'escalier, García observe une dernière fois derrière lui, avant que Pinto ne claque la porte.

— C'est ça. Allons prendre l'air !

14

Les locaux de *Lurrama* sont déserts et le numéro du lendemain est bouclé. Iban presse l'interrupteur de la grande salle, se faufile jusqu'aux archives et allume une cigarette. L'horloge du couloir affiche minuit cinq.

Il se gratte la nuque, ouvre un premier carton et cherche dans les papiers l'un des noms qu'Élea Viscaya lui a livrés.

Une heure plus tard, un communiqué daté du 10 avril 2008 attire son attention.

Patxi Errecart.

La photo d'un gamin de 18 ans précède un témoignage accablant dans une affaire d'enlèvement dans les Pyrénées-Atlantiques. Des policiers espagnols. Il est question de torture.

Des descriptions, des détails, des rapports médicaux, des clichés pris avant et après.

D'autres noms, ceux de sa liste : Goya, Borotra, Hirigoyen, Bertiz, Zunda, Viscaya.

Puis des dizaines d'autres, inconnus : Elizalde, Ibaiguren, Ibarra, Zubiri, Zabala, Etxeberria, Etxepare, Ezkibel, Intxausti, Loiola, Mendoza, Urberoaga, Aroztegi…

Des hommes, parfois des femmes, tous entre 17 et 26 ans. D'autres descriptions, brèves cette fois-ci, peu de détails, aucune photo. Des mots semblables à des slogans politiques en temps de guerre : enlèvement, torture et vérité. La plupart des affaires ont eu lieu sur le territoire français.

Iban se passe la main dans les cheveux.

Les informations trouvées confirment le récit d'Élea Viscaya. Iban n'est pas surpris, comme s'il était déjà prêt à croire son histoire. *Lurrama* a reçu ces communiqués, Marko Elizabe les a lus et a écrit des articles sur le sujet, mais personne ne s'en soucie au-delà des frontières du Pays basque. Personne ne s'en soucie ou tout le monde se tait. Dans les deux cas, cela explique pourquoi Iban n'en a jamais entendu parler auparavant et pourquoi Elizabe lui a filé les coordonnées d'Élea Viscaya.

Ça et la peur que la jeune femme ressentait encore en lui racontant son histoire.

Ni Viscaya ni Sasco ne sont des cas isolés.

— Bordel de merde, marmonne-t-il. Il y en a des dizaines.

Il met la feuille de côté, saisit le carton et le vide sur la table.

La deuxième affaire qui lui tombe sous la main est celle de Bixente Hirigoyen, 22 ans.

Deux photos : avant et après.

Sur la première, un jeune homme au regard halluciné et aux cheveux mi-longs.

La seconde montre le même, après un passage à tabac, une minerve autour du cou et le visage gonflé d'hématomes et lardé de cicatrices.

Arrêté le 4 mars 2001 dans le cadre d'une opération policière menée contre ETA en Guipúzcoa, à trente kilomètres à l'est de San Sebastián. Conduit dans une grange où il est interrogé et brutalisé pendant près de douze heures par cinq hommes en civil qu'il affirme être des agents de la Guardia Civil. À l'issue de son interrogatoire, en raison d'un pouls extrêmement faible, les policiers le conduisent aux urgences de l'hôpital San Sebastián. L'interne chargé des soins constate de nombreuses lésions sur tout le corps, en particulier au visage, et un traumatisme cervical. Bixente Hirigoyen porte plainte le 5 mars 2001. Le 13 septembre 2007, au terme de six années de procédure entachées de multiples pressions sur la partie civile, trois des cinq policiers de la Guardia Civil soupçonnés de l'avoir torturé sont condamnés à des peines allant de trois ans et un jour de prison, à six ans et un jour d'interdiction de servir dans les corps de sécurité de l'État et à trois mille euros à verser au plaignant. Les policiers font appel, la Cour suprême procède à la requalification des faits le 26 juin 2008. Elle prononce une condamnation de six mois, *en rapport avec la gravité des faits*. Le 16 juillet 2008, le Conseil des ministres donne une réponse favorable à la demande de grâce déposée par les trois policiers. Celle-ci est accordée par le roi sous la forme d'un décret officiel. Les deux autres policiers continuent à œuvrer en tant que coresponsables de la coordination antiterroriste avec les forces de sécurité françaises.

Aucune fiche précise sur le jeune homme et sa situation actuelle.

Iban attrape un autre carton.

Oihan Borotra, 17 ans, même topo, aucune photo. Interpellé dimanche 10 février 2007, à midi, lors d'un contrôle routier de la Guardia Civil au sud d'Irún, dans la province de Guipúzcoa, l'adolescent est admis aux urgences de l'hôpital public de San Sebastián, le 11 février, aux alentours de six heures du matin. Selon le rapport judiciaire, Oihan est accusé d'appartenir à ETA. Il explique avoir reçu des coups de poing et de pied au visage, au thorax, à l'abdomen et aux parties génitales. Il a perdu de grosses quantités de sang. Il est arrivé aux urgences par ses propres moyens et placé aussitôt sous perfusion. Il présentait des hématomes sur tout le corps, quatre côtes cassées, une importante entrée d'air dans le poumon droit et une oreille gonflée et sanglante. Selon la version officielle, diffusée par les agences de presse espagnoles et françaises, l'arrestation a eu lieu le dimanche vers 17 heures. Les policiers affirment avoir eu recours à la force pour maîtriser l'adolescent, lequel aurait opposé une grande résistance, avant de le placer en détention, quinze minutes plus tard, dans un état jugé bon. Toujours selon la version officielle, ce serait Oihan Borotra lui-même qui se serait infligé ses blessures pendant la nuit. Les policiers se félicitent d'être intervenus avant que l'adolescent ne parvienne à mettre fin à ses jours.

La version officielle ne colle pas aux faits.

La famille de l'adolescent porte plainte le 13 février 2007, mais la procédure est abandonnée le 6 janvier 2008. Les policiers ne seront jamais inquiétés.

Pas de coordonnées.

Iban ouvre un autre paquet de cigarettes, prend des notes et ne voit pas le temps passer.

Il soulève un troisième carton et remet ça. Cette fois-ci, changement de ton et de mode opératoire. Les événements basculent en France, dans le département des Pyrénées-Atlantiques, et il n'est plus question de policiers espagnols.

Iñaki Goya, 20 ans, 2 avril 2008. Faits similaires, écarts toujours aussi troublants entre les faits et la version officielle. Le jeune homme est relâché au bout de trois jours, les ravisseurs disparaissent et ne sont pas inquiétés. Peu de détails. Un autre carton : Julen Bertiz, 27 ans, 9 avril 2008, une semaine plus tard, toujours en France. Cinq jours d'incommunication, au Pays basque nord, à quelques kilomètres de la frontière espagnole.

Iban revient en arrière dans ses notes et fait aussitôt le lien avec le cas de Patxi Errecart, en date du 10 avril. Le lendemain, seulement. Les deux hommes ont peut-être été la cible des mêmes individus.

Il note : *les arrestations s'accélèrent*. Il souligne trois fois et ajoute : *17 juin 2008, Élea Viscaya – 3 janvier 2009, Jokin Sasco*.

Période d'arrestation et de torture toujours plus longue à chaque cas.

Encore : Txomin Zunda, 18 ans, près d'un mois plus tard, le 4 mai 2008, arrêté et torturé en France à nouveau, dans le sud des Landes.

Au bord de la nausée, Iban écrase son mégot, file aux toilettes pour pisser. Une fois sa vessie vidée, il se passe de l'eau sur le visage et s'observe un instant dans le miroir, avant de fermer le robinet.

En sortant, il jette un œil à l'horloge de la grande salle : 5 h 39.

Il retourne aux archives, s'allume une Winston et entreprend de remettre les cartons en place. Une fois sa tâche terminée, il file à la machine se préparer un café. Il sirote son gobelet, en réfléchissant aux liens entre tout ce merdier et Jokin Sasco. Des questions paranoïaques sans réponses lui viennent à l'esprit. Il attrape son blouson, récupère ses clopes et referme la porte de *Lurrama* avec le sentiment que rien de tout ce qu'il vient de lire n'est réel.

Il descend les escaliers en bâillant. Dehors, la température est douce, une brise chargée d'embruns souffle. Le ramassage des ordures se termine.

Le ciel est dégagé pour la première fois depuis deux semaines. Iban monte d'un cran le volume du poste radio pour se tenir éveillé et quitte l'autoroute en direction de Capbreton.

Les informations locales ne parlent que des dégâts de Klaus et du coût des réparations. Rien sur Sasco. France Info concentre son actualité sur un trader soupçonné d'avoir fait perdre près de cinq milliards d'euros à une banque française pour laquelle il œuvrait. Le journaliste semble découvrir comment fonctionnent la Bourse et le monde de la finance. Iban ricane et glisse un CD des Guns N' Roses. *Live at the Ritz,* New York, presque vingt et un ans plus tôt, jour pour jour, le 2 février 1988, à l'époque où le groupe avait encore des tripes et roulait uniquement pour le rock'n'roll. Atmosphère baignée de sueur et de fumée. *Welcome to the jungle*, messieurs Klaus et Kerviel !

De quoi tenir jusqu'à Moliets.

À l'approche de la côte, Iban bifurque sur Hossegor, vers le nord, et gagne le boulevard du front de mer. Sur sa gauche, l'océan, déchaîné. La plage est déserte. La promenade est recouverte d'une épaisse couche de sable que la tempête a déversé par bennes entières. Iban baisse la vitre, jette son mégot et accélère pour ne pas s'enliser. Une bourrasque chargée d'embruns s'engouffre dans l'habitacle, se joignant un instant aux décibels rageurs de la Gibson Les Paul de Slash.

Les ronds-points et les lignes droites se succèdent. Les pins couchés encombrent les fossés de la D79, exhibant des racines impudiques. La plupart des lignes électriques ont été remontées. Iban ralentit pour profiter du spectacle. Sur sa droite, la station d'épuration de Soustons. En face, coincée derrière une haie de lauriers-cerises, une aire réservée aux gens du voyage, ravagée par les vents et les chutes d'arbres.

Il traverse ensuite Vieux-Boucau, puis Messanges et pénètre dans Moliets-et-Maa avec les premiers rayons de soleil. Les néons de la boulangerie sont allumés mais l'avenue des Lacs est déserte.

Iban contourne le centre-ville et s'enfonce dans les quartiers ouest. Une minute plus tard, il se gare en bas de chez lui, une idée fixe en tête : dormir.

Une voiture démarre sur le parking lorsqu'il coupe le contact. Coup d'œil machinal au rétroviseur. Une Clio, phares éteints.

Il réalise qu'elle recule dans sa direction au moment où elle s'immobilise derrière sa Fiesta, lui bloquant toute possibilité de fuite. Carrosserie de couleur claire, peut-être blanche. Il perçoit avec netteté les deux claquements de portières qui suivent.

Le temps qu'il réagisse, il est trop tard.

Deux hommes cagoulés l'empoignent, le tirent hors de sa voiture et le plaquent sur le capot. Son front percute violemment la tôle, une série de coups de poing lui laboure le dos et les côtes, pendant que les premières notes d'*Anything Goes* sortent des haut-parleurs. Iban pousse un cri de douleur et tente de se dégager, mais l'acharnement de ses agresseurs redouble. Ils sont méthodiques et précis. Le souffle coupé, il glisse sur l'aile en se protégeant la tête des avant-bras. Le chanteur s'égosille dans l'autoradio, « *Tied up, tied down, up against the wall*... »

L'un des cagoulés se penche sur lui, l'attrape par les cheveux et le tire en arrière.

Sa voix est sifflante :

— Tu t'amuses bien ?

Iban se dit que l'homme n'a pas d'accent, puis le récit d'Élea lui revient en mémoire. Ainsi que ceux d'Errecart, Goya, Borotra, Hirigoyen, Bertiz et Zunda. Quand un automatique apparaît dans la main du type, il est à deux doigts de se pisser dessus.

— Je suis journaliste, vous faites une grosse connerie...

Le déclic métallique produit par le pistolet que le cagoulé en chef vient d'armer rend Iban définitivement muet.

L'autre type secoue la tête.

— Tu aimes remuer la merde, Urtiz ? Mais tout cela est trop compliqué, pour toi. Tu n'es pas d'ici, tu ne tiendras jamais la longueur à ce rythme-là. Il faut te reposer un peu, sinon…

Il suspend sa phrase. L'automatique disparaît presque aussitôt. Iban sent qu'on le relâche. Peu après des portières claquent.

De longues minutes défilent. Il réalise que la Clio a disparu en s'adossant à la roue de la Fiesta. Un liquide chaud coule sur son œil droit et ses côtes lui font un mal de chien.

Il se redresse en grimaçant, jette un coup d'œil à la porte vitrée de l'immeuble, puis sort son portable et compose le numéro de Marlène.

Cinq sonneries dans le vide, le répondeur s'enclenche.

— Merde !

Il raccroche, se lève pour de bon et clopine vers le hall d'entrée en fouillant ses poches à la recherche de ses clefs.

Pendant qu'il gravit les marches, une petite voix lui souffle à l'oreille : cherche à qui profite le crime.

II

15

Le décor : nord-ouest de Moliets, rue de la Palombière, un préfabriqué faisant office de bureau de gendarmerie, mercredi 4 février, 14 h 15.

L'officier qui prend sa plainte croise les bras et jette un bref coup d'œil à la carte de presse qu'Iban lui a tendue à son arrivée. Coupe en brosse, nez aquilin et pommettes saillantes. Sec comme une matraque. La plaque fixée sur la porte d'entrée indique le nom de Daniel Labastugue et le grade de lieutenant. Il fixe Iban longuement avant de demander :

— Cagoulés ?

Iban lève les yeux au plafond.

— Deux hommes, cagoulés, c'est ça. Des pros, ça ne fait aucun doute. J'enquête sur la disparition d'un militant basque, Jokin Sasco, c'est en rapport direct.

— Pourquoi ?

— Ils me l'ont dit.

Le gendarme hoche gravement la tête et se remet à taper sur son clavier.

— Vous dites qu'ils vous ont frappé ?

Iban sort de sa poche un certificat médical, puis il pointe du doigt l'hématome sur son front et soulève son pull pour que l'officier constate de visu les bleus sur ses côtes et son dos.

— Ces deux individus ont-ils dit ou laissé penser qu'ils pouvaient être membres d'ETA ? Ont-ils revendiqué quelque chose ?

— Bon sang, je n'en sais rien ! Ils étaient cagoulés, ils m'ont d'abord frappé, puis ils m'ont menacé. Après, ils sont partis. Ils m'attendaient en bas de chez moi ! Ils connaissaient mon adresse ! Qu'est-ce qu'il vous faut de plus ?

— Ils vous ont volé quelque chose ?

— Non.

— Votre carte de crédit, un chéquier, vos clefs de voiture ?

— Non !

— Vous avez vérifié ?

— Bien sûr ! s'agace Iban.

— Avez-vous des raisons de penser qu'il pourrait s'agir d'un règlement de comptes ?

— Vous avez l'air de croire que je connaissais ces types, je me trompe ?

Le gendarme le dévisage, sans rien laisser transparaître de ses intentions.

Iban attend un début de réponse qui ne vient pas. Ce lieutenant est en train d'attiser sa colère et sa curiosité plus sûrement que dix passages à tabac par tous les cagoulés de la terre. Il n'a qu'une envie, signer sa plainte et se tirer de là le plus vite possible pour aller dormir. Il ne s'en sort pas trop mal. Juste un foutu piège et quelques bobos. Qui que ce soit, ces types voulaient lui faire peur. Ils ont failli réussir. Mikel

Goiri, qu'il a prévenu en fin de matinée, a promis une brève dans l'édition du lendemain, « pour marquer le coup », a-t-il dit. Iban a accepté les deux jours de congé que le médecin des urgences de Dax lui a filés.

— Autre chose à ajouter ?

— Je voudrais récupérer ça.

Iban désigne sa carte de presse du menton.

— Et accessoirement, j'aimerais bien qu'on retrouve ceux qui m'ont cogné dessus.

Son interlocuteur acquiesce en se grattant le sommet du crâne. Iban se demande à laquelle de ses deux requêtes il accède. Le gendarme presse une touche sur le clavier. L'imprimante située derrière lui se met en marche. Il tend le bras et récupère les feuilles sans se lever, puis demande à Iban de les signer.

— Urtiz, c'est basque, non ? dit-il en lui rendant un exemplaire de sa déposition.

Iban croit déceler une lueur de malice dans son regard. À moins qu'il ne s'agisse d'un test. Le gendarme n'a fait aucun commentaire quand il a prononcé le nom de Sasco et il n'est revenu dessus à aucun moment. Des hommes, des femmes, des gamins disparaissent, un journaliste est tabassé devant chez lui, mais au règne du soupçon généralisé, la paranoïa est la mère de toutes les vertus.

« Va te faire foutre ! » pense Iban si fort que l'autre doit pouvoir le lire sur ses lèvres.

Sans proférer un mot supplémentaire, il récupère son papier et quitte les lieux, presque étonné de sortir libre.

Un quart d'heure après, il tombe comme une masse sur son lit, sans avoir pris le temps de se déshabiller, et s'endort aussitôt.

La sonnerie du téléphone le réveille dix-huit heures plus tard. Le jour n'est pas encore levé.

Marko Elizabe.

Iban prend l'appel.

— J'ai appris pour tes exploits. Félicitations. C'est ton baptême du feu !

— Tiens, un revenant...

— Devine ce que j'ai entre les mains !

— Merde, je n'ai pas envie de jouer aux devinettes.

— Un communiqué d'Euskadi ta Askatasuna, poursuit Elizabe sans relever. Jokin Sasco était membre d'ETA.

— On le savait déjà.

— Tu ne comprends pas. Sasco était encore militant d'ETA au moment de sa disparition. Son rendez-vous professionnel à Bordeaux, c'était du pipeau. Il était en mission.

— ETA dénonce souvent ses membres ?

— En vingt ans, c'est la première fois que je vois un truc pareil, répond Elizabe, de l'excitation dans la voix.

— Pourquoi m'appelles-tu pour me raconter ça ?

— Tu veux savoir qui t'est tombé dessus hier matin, oui ou non ?

Iban réfléchit à toute vitesse.

— D'accord. Tu es où ?

— Devant le bureau du procureur de Bayonne, à faire le pied de grue avec une dizaine de collègues.

— J'arrive tout de suite.

— Sois prudent sur la route, *erdaldun*. Fais gaffe aux petits hommes cagoulés.

La communication est interrompue.

Iban s'assoit sur le rebord de son lit et grimace de douleur. « Deux côtes fêlées, lui a dit l'interne qui lui a fait passer ses radios. Ça risque de tirer un peu pendant quelques semaines. » Tu parles…

Il l'entend encore :

— Vous faites quoi comme métier ?

— Reporter de guerre, a répondu Iban en récupérant son ordonnance.

16

Journée de merde. France Bleu crachouille des nouvelles à propos des indemnités promises aux sylviculteurs touchés par Klaus et des lots de consolation pour les perdants.

Eztia tourne en rond dans son appartement, un paquet de Gauloises blondes light et un cendrier à portée de main. La cafetière et ses méninges tournent à plein régime.

Le communiqué d'ETA lui est parvenu tôt dans la matinée. Très tôt. Un coup de fil de sa mère. Peio n'a même pas eu le courage de le lui annoncer lui-même. L'effet a été radical. Elle a dû se donner des claques sur les joues pour être certaine qu'il ne s'agissait pas d'un mauvais rêve.

Elle a aussitôt composé le numéro de son frère et craché dans le combiné :

— Salaud !

La voix de Peio était étrangement calme.

— Petite sœur…

Elle l'a coupé brutalement :

— Tu le savais déjà hier soir, putain ! Tu le savais et tu ne m'as rien dit.

— Laisse-moi t'expliquer.

— Comment peux-tu dénoncer ton propre frère ?

Elle a éclaté en sanglots.

— Nous n'avions pas le choix, a dit Peio sur un ton qu'il voulait assuré. Personne ne doit croire qu'ETA est responsable de sa disparition. Il n'y a pas de place pour le doute.

Eztia a raccroché pour ne pas l'entendre se justifier. C'est ce moment précis qu'a choisi le chroniqueur radio pour annoncer la conférence de presse du procureur Delpierre sur l'affaire Jokin Sasco.

Très précisément, il a articulé :

« L'affaiiiire Sasco ! »

Ce connard de journaliste se prenait pour la voix *off* d'un film d'espionnage américain à gros budget. Il se croyait dans un remake de *Spy Game* ou de l'opération *Tempête du désert*, bordel de merde ! Il confondait le Pays basque et les décors de faux-vrais champs de mines en carton-pâte.

Folle de rage, elle a tiré son fauteuil près de la fenêtre qui donne sur le parking, puis elle a appelé son employeur pour lui dire qu'elle ne viendrait pas et a débranché son téléphone.

À présent, Eztia a envie de tout casser.

Pire : elle se prend à imaginer que Peio a été enlevé à la place de Jokin. La place des ordures est avec les autres ordures. Les traîtres avec les traîtres.

Elle allume une cigarette, se lève et regarde par la fenêtre.

Pas de trace de la 206 blanche, en bas du bâtiment C. Deux adolescents, survêtements et casquettes, courent en slalomant entre les voitures garées comme s'ils avaient le feu aux fesses. Personne ne prête attention à eux. Les regards des quelques habitants qui traînent sur le parking sont braqués dans la direction opposée. Vers l'entrée de son bâtiment.

Eztia se penche, mais ne voit rien. Puis, elle découvre qu'une voiture de police barre l'accès au parking, plus au nord. Même chose au sud.

Intriguée, elle se met sur la pointe des pieds. Un cordon de sécurité a été mis en place face au hall. Ça grouille de policiers en uniforme et de types en bombers et brassards orange fluo qu'elle prend d'abord pour des flics de la BAC avant d'apercevoir les véhicules d'intervention, stationnés sur la droite, et de reconnaître les cow-boys de l'antiterrorisme.

— Merde !

Elle a juste le temps de se redresser et de se retourner. Trois coups sont frappés à la porte d'entrée. Une voix retentit qui lui ordonne d'ouvrir. Elle se fige. Non pas tétanisée, mais prête à se défendre. La serrure vole en éclats.

Cinq hommes armés en tenue de combat pénètrent dans son appartement comme s'ils étaient chez eux. Casques, boucliers en polycarbonate et paralyseurs électriques. À travers leurs visières, Eztia croit lire « terroriste » en lettres déformées par la peur, sur leurs lèvres et dans leurs yeux. À moins que ce ne soit très exactement le mot qu'ils prononcent pour se donner du courage, en se ruant sur elle.

17

La salle de conférences du procureur de la République Delpierre est pleine à craquer.

Tout le monde est là :

La presse nationale française et espagnole au grand complet, les crevards, les invisibles, les curieux, les journalistes locaux, les types des renseignements, les têtes de pont des forces de police en uniforme, une poignée d'élus.

Le communiqué d'ETA a été diffusé dans chaque boîte aux lettres. L'expression « coup de théâtre » est sur toutes les lèvres.

Elizabe se tortille sur sa chaise. Il observe Iban Urtiz se frayer un chemin à travers la foule. L'annonce de son tabassage en règle a circulé, des mains se tendent, des sourires bienveillants se forment sur les visages. Elizabe l'accueille à bras ouverts.

— Notre héros du jour ! clame-t-il haut et fort, hilare – il ajoute, à voix basse : Ça ne fait pas de toi un *euskaldun* pour autant.

Urtiz le salue d'un doigt d'honneur.

Derrière lui, Mikel Goiri tire une tête de six pieds de long. La déclaration d'ETA et la bonne humeur du cameraman n'ont pas l'air de le réjouir.

Elizabe repense à la vidéo de l'enlèvement de Sasco. Il boit du petit-lait. Urtiz se penche vers lui :

— Le communiqué ne fait pas plaisir à tout le monde, on dirait.

— Je n'ai jamais vu un bordel pareil. Delpierre est furax. Il se raconte que le ministre lui a passé un savon pour sa gestion de la communication autour de l'affaire Sasco.

— Et Goiri ?

Elizabe pose son index sur la poitrine d'Urtiz.

— À cause de toi, il doit mouiller sa chemise. Ça ne peut pas lui faire de mal…

— Dis plutôt que ça t'arrange.

Le cameraman rit. Iban enchaîne :

— Tu étais où, cette semaine ?

L'arrivée du procureur de la République à la tribune le dispense momentanément de répondre. Le brouhaha redouble.

Jean-Marie Delpierre est toujours aussi grand et dégarni du front. Il porte le même costume deux pièces, mais l'aisance qu'il affichait lors de la conférence de presse précédente a disparu. Chacun de ses gestes semble vouloir dire qu'il préférerait n'avoir jamais été muté à Bayonne. Ni à Bayonne, ni au cœur du Pays basque français.

Elizabe tient dans sa main le communiqué d'ETA. Urtiz le saisit et le survole.

Jokin Sasco est militant de l'organisation armée. Son déplacement à Bordeaux du 3 janvier était motivé par un rendez-vous avec l'organisation, mais il ne s'y est jamais présenté. La police savait que Sasco était militant d'ETA, car elle a retrouvé ses empreintes sur du matériel découvert à Bordeaux. Il faut en conclure qu'il était placé depuis sous surveillance policière. Elizabe a souligné la phrase précédente et a ajouté, au stylo : *le procureur a donc menti.* ETA rend les gouvernements français et espagnol responsables de la disparition de Jokin Sasco. Le document conclut sur une affaire d'enlèvement.

Urtiz siffle.

— Nom de Dieu !

Elizabe ponctue sa réaction d'un claquement de langue. Il retire le papier des mains de son collègue, le roule et le fourre dans sa poche.

Il dit :

— Ce que le communiqué ne mentionne pas, c'est que la découverte de Bordeaux était en réalité une planque d'ETA que les flics surveillaient depuis des semaines. Il y a eu un raid le 11 janvier, une semaine après la disparition de Jokin Sasco. Ils auraient trouvé des armes, des explosifs et ses empreintes partout. C'est là que Sasko devait se rendre, le 3 janvier, pour y remettre une somme d'argent de plusieurs milliers d'euros à des membres de l'organisation.

— Ils savaient tout depuis le début.

Elizabe émet un sifflement admiratif.

— Te voilà devenu devin !

— D'où la réaction d'ETA et son communiqué. Par leur silence, les autorités laissaient entendre que l'organisation était responsable.

— L'inverse est vrai aussi.

— Comment ça ?

— ETA peut aussi bien communiquer parce qu'ils soupçonnent Sasco de les avoir doublés.

Urtiz fronce les sourcils.

— Possible. Il est peut-être entré dans la clandestinité.

— Ou il a été arrêté.

— C'est sans fin.

— Écoute. Comment un homme recherché et surveillé par les services antiterroristes espagnols et français peut-il disparaître sans que la responsabilité de l'Espagne de l'avoir *intercepté*, couverte par la France, ne soit pointée du doigt ? Tu as rencontré Élea Viscaya, n'est-ce pas ? Tu sais que c'est possible.

Urtiz hausse les épaules.

— Peut-être. J'ai appris qu'il y a des clandestins basques espagnols un peu partout en France. Peut-être des dizaines, répartis en Bretagne, en Savoie, dans le Gard, en région parisienne…

— Je n'y crois pas. Les *zulos* sont de plus en plus incertains.

— Les quoi ?

— Les *zulos*, leurs planques, si tu préfères. Et puis Sasco est citoyen français, il n'a aucune raison de rentrer dans la clandestinité sur le territoire. Tu n'as aucune preuve concrète de ça.

Urtiz désigne du doigt l'hématome sur son front.

— Des types me sont tombés dessus, avant-hier soir. Ils voulaient que j'aie mal et peur.

— Je ne vois pas le rapport.

— Le rapport ? Merde, mes intuitions leur semblaient bien concrètes, à eux ! En me cognant, ils n'avaient pas l'air de douter de mon enquête, crois-moi !

Elizabe tourne la tête et se tait. Son collègue n'insiste pas. Le cameraman croise le regard de Mikel Goiri et le soutient jusqu'à ce que la conférence démarre.

Voici la stratégie :

Les Basques ne posent aucune question au début. Ils laissent les journalistes nationaux s'exciter comme des puces, puis ils avisent. ETA, GAL, antiterrorisme, disparition, enlèvement, Pays basque... Autant de noms, de mots et de sigles qui sonnent aux oreilles des Parisiens comme des slogans magiques, c'est-à-dire vendeurs de papier.

La salle soupçonne un retour de la guerre sale, mais Delpierre fait le boulot et entretient le doute. Le procureur de la République sympathique et débonnaire du 29 janvier apparaît pour ce qu'il est : un magistrat du ministère public calculateur et bien mieux renseigné qu'il ne l'a laissé entendre jeudi dernier.

Rappel des faits : les démarches entreprises par le parquet.

La plainte de la famille Sasco a été déposée le 27 janvier. Le procureur prétend avoir pris en considération le caractère sensible de cette affaire dès ce jour-là. Le 2 février, il a contacté la police judiciaire pour procéder à une enquête. Depuis, cette disparition a été inscrite dans les fichiers de personnes recherchées. Les requêtes formulées auprès des hôpitaux de la région, des sociétés d'autoroute et de la SNCF n'ont rien donné. Aucun incident n'a été enregistré dans le parcours entre Bayonne et Bordeaux, ni dans les aéroports.

Elizabe pense : *tout le monde ment.*

Delpierre et, pourquoi pas, Goiri, ou même Jokin et Peio Sasco.

Tout le monde ment, semblent vouloir signifier les minuscules étincelles qui brillent dans les yeux d'Iban Urtiz.

Un Parisien lève la main. Le substitut du procureur lui donne la parole.

— Menez-vous des recherches en dehors du territoire français ?

Grincements de dents à la tribune. Delpierre ne se démonte pas.

Elizabe note qu'il prend bien soin de ne jamais citer le nom de Jokin Sasco, comme si la conférence n'était qu'un immense putain de malentendu. Il se marre. Ils assistent tous à une pièce de théâtre que les principaux acteurs jouent pour la millième fois. Delpierre est parfait dans son rôle. On jurerait qu'il lui a été écrit sur mesure.

— Toute découverte de cadavre correspondant au signalement du disparu pouvant être faite en territoire espagnol nous sera rapportée.

— Quels sont vos interlocuteurs là-bas ?

— Le Centre de coordination de police et des douanes d'Hendaye.

— Eux-mêmes ne sont-ils pas en contact avec les services antiterroriste espagnols ?

— À ma connaissance, nous échangeons des renseignements sans aucune contrainte procédurale.

— Les soupçonnez-vous de dissimuler des faits pour raison d'État ?

— Non.

Elizabe jette un œil à Urtiz qui sourit. Il n'est pas le seul. Des journalistes locaux affichent la même mine réjouie.

D'autres questions fusent dans la salle. Le substitut sélectionne.

— Jokin Sasco a-t-il réellement quitté Bayonne en voiture ?

Le procureur choisit ses mots avec soin. Il a répété ses réponses, il les connaît par cœur. Il s'agit de ne pas se tromper de scène.

Jokin Sasco, acte II, scène II :

— À ce jour, la situation est tellement complexe et atypique que je n'ai aucun élément pour l'affirmer.

— Eztia Sasco n'a-t-elle pas témoigné sous serment à ce sujet ?

Du grand art :

— Elle a déclaré l'avoir vu monter dans sa voiture et démarrer. Je la crois sur parole mais nous ignorons ce qu'il a fait après ça.

— N'était-il pas supposé se rendre à Bordeaux chez un ami, avant de se rendre à un entretien d'embauche ?

Elizabe secoue la tête. Putain, même le procureur prend un air amusé !

— Il ne s'y est jamais rendu. Pour le moment, ce ne sont donc que des déclarations d'intention. Rien ne m'autorise ou ne m'interdit de penser qu'il ait pris la direction de Bordeaux.

— Vous doutez de ses proches et de son futur employeur ?

Le procureur dédramatise :

— Probable. Pas *futur*.

— Vous ne répondez pas à ma question.

— Je me base sur des faits, encore une fois, pas sur des intentions.

— Comment expliquez-vous sa disparition ?

— Je ne me l'explique pas, c'est bien le problème.

Son trait d'humour déclenche une vague de murmures désapprobateurs dans la salle.

— Pouvez-vous être plus précis ?

Delpierre roule des yeux, comme s'il s'apprêtait à énoncer une évidence.

— La famille et les proches auditionnés – Elizabe pense : *pour certains, emprisonnés ou même séquestrés, interrogés, torturés* – affirment que Jokin Sasco n'était pas suicidaire.

Elizabe ne sourit plus.

— Cependant nous ne disposons d'aucune expertise psychiatrique allant dans leur sens ou un autre. Une disparition dépressive n'est pas à écarter.

— C'est l'option privilégiée par vos services ?

— Je ne dirai pas cela.

— Mais vous y pensez sérieusement.

— Nous traitons cette disparition selon la procédure standard. Or, dans ce cas, le suicide fait partie des possibilités.

— Le cas Jokin Sasco vous semble-t-il *standard* ?

Delpierre corrige :

— Ce n'est pas ce que j'ai dit.

Le journaliste insiste.

— Ce sont vos propres mots.

— Je me suis mal fait comprendre. Dans cette affaire, l'unique certitude est qu'il n'a pas donné signe de vie depuis le 27 janvier, jour où la plainte a été déposée par la famille.

Des locaux protestent. Le journaliste reformule sa question.

— Il doit y avoir une erreur de date. Jokin Sasco n'a-t-il pas disparu le 3 janvier ?

— Vous êtes, si je peux me permettre, dans le registre de l'interprétation.

— Peut-être pensez-vous à un règlement de comptes ?

— Ce serait inhabituel. ETA prétend que le disparu convoyait des fonds pour son compte, mais avons-nous la moindre preuve à ce sujet ? A-t-il remis cet argent ? Le lui a-t-on retiré contre sa volonté ? A-t-il disparu ou est-il mort à cause de cela ?

— Vous croyez que Jokin Sasco est mort ?

— Ai-je affirmé une chose pareille ?

Sa réponse déclenche une salve de sifflements qu'il écarte d'un geste de la main.

Elizabe pose la question suivante.

— Quels liens entretenez-vous avec le parquet antiterroriste ?

— L'appartenance du disparu à un mouvement terroriste n'est pas de mon ressort. Je n'ai pas été saisi de cet aspect de l'enquête et je ne suis pas habilité à communiquer dessus.

— Vous confirmez qu'il existe une seconde enquête.

Le procureur acquiesce à regret.

— Le communiqué de l'ETA va-t-il influencer cette enquête parallèle ?

— Pas que je sache.
— Vous ne savez pas grand-chose, décidément.
La remarque d'Elizabe provoque des rires. Il en remet une couche.
— Pourtant, il semblerait que Jokin Sasco était déjà l'objet d'une enquête depuis le 11 janvier. Ses empreintes auraient été retrouvées dans une cache à Bordeaux. Ça, vous ne pouvez pas l'ignorer.
Nouveaux rires.
— Je ne suis pas...
Elizabe l'interrompt, d'une voix teintée d'ironie :
— Habilité à aborder cette partie de l'enquête, je sais. Mais, au moins, vous avez un avis sur le communiqué d'ETA, non ?
Le procureur et le commissaire divisionnaire échangent un regard entendu. Delpierre se rapproche du micro.
— Je suis en poste depuis peu, je connais mal les us et coutumes de la région.
— Êtes-vous en train de nous dire que le ministère de la Justice met en place des magistrats mal formés sur des sujets aussi sensibles que la question de l'indépendantisme basque ?
Le procureur pousse un long soupir avant de poursuivre :
— L'exercice du communiqué me semble délicat, pour tout dire, perturbant, et même un peu étonnant.
— Qu'entendez-vous par *un peu* ?
— Pouvez-vous arrêter de m'interrompre toutes les phrases, monsieur...
— Elizabe. Marko Elizabe.

— Ne me prenez pas pour plus stupide que je ne suis, monsieur Elizabe.

Le substitut le fixe et prend des notes. Le cameraman feint de s'en moquer.

— Je n'ai jamais espéré le contraire.

— Très bien.

Delpierre pèse ses mots :

— J'entends dire, depuis le 27 janvier au moins, que cette disparition serait l'œuvre d'une guerre sale. Ce communiqué confirme la position d'ETA sur ce sujet, mais ETA dit ce qu'elle veut et je ne suis pas obligé de prendre ses déclarations au pied de la lettre. Je considère cette nouvelle information avec toute l'attention requise, mais il me semble prématuré de tirer des conclusions à ce propos.

Il patiente quelques secondes pour mesurer les réactions de la salle avant de se concentrer à nouveau sur Elizabe.

Il reprend :

— Bien sûr, je m'interroge. J'ai cru comprendre qu'il n'est pas dans les habitudes d'ETA de rédiger des communiqués de ce type. ETA ne dénonce pas ses membres. Pourquoi le fait-elle dans ce cas ? Pour se disculper ? Ce faisant, elle accuse directement les États français ou espagnol d'une hypothétique et farfelue opération barbouze.

Sa dernière remarque suscite un tollé. Des cris en basque jaillissent dans les rangs des journalistes. Les pieds martèlent le sol, les mains battent la mesure sur les dossiers des chaises qui leur font face.

Le procureur lève la main en signe d'apaisement, ce qui ne fait qu'attiser la tension.

— Mon travail consiste à vous garantir que la police française œuvre dans les strictes limites du droit. Je n'envisage pas un seul instant ce type de pratiques illégales de la part des services de police chargés de la lutte antiterroriste. Je ne peux pas être plus clair sur ce point. C'est pourquoi le communiqué d'ETA me laisse perplexe.

Urtiz se lève et coupe Elizabe qui s'apprêtait à répondre.

— Iban Urtiz, *Lurrama*.

Le procureur semble ravi de changer d'interlocuteur.

— Posez votre question, monsieur Urtiz.

— Que faites-vous des cas récents de Patxi Errecart, Iñaki Goya, Oihan Borotra, Bixente Hirigoyen, Julen Bertiz, Txomin Zunda et Élea Viscaya ?

Dans la salle, les bruits de chaises et de pieds s'atténuent.

Urtiz ajoute :

— N'existe-t-il pas des similitudes avec l'affaire Sasco ?

Sa question s'achève dans un silence de mort. Elizabe se rassoit, intrigué par la démarche de son collègue. Le procureur consulte des yeux le substitut, le commissaire divisionnaire, puis la députée-maire. Tous serrent les dents mais aucun n'intervient pour le tirer de là.

Le jeune journaliste répète sa question. Pour un peu, Elizabe l'embrasserait et l'applaudirait.

Agacé, Delpierre prend la parole avant qu'il ait terminé son énumération. Son ton est sec.

— Je ne crois pas que l'on puisse comparer des affaires qui disent, en gros, « J'ai été enlevé, séquestré pendant un certain temps, puis relâché » et celle qui nous occupe où le principal intéressé a disparu et, par conséquent, se trouve dans l'incapacité de s'exprimer. Par ailleurs, dans les premiers cas, les disparitions nous sont signifiées aussitôt, alors qu'ici, je constate plus de trois semaines d'écart entre la disparition annoncée et son signalement auprès des forces de police. Une fois de plus, je m'interroge.

— *Séquestré* n'est pas le terme que j'emploierais, monsieur le procureur.

— Lequel dans ce cas ?

— *Enlevé* et *torturé* serait plus exact.

La salle retient son souffle.

Un journaliste parisien repart à l'assaut. Le procureur saute sur l'occasion pour changer de sujet. Elizabe n'écoute pas la suite.

Il chuchote à l'oreille d'Urtiz :

— C'est plus fort que toi, la moindre connerie qui te passe par la tête, il faut que tu l'exprimes à voix haute...

— Ça te pose un problème ?

— Au contraire. Je commence à te trouver vraiment sympathique.

Piqué au vif, Iban se tourne vers lui et avance son visage jusqu'à presque toucher le sien.

Il déclare :

— J'ai changé d'avis.

— À propos de quoi ?

— Je préfère que tu continues de m'appeler *erdaldun*.

Elizabe le regarde sans comprendre. Urtiz pointe Goiri du doigt.

— Je ne voudrais pas qu'il croie que nous sommes amis.

Mikel Goiri quitte la salle avant la fin de la conférence. Elizabe l'imite et le rejoint dehors, au pied du perron. Deux cars de CRS stationnent à proximité. Des agents municipaux retirent les barrières de sécurité installées en cas de manifestation des indépendantistes.

Le rédacteur en chef sort son portable.

— Je n'ai pas le temps.

Elizabe décide de ne pas tourner autour du pot.

— J'ai un scoop à te proposer.

— Lequel ?

— La preuve que Jokin Sasco a bien été enlevé.

Goiri range son portable et se tourne face à lui.

— Tu as toute mon attention.

— Un petit malin est venu me trouver, il y a peu de temps.

— Un petit malin avec une cagoule et ETA imprimé dans le dos ?

— Peu importe qui pour le moment.

— Et puis ?

— Il avait un cadeau pour moi.

— Du genre ?

— Le genre bombe thermonucléaire, si tu vois ce que je veux dire.

— Viens-en au fait, merde !

Elizabe ménage ses effets. Il hésite encore sur la façon d'amener sa trouvaille. Il hésite encore sur le bénéfice qu'il souhaiterait en tirer.

Goiri le voit venir à des kilomètres.
— Tu veux négocier, c'est ça ?
Elizabe acquiesce. Son chef le sonde du regard.
— Je dois d'abord savoir ce que tu as.
— Une vidéo.
— C'est-à-dire ?
— Précisément celle de l'enlèvement de Jokin Sasco par cinq hommes armés et cagoulés.
Goiri est estomaqué.
— Tu es certain de ta source ?
— Aucun doute.
— Ça vaut un paquet de fric, si c'est vrai !
Elizabe ne répond pas. Il se contente de sourire. Goiri, lui, fait les comptes. Il ne rit pas du tout.
— Tu veux me la vendre ?
Nouveau sourire.
— Tu es journaliste, pas un putain de mercenaire ! Tu sais comme moi que tu n'es pas taillé pour jouer dans la cour des grands ! Tu cherches quoi ? La gloire ?
— Je me contrefous de la gloire.
— Mais tu sais qui a enlevé Jokin Sasco, où et quand ! Merde, Marko ! Ça équivaut à un arrêt de mort, un truc pareil !
Elizabe ricane :
— C'est pour ça que j'ai besoin de fric. Pour pouvoir me tirer.
— Toi ? Du fric ? C'est une plaisanterie !
— Je veux plus encore.
Goiri se passe la main dans les cheveux et se frotte le visage.
— Quoi ?
Elizabe prend son temps pour répondre.

— Que les têtes des vrais responsables tombent.

— Ça ne marche pas comme ça…

— Celles d'en haut. *Tout en haut*.

— C'est de la folie.

— Non seulement je veux qu'elles tombent toutes, mais pour ça, je veux que l'opération Sasco devienne une affaire d'État. À toi de voir si tu peux me fournir et l'un, et l'autre.

— Je vais te dénoncer aux flics pour essayer de sauver ma peau.

— C'est l'un des leurs qui m'a filé la vidéo.

— Raison de plus !

— Crois-moi, ils n'ont pas envie d'entendre parler de cette vidéo.

— Je vois.

La conférence se termine. L'endroit devient oppressant. Les types des renseignements sortent les premiers et se dispersent. Des journalistes se déversent par grappes du sommet des marches. Les CRS quittent leurs cars à regret et se regroupent, prêts à intervenir à la sortie du procureur de la République et de son staff. Goiri s'agite et se met à transpirer. Elizabe pose une main sur son épaule. Son geste dégouline de mépris et de condescendance.

— Tu ne vois rien du tout. Je t'ai prévenu. Cette vidéo est une bombe à retardement. Elle est en ma possession, elle est bien cachée, et j'espère bien qu'elle leur pétera tous à la gueule.

Goiri secoue la tête.

— C'est ton délire, pas le mien.

— Ça veut dire que tu n'es pas preneur ?

— Tu sais très bien ce que ça signifie, bordel !

— Tu as conscience que si ce n'est pas toi, ce sera un autre ?

— J'ai surtout conscience que tu devrais enterrer cette vidéo ou la rendre à ceux qui te l'ont refilée avant qu'il ne t'arrive la même chose qu'à Sasco.

Elizabe crache par terre.

— Ce n'est pas toi qui me donnais des leçons de journalisme, une minute plus tôt ?

Des pensées de plus en plus mauvaises lui vrillent le cerveau. Goiri a eu sa chance. Il lui a laissé l'occasion de se racheter. Pour une fois, il aurait vraiment pu faire son boulot.

Du coin de l'œil, Elizabe voit Iban Urtiz dévaler les marches et se rapprocher.

Il dit, entre ses dents :

— Demande au petit de prendre ma place pour ta soupe. Moi, je jette l'éponge.

— Tu peux encore tout arrêter, Marko.

Elizabe soupire.

— Personne n'arrêtera ce conflit.

18

— Je n'ai rien à vous dire.

Désarçonné, le lieutenant de police Giraud qui prend sa déposition s'adosse à son siège et jette un œil à son collègue, appuyé contre la porte. Il entend cette réponse depuis plus d'une heure. La situation est cocasse. Eztia ne peut se retenir de sourire malgré la fatigue nerveuse, la colère et la peur infinie. Des sentiments contradictoires agitent son cerveau.

Le décor : un bureau de l'hôtel de police central de Bayonne, trois chaises en métal à caractère industriel, un bureau en teck et un écran d'ordinateur derrière lequel se cache le flic. À cinq cents mètres à vol d'oiseau, la cage d'escalier du bâtiment C des Hauts-de-Sainte-Croix résonne encore des cris de furie qu'Eztia a poussés pendant qu'ils l'emmenaient.

Depuis, ils sont aux petits soins avec elle. Café instantané, verres d'eau, vouvoiement, pas de menottes, interrogatoire dans une pièce à larges fenêtres avec vue sur l'Adour.

Le lieutenant Giraud croise les bras.

— Vous ne me simplifiez pas la tâche, mademoiselle.

Eztia répète encore son laïus :

— J'ai vu mon frère pour la dernière fois, le samedi 3 janvier 2009, à 8 h 15, au pied de l'immeuble dans lequel nous vivons. Il a pris le volant de son Opel Corsa verte, et a quitté le parking. Il était en bonne santé physique et mentale, il venait de se faire raser les cheveux et la barbe. Il portait un costume sombre.

Le flic soupire et attrape une feuille imprimée qu'il lève au-dessus de l'écran pour qu'elle la voie bien.

— Vous récitez mot pour mot ce qui est écrit dans ce communiqué. Ce n'est pas ce que je vous demande. Aviez-vous connaissance de l'engagement militant de votre frère ?

— Je n'ai rien à vous dire.

— Vous êtes une femme raisonnable.

— Je n'ai rien à vous dire.

— Je ne vous accuse de rien, mais votre frère vivait avec vous. Vous avez forcément aperçu des choses, des petits détails, entendu des coups de téléphone inhabituels qui ont pu vous mettre la puce à l'oreille.

— Je n'ai rien...

Il frappe du poing sur le bureau.

— Bon sang, on le saura que vous n'avez rien à me dire !

Eztia se tait et le fixe. Elle tente de décrypter ce qui peut se passer dans son petit crâne de lieutenant de police. Elle se demande pourquoi il accepte tout ce cinéma autour de son arrestation, de celle de sa mère, de Peio et de ceux qu'elle a aperçus dans le couloir en arrivant ici. Il sait que ces gardes à vue sont une perte de temps. Chacun d'entre eux est fiché, suivi, espionné. Elle sait qu'il sait. Il n'y a rien dans son appartement, ni chez les autres. Merde, pourquoi seraient-ils assez stupides pour s'imaginer qu'il puisse y avoir quelque chose ?

Elle pense :

« Ils se foutent de mes réponses. »

Ce n'est pas la raison de sa présence ici. Peu importe où se trouve Jokin. Possible même qu'ils n'en aient pas la moindre idée. Où qu'il soit, quel que soit le trou dans lequel il est tombé, qu'il y reste et n'en ressorte jamais, dans l'intérêt de tout le monde. Il s'agit juste d'envoyer un message à Madrid et, accessoirement, à la population de ce côté-ci de la frontière : « Notez la façon dont nous traitons les terroristes, leur famille et leurs proches ! Rien ne nous échappe. Voyez comme nous travaillons pour votre sécurité ! Regardez comme nous les traquons sans merci ! »

Elle voit bien que ces histoires de guerre sale qui resurgissent les ennuient au plus haut point. Qu'ils aimeraient lancer une autre rumeur autour de la disparition de son frère. L'idée d'un règlement de comptes entre factions rivales ou d'une guerre de succession au sein d'ETA leur conviendrait parfaitement.

Après tout, c'est peut-être le cas.

Qui pourrait apporter la *preuve* du contraire ?

Fausses informations, préjugés, théorie du complot. Répétition, déformation, propagation. Eztia peut presque lire dans la tête des deux flics présents dans la pièce : la thèse qui fleurit sur les murs de Bayonne, celle de l'homme qui a vu l'homme qui a vu l'homme qui a vu Jokin se faire enlever, n'est qu'une fable invérifiable.

Ils proposent de lui substituer une autre fable : les indépendantistes se sont foutus dedans tout seuls comme des grands.

Le communiqué d'ETA leur a donné des idées. Il a élargi leur champ de vision. Quelqu'un pourrait semer le doute dans l'esprit des Basques. Provoquer une rumeur qui enterrerait une bonne fois pour toutes cette affaire foireuse qui lève le voile sur les pratiques abjectes de certains de leurs services.

Ils aimeraient que ce soit elle qui s'en charge. Elle, la sœur du terroriste.

Ils tentent le coup en douceur. Qui pourrait leur en vouloir ? L'histoire leur donne raison. Ça a si bien fonctionné jusqu'à présent.

Le lieutenant Giraud se redresse et se penche vers elle.

— Vous avez faim ? Un autre café ?

Il fait signe à son collègue d'aller leur en chercher deux. Il ajoute :

— Avec ou sans sucre ?

Elle dit :

— Vous n'avez rien contre moi. Ni contre ma mère.

Le flic se raidit.

— Et votre frère Peio ?

Elle le défie du regard.

— Je n'ai rien à vous dire et dans quarante-sept heures maximum, vous devrez me relâcher.

19

La conférence de presse terminée, des groupes se forment sur le perron du tribunal de grande instance. Il fait un froid de canard. Iban essaie en vain d'interpeller le procureur pour lui soutirer un entretien privé. Le magistrat s'engouffre à l'arrière d'une berline de fonction qui démarre aussitôt.

Iban allume une Winston et cherche Elizabe du regard. Son collègue est en bas des marches, derrière une camionnette, en train de parler au rédacteur en chef. La discussion est animée. Goiri gesticule, Elizabe bombe le torse, menaçant. Curieux de connaître le motif de leur dispute, Iban s'avance dans leur direction, mais à son arrivée, les deux hommes se taisent.

Goiri l'accueille froidement. Elizabe prétexte un rendez-vous urgent.

Iban le regarde s'éloigner.

— Il a l'air furax.

— Tu peux m'expliquer ta sortie, tout à l'heure ?

— Je faisais mon boulot.

La figure de Goiri est écarlate.

— Tu foutais la merde, oui ! Tu crois quoi ? Que je te paie pour amuser la galerie ? Le substitut du procureur était dans tous ses états et il va me le faire savoir, crois-moi. On bosse avec ces gens-là, figure-toi ! Que ça te plaise ou non, un canard comme *Lurrama* n'existe pas sans eux. Ils nous fournissent la moitié de nos informations, ils protègent nos sources, et toi tu débarques, avec ta morale à deux balles et tu l'insultes en public.

— C'est faux.

— Tu l'as pratiquement accusé d'avoir enlevé et torturé Jokin Sasco avec l'appui des Espagnols. Tu es naïf ou complètement abruti ?

— Ils cherchent à enterrer l'affaire, c'est une évidence.

— Et après ?

— Elizabe pense que…

Goiri le coupe.

— Ne me parle pas de lui. D'ailleurs, vous ne bossez plus ensemble à partir de maintenant. Marko est trop impliqué, il fait n'importe quoi. Je l'ai mis sur autre chose.

— Et moi ?

— Toi ?

Goiri ricane.

— Tu me prépares un papier sur le communiqué d'ETA pour demain matin. Pas de broderie, ni de fioritures autour de tes délires sur les GAL ou je ne sais quoi. Les faits, uniquement les faits.

— C'est un test ?

— Prends ça plutôt comme une dernière chance.

— Vous menacez de me virer ?

— Je te rends service, gamin.

Iban dépasse Goiri d'une tête. L'idée de lui balancer son poing à la figure lui traverse l'esprit. Il tire sur sa cigarette, réajuste nerveusement le col de son blouson et détourne finalement les yeux.

Goiri s'écarte. Sa voix s'adoucit :

— Excuse-moi, je me suis peut-être un peu emporté.

Iban fixe la pointe de ses baskets. Goiri la joue paternaliste, à présent.

— Tu es un bon élément. Je suis content du travail que tu fournis et je ne veux pas me mêler de tes méthodes. Ici, on fait tous comme on peut, mais le salaire que tu perçois ne justifie pas les risques que tu prends en t'attaquant frontalement à des types comme Delpierre. Ce sont eux qui sont du côté du manche, tu dois le comprendre. Tu es jeune, tu découvres tout ça, mais nous, on vit avec depuis des décennies. Les affaires auxquelles tu as fait allusion, tout à l'heure, existent, je ne le nie pas. Personne ne le nie, d'ailleurs. Mais à part des récits de gamins déboussolés et des certificats médicaux, on n'a rien de solide. Pas de preuves, pas de traces, aucun témoin. Sois plus malin, tu verras que ça paie. Il y a suffisamment de matière. Concentre-toi sur Sasco et sur les faits.

« Sois docile », pense Iban en observant un groupe de journalistes parisiens s'éloigner.

Goiri suit son regard.

— Les vautours rappliquent à l'odeur du sang, marmonne-t-il sur un ton énigmatique. L'Intérieur envoie ses éclaireurs. Je les trouve bien renseignés pour des types qui ne mettent les pieds chez nous qu'une ou deux fois par an.

Contre-offensive. La réaction des autorités au fiasco de la conférence de presse de Delpierre ne se fait pas attendre.

11 h 30. Iban est au journal quand l'information tombe. Pendant que le procureur accaparait l'attention, la sous-direction à l'antiterrorisme est passée à l'attaque. Des perquisitions en série sont menées en ce moment même chez les proches de Sasco : famille, amis. Une dizaine, en tout.

Un avis de recherche supplémentaire a été lancé contre Jokin Sasco, comme *personne soupçonnée d'appartenir à une organisation terroriste*. Ils ont sorti la grosse artillerie.

Iban récupère ses affaires et se rend sur place.

Dans la voiture, l'autoradio raconte une tout autre histoire. Le trader fou accusé d'avoir fait perdre 4,9 milliards d'euros à une banque française monopolise les ondes. La justice l'accuse d'avoir dissimulé des prises de position colossales atteignant plus de cinquante milliards sur les marchés. Aux journalistes qui l'interrogent, l'homme explique s'être laissé emballer par le système.

Il geint : « J'aurais aimé qu'on me dise : arrête tes conneries ! »

Patientant à un feu, Iban fixe le coffre de l'Audi, devant lui, le regard dans le vide, se demandant pourquoi ce sont toujours les mêmes qui se font baiser.

« Arrête tes conneries ! »

Le feu passe au vert, l'Audi démarre en trombe. Iban n'arrive pas à se décider à passer la première. Son portable sonne, des coups de klaxons retentissent derrière. Il se gare sur le côté et décroche.

Mikel Goiri en personne lui apprend qu'Eztia Sasco a été placée en garde à vue.

20

Lever, baisser.

En sous-vêtements et chaussettes, les pieds joints calés sous l'armoire, Alirio Pinto travaille sa sangle abdominale. La gueule de bois qui lui enserre le crâne tarde à disparaître. Il souffle et sue comme un bœuf chargé aux hormones.

La planque de Biscarosse embaume l'après-rasage, la transpiration et la cendre froide. Une pluie fine balayée par des rafales de vent tambourine par intermittence la baie vitrée, côté ouest.

Son portable rivé à l'oreille, Adis García va et vient d'une pièce à l'autre en insultant son interlocuteur invisible.

— Tu vas répondre à mes appels, fils de pute !

Il raccroche, gueule un bon coup et compose le numéro de Marko Elizabe. Depuis qu'ils ont émergé de leur courte nuit de sommeil, il renouvelle l'opération, inlassablement.

Lever, baisser.

Après une série supplémentaire, Pinto finit par dégager ses pieds et s'étendre sur le carrelage, les bras en croix. Il bâille, légèrement étourdi par l'effort. Sa gorge est sèche. Il lorgne en direction de sa bouteille d'eau, posée sur la table basse.

García allume une cigarette et s'avance jusqu'à la baie vitrée, face à l'océan.

— Tu fumes trop.

— Tu te prends pour ma mère ?

Une grimace aux lèvres, Pinto se redresse et s'adosse à l'armoire.

— J'ai bien réfléchi à tout ça. On pourrait réclamer une rallonge.

García ricane :

— En échange de quoi ?

— Les communiqués de presse, les emmerdes. Les putains de conséquences.

— On a déjà été payés pour ça. C'est *notre* boulot.

Pinto se décide enfin à se lever et à se traîner jusqu'à la table basse. Il avale deux gélules et siffle d'une traite la moitié du contenu de la bouteille avant de répondre :

— J'ai des contacts au Maroc. On pourrait laisser tomber et se tirer.

García dit :

— Non.

Pinto secoue la tête.

— Et s'ils finissent quand même par retrouver Sasco.

— Ils ?

— Tu sais qui !

— Merde, qu'est-ce que tu as ce matin ?

La sonnerie du portable le dispense de répondre. García sourit en lisant le nom qui apparaît sur l'écran. Il prend l'appel.

— Pas trop tôt.

Nationale 10, en direction de Bayonne, au niveau de Saint-Geours-de-Maremne. Les forêts de pins rectilignes se succèdent. Le ciel s'est dégagé aux environs de Castets et le thermomètre a dégringolé en dessous de zéro. Pensif, García fume cigarette sur cigarette, la vitre entrouverte. Chargé aux amphétamines, Pinto s'efforce de lever le pied et de ne pas dépasser la vitesse autorisée pour éviter de les foutre en l'air.

Marko Elizabe a fixé le point de rendez-vous. Une brasserie située sur les quais d'Anglet, face à l'entrée du port de Bayonne. D'après García, il a précisé qu'il ne dirait rien au téléphone. Ce qu'il avait pour eux valait le déplacement. Il l'a répété une bonne demi-douzaine de fois avant de parler, sur un ton très calme, d'une aire de repos, d'une Mégane break grise, d'une Opel Corsa verte et d'une vidéo. À la suite de quoi il a raccroché, laissant García sur le cul.

Pinto est le premier à briser le silence.

— Tu sais ce que je pense ?

— Non.

— Ce journaliste n'est pas net.

García le dévisage.

— Je me disais exactement la même chose.

Il tire longuement sur sa Ducados et ajoute :

— Ce type m'a tout l'air d'en savoir plus long que je ne le supposais au départ.

— Ce n'est peut-être pas qu'une histoire de fric, finalement.

García tourne la tête. Son regard se perd dans le paysage.

Il soupire.

— J'en ai bien peur.

21

Les forces de police bouclent les accès à la tour C des Hauts-de-Sainte-Croix. La SDAT[1] affiche sa force de frappe. Des cordons ont été tendus sur le parking et autour du hall d'entrée, gardés par des types aux allures de soldats d'élite. Delpierre a fait le boulot. La guerre contre le terrorisme est une question de stratégie.

Iban roule au pas sans en perdre une miette. Le dispositif est impressionnant. Il se demande à quoi ils jouent.

Deux heures plus tôt, le procureur évoquait le suicide de Jokin Sasco, la main sur le cœur, prêt à lancer des plongeurs dans les eaux glacées des étangs et des lacs entre la frontière espagnole et le bassin d'Arcachon, et à présent, une vaste opération quasi militaire traque ses proches dans tout Bayonne.

Iban fait demi-tour, trouve une place sur un trottoir et s'avance à pied. Trois journalistes locaux sont déjà sur place. Le plus âgé d'entre eux, un type affublé d'une casquette trop large pour lui, tend la main vers Iban. Qui la serre sans

1. Sous-direction antiterroriste.

hésiter. Depuis sa tirade du matin, il n'est plus un inconnu.

— Ils sont là depuis quand ?

Casquette se gratte l'oreille.

— Dix heures. Au moment précis où la conférence de presse démarrait.

Iban pousse un sifflement admiratif. Il sort son appareil photo, braque l'objectif en direction du sixième étage et prend quelques clichés.

— Il y a encore quelqu'un là-haut ?

— On a interrogé une voisine, tout à l'heure. D'après elle, la sœur de Sasco était seule au moment de son interpellation. J'ai eu au téléphone un collègue au sud de la ville qui affirme que la mère et Peio, le frère, ont eu droit au même traitement.

— On sait comment ça s'est passé ?

— Paraît que la sœur ne s'est pas laissé faire et que ses cris s'entendaient dans tous les bâtiments.

Iban prend de nouvelles photos des policiers en faction devant le hall. L'un d'entre eux repère son manège et le fixe.

— De la casse ?

— Pas que je sache. Elle a surtout gueulé.

Casquette désigne les hommes de garde.

— Ils n'avaient pas intérêt à ce que ça dégénère. La presse n'était pas là, mais il y a du monde dans ces tours pour s'interposer quand ça va trop loin. Ils ont fait ça dans les règles. Officiellement, ils enquêtent sur la disparition de Sasco.

— En arrêtant la sœur de la victime ?

— C'est la procédure. Elle devrait être relâchée très vite.

— Vous savez où ils ont été emmenés ?

— À l'hôtel de police central.

Iban le questionne une dizaine de minutes sans rien apprendre de plus. Il regagne sa voiture, contourne les Hauts-de-Sainte-Croix et s'enfonce dans les quartiers résidentiels.

Un dispositif identique a été mis en place, cinq cents mètres plus loin, dans une petite rue bordée de villas et d'immeubles de deux ou trois étages. Des mimosas en fleur et des pins parasols s'épanouissent par-dessus les haies de thuyas. Des motards armés barrent chaque carrefour. Une poignée d'habitants se plaignent de ne pas avoir accès à leur maison.

Iban interroge un sexagénaire ulcéré. L'homme raconte, dans un mélange de français entrecoupé de basque, qu'il est allé chercher son pain, comme tous les matins, et qu'à son retour, deux heures plus tôt, la rue était bloquée. Il a protesté, expliquant que sa femme était malade et devait s'inquiéter à son sujet, mais le fonctionnaire qui l'a refoulé est resté ferme, quoique courtois.

Après l'avoir photographié devant la plaque de la rue et écouté poliment ses jérémiades, Iban prend congé et salue le motard le plus proche. Le gendarme, au visage jovial et à l'attitude décontractée, lui fait signe de s'approcher. Iban s'avance vers lui.

— Qu'est-ce qu'il se passe ?

Le fonctionnaire jette un œil à son appareil photo avant de répondre :

— Je ne connais pas tous les détails.

— Un incident technique ?

— Quelque chose comme ça, oui.

— La rue sera bientôt ouverte ?

— Dans une heure. Peut-être deux.

En contrebas, des policiers en civil s'agitent. Bombers noirs, jeans et brassards orange. Ils sortent d'une maison cossue. Leurs bras sont chargés de cartons qu'ils enfournent dans une berline Peugeot banalisée de couleur grise. Une dizaine de flics au total, peut-être plus.

Iban se tord le cou pour ne rien perdre de la scène.

Le gendarme lui demande de s'éloigner, sans perdre de vue son appareil photo. Iban s'exécute, sort son portable et feint une conversation téléphonique, tout en photographiant le manège des flics. Cinq minutes plus tard, la Peugeot démarre en trombe, suivie d'une fourgonnette et de trois voitures de police. Les motards lèvent le camp peu de temps après. La perquisition est terminée.

Iban démarre sa voiture et descend la rue. Il s'immobilise au pied de la maison devant laquelle s'activaient les flics et serre le frein à main. Volets fermés, jardin soigneusement entretenu. Une villa d'apparence banale. Aucun nom sur la boîte aux lettres.

Il note dans son carnet : 23, rue du Général-Leclerc.

Excité, il appelle le journal et demande à Stéphanie, la préposée aux archives, de chercher pour lui l'adresse de la mère et du frère de Jokin Sasco. Une fois la réponse obtenue, il quitte le quartier en direction du sud de Bayonne.

Iban sillonne la ville de long en large jusqu'aux environs de 16 heures. Amaia et Peio Sasco, ainsi que des amis proches de Jokin, ont également été placés en garde à vue. Les perquisitions se sont toutes terminées vers midi. L'opération a été rondement menée.

Il interroge des voisins, rencontre d'autres journalistes et perçoit que quelque chose cloche.

Le chiffre annoncé des arrestations dans le cadre de l'affaire Sasco est de dix personnes. Pas davantage. Or, ses investigations l'ont mené sur la piste d'au moins cinq autres personnes, sans doute plus. La liste officielle de perquisitions semble se doubler d'une autre, cette fois-ci tenue au secret. Dans chaque cas, le mode opératoire est le même, comme si ces deux listes n'en formaient qu'une seule.

De retour dans les locaux de *Lurrama*, Iban se connecte à Internet et lance une recherche par adresse, en mastiquant un panini trop beurré acheté chez le boulanger du coin.

La propriétaire du numéro 23, rue du Général-Leclerc, s'appelle Larra Beluntza.

Iban entre son nom dans la base de données du journal. Une soixantaine d'occurrences correspondent, dont la première remonte à la fin des années 1990. Surpris, il consulte les fichiers et constate que la femme est une figure connue du parti politique Batasuna, la vitrine officielle d'ETA. La quarantaine, professeur de mathématiques dans un lycée bayonnais, Larra Beluntza est mère célibataire de deux adolescents et militait déjà à Batasuna, du côté de Donostia, avant que l'organisation soit déclarée illégale en

Espagne, en 2003. Elle vit et travaille à Bayonne depuis.

A priori, aucun rapport direct avec l'affaire Sasco.

Les quatre autres noms de sa liste numéro deux donnent des résultats similaires.

Perplexe, Iban passe quelques coups de fil en terminant son sandwich, sans que ses efforts paient. La réponse à sa question tombe sur les coups de 18 heures, sous la forme d'une dépêche AFP que lui tend Stéphanie.

— Qu'est-ce que c'est ?

— Ça vient d'arriver sur la boîte mail du journal. Je me suis dit que ça pourrait t'intéresser.

Iban attrape la feuille et la lit rapidement. La dépêche est en réalité le résumé d'un communiqué officiel de l'antiterrorisme français. Selon lui, neuf personnes présumées liées à ETA ont été placées en garde à vue ce matin, à Bayonne, dans le cadre d'une enquête relative au financement de cafés et de bars au Pays basque français. Suivent des noms de commerces et de gérants susceptibles d'être liés à ETA, par le biais du mouvement Batasuna.

Larra Beluntza est citée, sans plus de détails.

— C'est quoi ce bordel ?

Stéphanie hausse les épaules.

— Quelqu'un est au courant, à part toi ?

— Je l'ai transféré à Goiri dès que je l'ai reçu.

— Il a dit quelque chose ?

— Il a juste accusé réception, sans commentaire.

— C'est arrivé quand ?

— À 10 heures.

Iban manque de s'étrangler.

— Quoi ? !

— C'est écrit dessus, dit-elle en posant l'index sur la feuille, avant de faire demi-tour et de retourner à son poste.

La stagiaire a raison. L'email a bien été envoyé à 10 heures, au moment précis où les forces de police procédaient aux perquisitions, ce qui signifie au moins deux choses. Un, le procureur s'est bien fichu de leur tête, une fois de plus. Et deux, les liens entre le déploiement de forces de la matinée et la disparition de Sasco sont de plus en plus évidents.

Iban tape du poing sur son bureau.

— Merde.

Il croyait avoir cerné les intentions de ceux qui tirent les ficelles de toute cette affaire. Pourtant, ils brouillent à nouveau les cartes.

Delpierre prétend qu'il existe deux affaires bien distinctes. La disparition de Sasco, dont il s'occupe, et son appartenance à ETA, prise en charge par la SDAT et le ministère. Entre-temps, une troisième émerge, parallèle, sous la forme d'une enquête visant des membres d'ETA sans rapport direct avec la disparition de Sasco. Pour compléter le puzzle, apparaissent Élea Viscaya, Patxi Errecart, Iñaki Goya et les autres. Autant d'affaires dans l'Affaire, imbriquées les unes dans les autres. Pas une tête qui dépasse.

Pourtant un homme manque toujours à l'appel.

Jokin Sasco.

Que pleurent sa sœur, sa mère et son frère.

Iban pense :

« Cherche à qui profite le crime. »

À court d'explications, il se lève et sort fumer une cigarette dans l'escalier. Des hypothèses en forme de spirale se superposent dans son esprit par couches successives, avec pour point de départ un constat sans équivoque : tout le monde ment.

Pour se protéger.

Pour le fric.

Le pouvoir.

Ou les deux.

Par peur.

Par stratégie.

Pour que les baisés restent avec les baisés.

Et que l'ordre des choses ne s'inverse *surtout pas*.

Tout le monde, sans exception : le procureur, son substitut, les flics, les Français et les Espagnols, les amis des victimes et les bourreaux, les amis des baisés et les baiseurs. Aucun n'échappe au Grand Bordel. Personne ne passe entre les mailles du filet.

Incapable de réfléchir, Iban écrase son mégot du talon, repasse à son poste récupérer ses affaires avant de se rendre au commissariat de police, espérant que certaines réponses se trouvent là-bas, enfermées entre quatre murs.

Journalistes et militants *abertzale* sont attroupés face au 6, rue Vauban, séparés du commissariat et de la mairie par une rangée de CRS qui les empêche de bloquer la circulation. Certains font le pied de grue depuis la fin de la matinée.

Des slogans fleurissent. Des coquilles d'œufs et des traces jaunâtres maculent le trottoir et le mur du bâtiment. Des voitures défilent entre eux, indifférentes et pressées de ramener leurs propriétaires chez eux, après une journée de boulot.

Derrière eux, un voile de brume enveloppe l'Adour et ses berges. Sur l'autre rive, les lumières de la vieille ville confèrent à la scène un caractère surréaliste. La température avoisine zéro degré Celsius.

Une cigarette entre les doigts, Iban se faufile en grelottant entre les journalistes et s'adosse contre la rambarde, à l'écart de la meute, côté militants. Il reconnaît Élea Viscaya, emmitouflée dans une parka bleue et un bonnet de laine, et la salue d'un hochement de tête.

La jeune femme le rejoint quelques minutes plus tard pour lui serrer la main. Des visages curieux observent la scène.

— Je suis contente de vous voir ici.

— C'est mon boulot.

— Je sais.

— Ça ne vous gêne pas qu'on nous voie ensemble ?

— Et vous ? répond-elle, une lueur de défi dans les yeux.

Iban est étonné de sa présence, mais il ne laisse rien paraître. Les sept derniers mois ont-ils eu raison de son désir d'isolement ou Élea est-elle là pour son ancien petit ami ? Quand elle sortait avec lui, en particulier lorsqu'il était incarcéré, des liens se sont certainement créés avec sa famille, renforcés par son propre enlèvement. Après ça, Élea n'était plus seulement la petite amie de Sasco, mais l'une des leurs. Elle en a payé le prix fort et choisi de refaire sa vie, mais l'histoire se répète et maintenant, elle est de nouveau dans la position de ceux qui attendent, dans le froid, devant l'entrée d'une prison ou d'un commissariat.

Il cherche Simon du regard, mais ne le voit pas.

— Votre copain n'est pas là ?

— Il ignore que je suis ici.

— Je vois.

— Vous ne voyez rien. Il sait simplement ce qui arrive parfois aux militants comme nous. Il a peur pour moi. C'est un sentiment que je connais bien.

Élea lui demande une cigarette.

— Vous avez avancé sur la disparition de Jokin Sasco ?

— Pas trop.

Elle fronce les sourcils.

Iban dit :

— J'ai suivi vos indications. J'ai trouvé d'autres affaires d'enlèvements et de – il hésite sur le mot, n'en trouve pas d'autre – torture, des témoignages convergents.

— Vous me croyez, à présent ?

— Je vous ai toujours crue.

Il se retient d'ajouter : « Comment pourrait-on inventer des trucs pareils ? » mais le pense si fort qu'un sourire naît sur les lèvres d'Élea.

Elle se tourne face au commissariat.

— Vous voyez ce dont ils sont capables.

— Vous parlez des arrestations ?

— De ça et du reste.

Elle se tait un moment, fume sa cigarette jusqu'au filtre, affichant une moue mi-écœurée, mi-gourmande.

— C'est la première que je fume depuis mon enlèvement, dit-elle en roulant le mégot entre ses doigts.

— Il y a un truc que je ne pige pas. Pourquoi font-ils ça ?

— Parce qu'ils fonctionnent comme ça. Leur système tout entier marche selon le principe de la peur. Althusser, le philosophe, a écrit quelque chose qui s'applique assez bien à cette situation. C'était l'époque où il était en captivité dans un stalag, pendant la Seconde Guerre mondiale.

— Qu'est-ce que ça dit ?

— La guerre est le règne de l'organisation et de la prévision, mais personne ne songe à la paix.

— Tout le monde songe à la paix, au contraire !

— Mais personne ne l'organise ni ne la prévoit.

— Comme c'est le cas avec la guerre, complète Iban. Je crois que je vois où vous voulez en venir.

Les traits d'Élea se ferment, sa voix se durcit.

— C'est précisément ce qui se passe aujourd'hui. Ils organisent, ils prévoient, mais nous ne connaissons rien de leur organisation ni de leurs prévisions. Nos frères et nos sœurs sont enfermés et violés dans leur intimité. Ils nous arrêtent, nous torturent, fouillent nos maisons, nous fichent et nous espionnent. Ils fichent et espionnent aussi nos proches, nos amis, nos voisins, mais malgré tout cela, ils vont droit à l'échec. Ils peuvent effrayer et intimider les gens d'ici, en particulier la jeunesse. L'histoire montre que des périodes noires ont existé de tout temps, mais nous serons toujours plus forts qu'eux. Vous savez pourquoi ?

Iban secoue la tête.

— Nous sommes libres, conclut-elle, les yeux brillants.

Sceptique, le journaliste revoit les cagoulés qui l'ont agressé, en bas de chez lui. Il réprime un frisson. Sans qu'il sache vraiment pourquoi, les convictions d'Élea Viscaya lui font peur. Les actes de torture qu'elle a subis sont une abomination et doivent être condamnés et punis, c'est un fait. Mais il n'est pas certain d'être capable de comprendre, ni même d'accepter la voie qu'elle a choisie. Pourquoi s'accrocher à un bout de terre coincé entre deux pays ? Surtout : pourquoi voit-elle de l'organisation et de la prévision, là où il ne constate que du désordre et du chaos ?

Il pense :

« Je ne suis pas d'ici. »

— J'ai parlé de vous à un ami, dit-elle au bout d'un moment.

— Quel genre d'ami ?

— Il vous dira tout ça lui-même, s'il a le courage de vous contacter.

Élea tourne brusquement la tête.

Elle s'écrie :

— Ça bouge !

Une silhouette apparaît sur le perron du commissariat. Iban reconnaît Vallet, l'un des avocats de la famille Sasco. L'homme descend les marches et s'approche des barrières.

Un mouvement de foule emporte Élea et Iban de l'autre côté de la rue, face aux CRS. Tout le monde s'agite, puis se tait.

L'avocat apporte des nouvelles des personnes arrêtées. Il prend son temps, ménage ses effets. Il a le sens de la mise en scène. Sur les onze mis en garde à vue dans le cadre de l'affaire Sasco, dix seront relâchés dans la soirée. Des cris de protestation fusent. Iban n'entend pas la fin de la déclaration de Vallet.

— Qui est le onzième ? demande-t-il à Élea.

— La sœur.

— Pourquoi elle ?

— Je n'en sais pas plus que vous.

Un capitaine de police sort quelques minutes plus tard du bâtiment. Il confirme les propos de l'avocat, sans plus d'explications. Eztia Sasco passera la nuit au poste.

— Ils organisent, ils prévoient, souffle Élea, avant de le quitter pour rejoindre les autres.

Peio Sasco et sa mère sont libérés sous les ovations de la foule.

Iban ne s'attarde pas. Il prend une série de photos des retrouvailles, puis il regagne sa voiture avec, en tête, une vague idée de la façon dont il tournera son article sur les événements de la journée. Un goût amer dans la bouche, il s'installe au volant, monte le bouton du chauffage au maximum et passe la première.

Vingt-deux heures passées de trois minutes. Pas de voiture ni de mouvement suspect sur le parking de son immeuble. Iban tente une nouvelle fois de percer l'obscurité du regard, se maudissant de ne pas avoir d'arme avec lui. Une barre de fer, un couteau, une batte de baseball, n'importe quoi pourvu que cesse l'orage qui rugit dans son crâne. Une ombre se dessine sur la droite. Il fronce les sourcils pour découvrir qu'il s'agit d'un massif de buis en ombre chinoise.

Une boule au ventre, il s'extrait de la Fiesta et s'engouffre dans le hall, presque en courant.

La peur est un sentiment contagieux.

Son premier réflexe en refermant la porte d'entrée à double tour est de vérifier que son appartement est vide.

Deux minutes plus tard, rassuré, il se laisse aller sur le canapé pour reprendre son souffle.

Iban ne trouve la force de se préparer à manger qu'après avoir grillé plusieurs Winston, sifflé une Heineken et bu deux gorgées d'une deuxième.

Son repas pris, il allume son ordinateur portable et s'attelle à la rédaction de l'article pour *Lurrama*. Il met de côté ses échanges avec Élea Viscaya sur l'art de la guerre et du chaos et se concentre sur les éléments factuels en sa possession. Conférence de presse, doubles perquisitions, gardes à vue, libérations. Il sélectionne deux clichés, l'un pris au pied du domicile d'Eztia Sasco, l'autre devant le commissariat et garde pour lui ceux de la Peugeot grise banalisée, rue du Général-Leclerc. L'écriture lui prend une trentaine de minutes.

Satisfait du résultat, il se connecte à Internet et poste le tout sur la messagerie de Goiri pour l'édition du lendemain.

Une réponse lui parvient peu après : « Parfait pour moi. Bon boulot. »

Le caractère succinct de l'email lui arrache un sourire.

Il attrape sa bière et la termine d'une traite. Il ouvre un nouveau fichier sous le titre *Prévision et Chaos* dans lequel il classe l'ensemble de ses notes et ses réflexions. Dates, horaires précis, lieux, personnes rencontrées, les faits et les preuves, les hypothèses et les témoignages. Élea, Simon, Eztia, Elizabe, les cagoulés du 4 février, les flics en uniforme et ceux en civil, les pressions de Goiri, les messages anonymes. Qui aide qui ? Qui protège et qui ment ?

Les faits, rien que les faits.

Question numéro un : Élea Viscaya accepte-t-elle de lui parler par calcul ou par désir de faire éclater la vérité ? Question subsidiaire : si tout le monde est au courant de ces actes de torture, qu'est-ce qu'Iban peut apporter de plus ?

Numéro deux : Jokin Sasco a-t-il également été enlevé et torturé ? Si oui, pourquoi n'a-t-il pas été retrouvé ? Est-il retenu prisonnier, se cache-t-il ou est-il mort ?

Iban porte une cigarette à ses lèvres sans l'allumer.

Si les proches de Sasco savent où il est, il n'y a aucune raison qu'ils parlent *maintenant*. Si les flics sont coupables, ils n'ont aucun intérêt à exhumer sa dépouille *maintenant*, au risque de créer un vent de révolte.

Groupe de questions numéro trois : les flics ? La reprise de la guerre sale ? Une nouvelle politique gouvernementale en matière d'antiterrorisme ? L'alignement de la France sur les pratiques anglaises, espagnoles ou américaines ?

Une spécificité basque ? Des stratégies internes à la direction centrale de la police judiciaire ? Les soubresauts de l'affaire de Tarnac, dite de la *cellule invisible*, soupçonnée du sabotage de caténaires SNCF en novembre 2008 ?

Iban griffonne entre parenthèses « organiser, prévoir » et souligne.

Question numéro quatre en forme d'hypothèse : personne n'en sait rien et tout le monde cherche la vérité par tous les moyens. Ce qui expliquerait :

Les perquisitions et les arrestations tous azimuts.

Le témoignage d'Élea auprès d'un *erdaldun* comme lui.

Les pressions qu'exerce son rédacteur en chef sur lui et Elizabe.

Les menaces.

Le guet-apens qu'on lui a tendu le 4 février.

Les magouilles du procureur et de la SDAT.

Le mensonge généralisé érigé au rang de stratégie.

Les conflits d'intérêts et de modes d'action.

Le chaos.

L'hypothèse la plus probable est que chacun détient des morceaux de vérité. Personne n'a une vision d'ensemble du puzzle et personne ne peut en avoir une, étant donné que tout le monde ment pour défendre ses intérêts ou se protéger.

Iban note en gras et souligne :

La disparition accidentelle de Jokin Sasco se transforme en affaire d'État.

Il sort son briquet, supprime l'adjectif « accidentelle » et allume sa cigarette. Après tout, le hasard n'existe pas.

Il est près de 2 heures du matin quand il éteint l'ordinateur, épuisé. Cinq ou six canettes de bière gisent au pied de son bureau. Il consulte son portable. Marlène a essayé de le joindre quatre fois et laissé deux messages. Il était question, en vrac, de sexe, d'égoïsme pathologique et de passer la nuit chez elle. Probablement pas dans cet ordre-là.

Les paupières lourdes, il se traîne ensuite jusqu'à sa chambre et s'endort longtemps après, persuadé que des cagoulés sont planqués sous son lit pour l'égorger pendant son sommeil, mais trop crevé pour vérifier.

22

Marée montante. Les vagues s'engouffrent en rugissant dans la passe du port d'Anglet et lèchent la digue en béton. Elles forment de grandes gerbes d'écume. L'horizon est barré par d'épais nuages noirs. Le soleil n'est toujours pas réapparu. Il est exactement 17 heures.

Pinto passe devant la brasserie le Nautilus sans ralentir. Il tourne à gauche et se gare deux cents mètres plus loin.

García annonce :

— Tu me rejoins à pied et tu restes en retrait.

Il tapote la poche de sa veste du plat de la main.

— Je t'appelle s'il y a un problème.

Pinto acquiesce sans discuter. Il regarde la Clio faire demi-tour et s'éloigner en direction du point de rendez-vous. Il gobe une gélule avec avidité et se met aussitôt en marche.

Quand il atteint l'extrémité sud du parking du Nautilus, García fait déjà les cent pas devant l'entrée. Il repère deux pêcheurs le long de la digue et se dirige vers eux. Il s'accoude à la rambarde et se penche. D'ici, il a une vue panoramique sur la brasserie, le parking et les deux routes d'accès.

Une Peugeot noire s'immobilise à la hauteur de García peu après. Un homme massif s'en extrait. Il dépasse García d'une tête. Il porte un sac en bandoulière.

Sacré client, pense Pinto.

Il attend que García et le journaliste montent les marches et pénètrent dans le bâtiment, puis il se dirige vers la Peugeot à grandes enjambées. Il note le numéro de la plaque d'immatriculation, force la portière arrière et jette un œil autour de lui avant de l'ouvrir et de se faufiler jusqu'au siège passager. Là, il entreprend une fouille méthodique du véhicule. Boîte à gants, rangements latéraux, coffre. Rien d'intéressant à l'exception d'un Canon équipé d'un zoom 75-300 millimètres.

Pinto s'installe confortablement et allume l'appareil. La carte mémoire est insérée dans le boîtier. Il tourne le curseur en mode lecture et fait défiler les photos.

Une trentaine en tout. Prises il y a moins d'un quart d'heure en mode rafale.

On y voit :

Une Clio blanche longer la digue, tourner devant le Nautilus et disparaître. Zoom sur ses occupants. Pinto, d'abord, les mains crispées sur le volant. García, ensuite, sourcils froncés, scrutant les environs.

La même Clio, une minute plus tard, se garant sur le parking. Zoom sur le conducteur et unique occupant. García jette des coups d'œil inquiets autour de lui. Le télé-objectif n'en perd pas une miette.

Dernière série de clichés. Gros plan sur Pinto, cette fois-ci, à l'autre bout du parking. La canne d'un pêcheur apparaît en arrière-plan.

Pinto grimace.

— Quel putain d'enfoiré !

Furieux, il éteint l'appareil, retire la carte mémoire, la plie entre ses doigts et l'enfouit dans sa poche. Il s'extrait ensuite de la Peugeot et claque la portière. Il lève les yeux.

Marko Elizabe et son collègue sont attablés dans la véranda qui donne sur le parking et l'océan. Les deux hommes le regardent. Pinto croit voir un sourire illuminer brièvement le visage du journaliste.

García arbore un air agacé. Il hausse les épaules et lui fait signe de les rejoindre, fissa.

Pinto tape des deux poings sur la table, juste devant Marko Elizabe.

— Tu es content de toi, sale fouineur ?

García le foudroie du regard et lui intime de fermer sa gueule. Le journaliste l'observe, narquois. Pinto s'installe en silence.

La brasserie est vide. Un serveur à la figure rongée par l'acné s'arrache du téléviseur planqué derrière le bar et vient prendre leur commande en traînant des pieds. Elizabe attend qu'ils soient servis avant de sortir de son sac une caméra vidéo qu'il pose sans un mot au centre de la table. Il tourne l'écran vers García et la met en marche. Pinto se penche pour mieux voir et écarquille les yeux.

La vidéo ne dure qu'une dizaine de secondes. On y voit très nettement une aire de repos et des sanitaires en arrière-plan. Une Mégane grise quitte l'aire de repos. Elle est filmée d'une hauteur d'environ cinq mètres par une caméra de vidéosurveillance. La vitre avant côté conducteur est baissée. Un paquet de Ducados bleues à la main, Adis García est tranquillement en train de retirer sa cagoule. Le petit film s'achève aussitôt.

Elizabe dit :

— Il ne s'agit que d'un court extrait.

Il éteint et range le matériel sous le regard médusé des deux hommes.

Un boîtier apparaît entre les doigts de sa main droite comme par magie.

Ni Pinto, ni García n'osent tendre le bras pour s'en saisir.

Le journaliste le dépose devant eux.

— Voici votre copie de la vidéo.

Pinto note que sa main tremble et ça le détend un peu. Il empoche le boîtier.

Elizabe précise :

— Dans son intégralité.

García met un certain temps à reprendre ses esprits.

— Comment as-tu eu ça ?

— À ce stade, le *comment* importe peu.

Pinto attrape Elizabe par la nuque et précipite violemment sa tête sur la table. Son nez et une arcade sourcilière éclatent sous l'impact. Le journaliste hoquette de surprise. La douleur vient après. Pinto le tire en arrière, lâche prise et contemple le résultat. Du sang pisse sur son œil et son menton, jusque sur le col de sa chemise. Son air narquois a totalement disparu.

Le serveur lève le nez de son écran et dégaine son téléphone. García le fixe longuement jusqu'à ce qu'il repose le combiné et se rassoie. Il repose sa question en prenant soin d'articuler chaque syllabe.

Du sang et des glaires plein la bouche, Elizabe se récrie :

— Vous vous imaginez quoi, bande de connards ?

Pinto s'apprête à réitérer son geste, mais García l'en dissuade d'un mouvement de la main.

— Laisse-le répondre.

Elizabe, un profond mépris dans la voix :

— Ouais, dis bien à ton gros singe de me lâcher ou il se pourrait qu'il le paie très cher ! Vous ne pigez pas très bien la situation ! Je tiens cette vidéo de vos petits copains les flics.

Pinto se raidit. Les paroles du journaliste se fraient un chemin aux forceps jusqu'à son cerveau. Il devine que ce n'est pas bon pour eux, mais il a du mal à mesurer les conséquences. Il se dit qu'Elizabe leur ment, peut-être, pour renverser le rapport de force – mais n'y croit pas vraiment lui-même.

Face à lui, García semble déjà avoir une longueur d'avance. Il se rend jusqu'au comptoir, adresse un regard mauvais au serveur et revient avec un paquet de serviettes en papier blanc qu'il tend au journaliste. Il patiente un instant que ce dernier endigue tant bien que mal l'afflux sanguin qui s'écoule de ses blessures, puis il demande :

— Qu'est-ce que tu veux ? Du fric ?

Elizabe fait non de la tête.

— Tout le monde veut sa part.

— Mais tu en veux plus.

— Ne prends pas tes désirs pour des réalités. Je ne suis pas un mercenaire, comme toi.

García se rembrunit comme si l'attitude de son interlocuteur lui posait problème. Comme si elle n'était pas *logique*.

Il poursuit :

— Je ne comprends pas pourquoi tu viens nous voir au lieu de vendre cette vidéo à la télé ou de la mettre en ligne sur n'importe quel site. Même l'antiterrorisme serait prêt à te l'acheter, je parie ! Merde, à quoi tu carbures ?

García réfléchit.

— Le fric que contenait la valise de Sasco t'appartient ou appartient à quelqu'un qui te paie pour le retrouver ?

Elizabe ricane, ce qui provoque chez lui une quinte de toux douloureuse. Il retrouve son souffle au prix d'un effort qui lui arrache des larmes.

Il dit :

— Je veux que vous me racontiez tout. Je veux des noms, des dates, des détails. Je veux le pourquoi, le comment. Je veux savoir où est Jokin Sasco.

— Je n'en sais rien.

Elizabe ignore sa réponse.

— Je veux que vous m'aidiez à faire tomber ceux qui ont donné les ordres.

— Rien que ça !

— Sinon, je diffuse la vidéo. Partout. Et ce jour-là, vous avez intérêt à être très loin et hors d'atteinte.

La remarque ne semble pas inquiéter García. Il rétorque :

— Ça n'a aucun sens.

— Pas pour vous.

— Non, ce que je veux dire, c'est : quel est ton intérêt dans cette affaire ? Tu prends de gros risques en venant nous voir.

Le journaliste réprime une nouvelle quinte.

— Voilà l'idée. Donnez-moi ce que je demande et je détruis tous les exemplaires de cette vidéo, puis j'oublie que vous figurez dessus.

— Du chantage ?

— Un contrat.

Le visage de García se détend d'un coup. Une lueur malsaine brille à présent dans ses yeux.

— Tu as un compte personnel à régler, c'est ça ?

— C'est à prendre ou à laisser.

— Tu entends ça ?

García se tourne vers son compagnon.

— Merde alors ! Quelle tête de mule, ce mec !

Mais Pinto ne trouve pas ça drôle. Les types prêts à se faire tuer par vengeance ne l'ont jamais fait marrer. Parce qu'ils sont imprévisibles et n'obéissent à aucune règle. Comme les idéalistes et les fous. Et pour ce qu'il en voit, ce Marko Elizabe a tout l'air d'entrer dans les trois catégories à la fois.

Il dit :

— On ne peut pas lui faire confiance.

García acquiesce avec gravité et ajoute :

— Pourtant on va quand même faire ce qu'il a demandé.

— Tu peux m'expliquer pourquoi ?

— Parce que si ce qu'il nous a dit est vrai, si ce sont effectivement les flics qui lui ont filé l'enregistrement, alors je préfère traiter avec un taré de son espèce.

García soulève un pan de sa veste et dégage son pistolet qu'il pose sur la table, le canon tourné vers Elizabe, l'index et le majeur négligemment posés sur la crosse. Il se prend pour un putain de caïd.

Pinto serre les dents.

— C'est n'importe quoi.

García fait tourner l'arme sur elle-même.

— Parce que tu réfléchis à l'envers.

Il se tourne vers Elizabe.

— Tu as une arme, toi ?

Le journaliste secoue la tête. Il ouvre des yeux ronds, comme si son interlocuteur avait subitement perdu la raison.

García éclate de rire.

— Tu vois, mon ami ? Qu'est-ce que je te disais ? Il suffit d'être du bon côté du manche.

23

Un cargo au pavillon espagnol remonte le chenal. Le soleil apparaît dans un coin de ciel bleu éphémère. Les nuages passent du gris au rouge.

Debout, la main sur la portière de sa voiture, Elizabe contemple le spectacle.

Son nez cassé lui fait un mal de chien. Son visage est barbouillé de sang séché. Il se retient de hurler de douleur et de trouille. Ses muscles se relâchent d'un coup. Le nœud qui lui tord le ventre depuis qu'il est entré dans la brasserie explose en mille aiguilles assassines. Ses yeux se remplissent de larmes et il ne voit plus clair. Sa vessie se vide et un liquide chaud lui coule le long des cuisses.

Les deux pêcheurs regardent fixement dans sa direction, médusés. Elizabe les ignore. Il balance son sac sur le siège passager et s'assoit au volant. Il fouille un moment dans ses poches à la recherche de son portable. Ses doigts composent tout seuls un numéro.

Quelqu'un finit par décrocher.

— Allô ?

— C'est moi.

— Je suis morte, Marko. Tu ne peux pas m'appeler. Tout ça se passe dans ta tête.

Elizabe, à voix haute, conscient qu'il s'agit d'un pur délire :

— J'ai peur, Mari. Parle-moi, le temps que la douleur s'estompe. S'il te plaît.

Mais Mari ne lui répond pas. Au bout du fil, il n'y a qu'un message préenregistré qui récite d'une voix d'automate :

— Urgences du Centre hospitalier de la Côte Basque, toutes nos lignes sont actuellement occupées. Veuillez patienter, nous allons prendre votre appel.

24

Vendredi 6 février. Retour au commissariat de Bayonne, rue Vauban. Un hématome violacé gros comme le poing s'épanouit sur la tempe d'Iban.

Le parvis du bâtiment est désert, à l'exception d'un policier qui le dévisage d'un air suspicieux. Iban apprend qu'Eztia Sasco a été transférée pendant la nuit à l'hôtel de police, avenue de Marhum.

Un attroupement s'est formé sur place, au moins aussi important que celui de la veille. Élea Viscaya n'est pas présente, mais la mère et le frère d'Eztia, muets et fiers, se tiennent face au cordon de CRS.

Iban prend quelques photos et interroge les journalistes présents. La jeune femme devrait être libérée avant la fin de la journée. Ils attendent des nouvelles de l'avocat qui est à l'intérieur.

Iban cherche un moyen de pénétrer dans le bâtiment. Il interpelle un flic en civil qui sort pour observer les manifestants, sous l'œil goguenard de ses collègues. Le type ne prend même pas la peine de lui répondre et retourne à l'intérieur sous les sifflets de la foule. Iban ne peut s'empêcher de penser qu'avec une cagoule tous les flics se ressemblent.

Il abandonne sa voiture et rentre au journal à pied. L'air marin a envahi les rues de la vieille ville. Des odeurs de poisson, de sable et de liberté. Des commerçants qui bavardent sur le pas de leurs boutiques chic en attendant les clients. Iban achète des cigarettes et la presse nationale au premier bar-tabac venu et commande un café. Il s'installe au comptoir pour lire. Le liquide noir lui brûle les lèvres.

Il n'est pas tout à fait 10 heures quand il arrive à *Lurrama*.

Souriant, Goiri l'attend à son poste pour le féliciter à propos de l'article de la veille. Iban joue le jeu. Les affaires reprennent sous surveillance. Le rédacteur en chef s'enquiert de la libération d'Eztia Sasco. Iban lui dit ce qu'il sait.

— Bien, bien, conclut Goiri avant de retourner s'enfermer dans son bureau.

Sitôt assis, Iban décroche son téléphone et part à la pêche aux informations. Il tente de joindre sans succès le procureur Delpierre ou son substitut. Des consignes ont été passées. Même son de cloche à la préfecture, puis au commissariat central où son interlocuteur le fait poireauter vingt minutes avant de lui raccrocher au nez sans autre forme de procès. L'opacité succède à l'opération communication de la veille.

La chance tourne au cabinet de madame la députée-maire Viviane Gouy-Mayer.

Iban se fait passer pour l'envoyé spécial d'un quotidien national et joue la carte de la liberté d'informer. La standardiste passe à la secrétaire qui transmet au conseiller, jusqu'à ce qu'il soit mis en attente sur la ligne directe de Gouy-

Mayer. Elle accepte finalement de prendre l'appel.

Le ton de la voix est autoritaire. Iban attaque bille en tête, persuadé qu'elle l'enverra sur les roses dès la première question.

— J'aimerais revenir avec vous sur la disparition de Jokin Sasco.

— Vous travaillez pour quel journal ?

Il ment :

— *Le Monde*.

— Tiens, la rédaction du *Monde* s'intéresse à nous, maintenant.

Elle accompagne son commentaire d'un gloussement ridicule.

— Donc, pour revenir à Jokin Sasco...

Elle l'interrompt sèchement.

— J'ai très bien compris votre question. Que voulez-vous que je vous dise ? Cette affaire n'est pas de mon ressort.

— Sa sœur est actuellement en garde à vue à l'hôtel de police central, qu'en pensez-vous ?

— Je ne suis au courant de rien.

— Des perquisitions ont pourtant eu lieu hier matin dans toute la ville, *votre* ville, et vous étiez présente à la conférence de presse donnée par le procureur Jean-Marie Delpierre.

Elle élude :

— On ne me consulte pas à chaque arrestation, vous savez.

— Jokin Sasco a disparu depuis près d'un mois. Comment expliquez-vous cela ?

— Je ne vous apprendrai pas que des dizaines de disparitions sont signalées sur le territoire chaque jour.

— Elles ne concernent pas toutes un militant d'ETA.

La députée-maire poursuit sans tenir compte de sa remarque :

— Tiens, pas plus tard qu'avant-hier, deux adolescents. Le mois dernier, une gamine de 7 ans... Chaque cas est une priorité, Jokin Sasco au même titre que ceux-là. Il y en aura d'autres, croyez-moi. Malheureusement, on n'y peut pas grand-chose.

— Les services judiciaires prennent pourtant cette histoire très au sérieux.

— Voyez donc ça avec eux.

— Certains parlent d'une disparition politique.

— La guerre sale est finie depuis longtemps.

— Justement, sans vouloir vous manquer de respect, vous avez connu cette époque, madame. Existerait-il un lien entre les GAL et cette disparition ?

— Je viens de vous dire que non.

Gouy-Mayer est de plus en plus agressive. Iban insiste :

— Les similitudes sont pourtant troublantes.

— Quelles similitudes ?

— Eh bien...

— Sortie du contexte politique, auquel je ne crois pas, au risque de me répéter, ce n'est jamais qu'une disparition comme tant d'autres. C'est triste, mais c'est comme ça.

— Quel pourrait être votre rôle dans cette affaire ?

— Quelle affaire ?

— En tant que députée, vous disposez d'une tribune.

— Ce n'est pas de mon ressort. Je ne suis ni procureur, ni juge d'instruction, ni ministre. Et maintenant, si vous le permettez, j'ai du travail…

La communication est coupée avant qu'Iban ait eu le temps de protester.

Il repose le combiné en imaginant la députée passer un savon au conseiller qui a eu le malheur de lui communiquer un fouille-merde pareil. Ça le fait marrer. Pas longtemps. Il vient de prendre un cours de langue de bois mais il n'a rien appris.

Goiri est sur le pont. Il s'engueule avec un pigiste prénommé Aetza qui doit lui pondre un papier à propos de la prolifération des caméras de vidéosurveillance dans la ville. À Bayonne, le sujet est sensible.

Durant une heure et demie, Iban poursuit ses recherches dans la base de données, sans trouver de nouveaux éléments. Il passe plusieurs coups de fil pour obtenir des détails concernant la planque bordelaise où les empreintes de Sasco auraient été retrouvées et qu'ETA évoque dans son communiqué. Personne ne semble en connaître l'adresse exacte. La police n'infirme ni ne confirme l'information. Secret défense.

Fatigué de s'user les yeux et les méninges pour rien, il jette l'éponge. Il remballe ses affaires et va déjeuner dans une brasserie située à proximité de l'hôtel de police. Il en ressort une heure plus tard, rassasié et vaguement écœuré. Il déambule un moment, hésitant à retourner au journal.

Place de la République, son regard tombe sur le volet d'une boutique de fringues, sur lequel l'inscription *Jokin, vérité !* est tracée à la bombe rouge. D'autres slogans du même type ornent les murs de la rue du Canal jusqu'aux berges de l'Adour. Iban les photographie avant de rejoindre le commissariat.

Sur place, des confrères de la presse régionale ont rejoint le rassemblement.

Les discussions tournent autour de la déclaration d'ETA. La plupart évoquent un coup monté. La planque présumée ne serait qu'un piège tendu à ETA. Certains parlent de dénonciation publique et s'offusquent du procédé. Les mots sont durs vis-à-vis de l'organisation. Vengeance et trahison. D'autres avouent à voix basse envisager que Sasco soit parti avec l'argent qu'il était supposé transporter, ce qui signifierait qu'il est sans doute encore en vie, planqué au fond d'un trou ou à l'étranger.

Espoir amer, mais espoir tout de même.

Iban questionne les uns et les autres pour savoir où se trouve exactement la planque, mais il n'essuie que des refus polis ou, dans le meilleur des cas, des haussements d'épaules.

Excédé par ses questions, un jeune militant lui lance :

— Tu es dans quel camp, au juste ?

Iban n'insiste pas et retourne dans le « carré » de la presse.

Eztia Sasco est libérée en fin d'après-midi sous les acclamations de la foule.

Les gardes à vue rendent les filles dures et silencieuses.

Plus sombres que jamais, les yeux de la jeune femme trahissent la fatigue d'une nuit en cellule et de deux jours d'interrogatoires. Elle est vêtue du survêtement qu'elle portait au moment de son arrestation. Ses cheveux défaits et ses cernes confèrent à ses traits une vulnérabilité que sa démarche assurée dément farouchement.

Elle descend les marches, encadrée par deux policiers qui s'écartent, sitôt les barrières atteintes. Peio vient à sa rencontre, l'enlace longuement, puis lui tend une pancarte qu'elle brandit aussitôt à bout de bras.

Une photo identique à celle qu'elle tenait, une semaine plus tôt, pendant la conférence de presse. Elle représente Jokin Sasco sous le slogan *Vérité*, tracé en lettres majuscules. Pas de larmes ni de cris. Juste le portrait de son frère comme un appel muet à la justice.

Les flashes crépitent. Les journalistes et leur lectorat adorent ces moments où l'émotion prend le pas sur le reste.

Iban sort sa carte de visite, y griffonne un mot. Il se faufile tant bien que mal jusqu'à Eztia Sasco et l'interpelle.

Leurs regards se croisent une poignée de secondes. Sans se départir de son air impassible, elle cherche dans ses souvenirs l'identité de son interlocuteur.

Sa bouche dessine un cercle parfait qui semble vouloir dire :

— Qui es-tu, petit écureuil ?

Eztia Sasco aperçoit alors l'appareil photo et son visage s'éclaire. Iban espère qu'elle a reconnu l'*erdaldun* maladroit de la conférence d'Istilharte.

Elle le fixe comme pour le sonder, puis se détourne. Iban frissonne. Les questions qu'il souhaitait poser restent bloquées au fond de sa gorge.

Peio Sasco le repousse sèchement de l'épaule, saisit la main de sa sœur et remercie l'ensemble des personnes présentes pour leur soutien actif. Il leur dégage un passage jusqu'à une Clio grise immatriculée dans les Pyrénées-Atlantiques où ils s'engouffrent avant de quitter les lieux.

« Comme s'ils retournaient au combat », pense Iban.

Il suit la voiture des yeux jusqu'à ce qu'elle disparaisse, à l'angle de la rue.

La foule se disperse, les flics retirent les barrières. Iban observe leur manège un moment. Il joue du bout des doigts avec la carte qu'il n'a pas osé tendre à Eztia Sasco, avant de la froisser et de la jeter dans l'Adour.

25

Peio coupa le moteur au pied du bâtiment C.

— Je suis désolé.

La mine contrite, il n'ose pas affronter le regard de sa sœur.

— C'est une sacrée merde.

— Casse-toi.

Eztia déglutit et ajoute, la voix brisée :

— *Oraintxe*[1] !

Elle s'extrait de la voiture, claque la portière sans écouter ses protestations et s'engouffre dans le hall. Elle gravit les escaliers et pousse la porte défoncée deux jours plus tôt par les types de l'antiterrorisme. Le froid qui règne dans l'appartement la saisit par surprise. Quelqu'un est venu remettre de l'ordre pendant son absence, peut-être sa mère ou son frère, mais les traces du passage des flics et de la lutte qui a suivi sont encore bien visibles.

Elle cale une chaise derrière la porte d'entrée pour la maintenir fermée, puis elle se précipite dans la salle de bains. À bout de souffle, elle se déshabille, jette ses vêtements en boule et tourne

1. « Maintenant ! » en basque.

le robinet de la douche. Un jet brûlant se déverse sur sa main. Elle s'y glisse entièrement en fermant les yeux, puis elle saisit le savon et se met à frotter, frotter encore, sans parvenir à retenir ses larmes. Une seule idée en tête : *Jokin, mon frère, où es-tu ?*

Son premier réflexe en sortant de la douche est d'attraper son portable et de composer le numéro d'Élea Viscaya.

— Eztia ?

— Je peux venir dormir chez toi, s'il te plaît ?

Étourdie par la chaleur du couloir, Eztia dépose ses sacs dans l'entrée et rejoint Élea dans le salon. Son cerveau tourne au ralenti.

Un parfum de cannelle flotte dans l'air. Sur un plateau en bois, un pot de miel de châtaignier, une casserole de thé fumante et deux tasses vides. Le téléviseur est allumé. Une chaîne du câble diffuse un programme d'information à propos d'une manifestation devant le palais présidentiel de Madagascar réprimée dans la violence et le sang par la police. Le reportage propose un défilé macabre. La caméra se focalise sur des visages d'enfants hagards, des femmes qui hurlent et des cadavres.

Élea se lève pour éteindre le poste et prendre tendrement Etzia dans ses bras.

— Simon est allé dormir chez un copain.

Eztia se dégage de son étreinte et sourit.

— Merci.

— Tu as faim ?

Elle secoue la tête.

— Je veux savoir où est Jokin.

— Moi aussi.
— Je m'excuse de te dire ça à toi.
— Tu viens de subir quarante-huit heures de garde à vue. Tu en baves.
— J'en crève d'imaginer le pire.
Élea s'installe confortablement dans le canapé et attire Eztia pour qu'elle se cale contre elle.
— Parfois je me dis qu'ils ne nous prennent pas au sérieux.
— Merde, Élea...
— J'ai envie de prendre à nouveau les armes et de faire sauter les têtes de ces salauds, une par une.
— Et après ?
Élea lui caresse les cheveux en soupirant. Elle se penche et lui murmure à l'oreille :
— J'ai rencontré ce journaliste, Iban Urtiz.
Eztia se redresse d'un mouvement brusque.
— Il était là, tout à l'heure, à ma sortie du commissariat.
— Je sais, j'ai discuté avec lui aussi, hier. Il s'intéresse à nous. Il s'intéresse à Jokin. À moi. À toi. Je crois qu'il est sincère.
— Tu lui as raconté ton histoire ?
Élea acquiesce.
— Il va et vient un peu partout depuis la conférence de presse que vous avez donnée. Il veut comprendre ce qu'il se passe.
— Peio prétend qu'il roule pour les flics.
— Ça m'étonnerait.
— Peio est persuadé que seuls les Basques peuvent se sauver eux-mêmes.
— Le journaliste peut nous aider.
— Tu crois qu'il sait ce qui est arrivé à Jokin ?

— Non, mais il se donne du mal.

— Bon sang, j'en sais trop rien ! Tu as peut-être raison…

Eztia se frotte les yeux et s'assied sur le bord du canapé, un coussin entre les mains. Son pouls s'accélère. Elle inspire et expire lentement plusieurs fois de suite. Toute piste est bonne à prendre, mais elle refuse de se bercer d'illusions.

Elle tend la main vers la casserole et remplit leurs tasses, puis elle plonge une cuillère dans le pot de miel qu'elle reverse ensuite dans son thé.

— Tu en veux ?

— Le double.

Les deux femmes éclatent de rire. Eztia porte la tasse à ses lèvres et sirote le liquide sucré. Elle observe son amie à la dérobée pendant un moment.

Élea est une dure à cuire. Adolescente déjà, elle se battait avec des garçons de son âge qui la dominaient d'une tête parce qu'ils osaient se moquer de son accent basque. À côté d'elle, Jeanne d'Arc et Éva Perón sont des petites filles modèles. Élea ne s'est jamais laissé marcher sur les pieds. Elle n'a pas baissé les bras, même après son incommunication.

Jokin est de la même trempe qu'elle. Tous deux sont farouchement accrochés à l'idée de liberté. Comme si c'était une fin en soi.

— Tu veux qu'on prépare ton lit ?

Eztia vide sa tasse d'une traite et dit :

— Je n'ai pas sommeil. Parle-moi plutôt de ce journaliste. Parle-moi d'Iban Urtiz et de l'impression qu'il t'a faite.

26

Nuit blanche peuplée d'ombres noires.

Iban ne trouve le sommeil qu'au petit matin, à l'heure où l'esprit est trop las pour lutter contre les cauchemars éveillés.

La sonnette d'entrée le tire de son lit. Le réveil indique 13 heures. Iban s'assoit et pose les pieds sur le carrelage glacé. On sonne à nouveau. Il se lève en maugréant, enfile un caleçon et traverse l'appartement en se frottant les yeux.

Marlène se tient dans l'encadrement de la porte. Un parfum vanillé trop puissant la précède, en même temps que le son clair de son rire.

— Tu ne travailles pas aujourd'hui ?

— Même les journalistes ont droit à des jours de congé, tu sais.

Il claque la porte derrière elle.

— Je lance du café, je prends une douche et je suis à toi.

Quand il la rejoint, Marlène, lascive, prend le soleil sur le balcon, accoudée à la balustrade. La porte-fenêtre est grande ouverte, laissant entrer un air frais, presque doux, qui contraste avec le froid de la veille. Deux tasses de café fument sur la table basse.

Iban en saisit une et s'installe sur le canapé sans rien dire. Il contemple un instant la silhouette de Marlène, ressentant une grande distance entre eux. Le jet brûlant de la douche lui a remis de l'ordre dans les idées et la jeune femme entre mal dans le cadre.

Il soupire et boit une gorgée en se brûlant les lèvres.

— Qu'est-ce que tu veux ? finit-il par demander sur un ton plus sec qu'il ne l'aurait souhaité.

Marlène se retourne d'un mouvement léger du buste, entre et lance un : « Et si on allait profiter du beau temps sur la plage ? » comme si elle n'avait rien entendu.

Iban proteste mollement. Elle insiste et s'assoit. Elle se blottit contre lui. Il cède. Elle se penche. Il pense à Eztia Sasco. L'odeur de vanille l'écœure. Il se laisse embrasser malgré tout et feint d'être pressé de voir l'océan quand les doigts de Marlène glissent de sa cuisse vers sa braguette. Il se dégage le plus naturellement possible, termine d'une traite sa tasse, à présent froide, et file s'habiller chaudement.

Il propose la plage de Moliets, à quinze minutes de marche. Marlène préfère celle des Casernes, plus au sud, à Seignosse.

Elle parle durant le trajet, évitant à Iban d'avoir à meubler. Ils se garent au pied d'une dune. Le parking, rempli de touristes l'été, est désert, à l'exception d'un utilitaire danois à la carrosserie rouillée, orné de fleurs et de signes tribaux peints à la main. Un longboard est appuyé contre le coffre. Apparemment insensible à la température, un surfeur torse nu, la combinaison descendue jusqu'aux hanches, s'essuie avec une serviette. Derrière lui, deux blondes d'à peine 20 ans se changent, les cheveux encore humides. Plus loin, un type coiffé d'un bob vert kaki regarde déféquer son chien.

Le grondement des rouleaux leur parvient avant même qu'ils atteignent le sommet de la dune.

Marée haute.

L'océan est déchaîné, comme si Klaus avait réveillé une colère qui ne devait jamais se tarir. Les vagues grimpent à l'assaut des dunes, recouvrant la quasi-totalité de la plage et charriant des monceaux de déchets. Troncs d'arbres, branches gorgées de sel, bouteilles en plastique, filets de pêche… Passé la belle saison et le ballet incessant des engins municipaux pour nettoyer, filtrer le sable et le rendre aussi attirant que possible pour les touristes, les rivages landais rappellent combien l'océan est devenu une poubelle en moins d'un siècle de débauche industrielle.

Marlène quitte ses bottines, remonte sa robe et s'élance dans la pente en criant de plaisir comme une gosse. Iban s'avance sans se déchausser jusqu'au premier blockhaus, vestige du mur de l'Atlantique. Aux trois quarts ensablé, le bâtiment de béton est recouvert de graffs et de tags. Certains sont récents. Le sel a rongé une bonne partie des autres. Iban grimpe jusqu'au sommet et s'assoit, face à l'océan. Ses jambes pendent dans le vide.

Un immense cargo croise au large.

Iban se dit :

Combien de chances pour que Sasco se soit tout simplement tiré par la mer ?

Il sort son portable, vérifie qu'il capte le réseau et compose le numéro d'Elizabe dans l'espoir de lui poser ces questions et d'obtenir des réponses. Messagerie. Il raccroche.

Dépité, il se remémore l'histoire d'Élea et ses propos sur la politique répressive et vengeresse de la France et de l'Espagne. Qu'est-ce que cherchent ceux qui enlèvent et qui torturent ? Que la jeunesse cède au désespoir ? Qu'elle entre dans un long cycle de résistance comme ses aînés, des décennies plus tôt ? Qu'ont-ils à y gagner ? Les Basques n'ont pas de pétrole...

La voix de Marlène, en contrebas, interrompt ses pensées :

— Viens mettre les pieds dans l'eau !

Il refuse d'un geste de la main.

— Allez ! Ça te fera du bien d'oublier le boulot !

— Je ne veux pas, dit-il sèchement.

— Tu es chiant !

Iban pourrait s'excuser et essayer de rattraper le coup. Marlène n'est pas responsable de ses sautes d'humeur, mais la vérité, c'est qu'il n'a pas envie d'être là avec elle. Ni là ni ailleurs.

— On rentre.

Marlène le dévisage, interloquée.

— Je te demande pardon ?

— On rentre, c'est tout. J'en ai marre.

— De la plage ou de moi ?

Il ne répond pas. Il descend du blockhaus et passe devant elle sans s'arrêter. Ils regagnent la voiture dans un silence de mort.

Marlène ne le lâche pas tout au long du trajet retour, mais Iban est déjà passé à autre chose. Les yeux perdus dans le paysage qui défile, pinèdes, campings vides et pistes cyclables, il n'écoute ni ses récriminations ni ses leçons de morale. Il l'entend à peine.

— Je crois que c'est mieux qu'on en reste là, conclut-il, en descendant de la voiture, sur le parking de son immeuble.

— Va te faire foutre ! hurle-t-elle en redémarrant.

Iban la regarde partir sans réagir. Il sort son portable et rappelle Elizabe qui ne décroche toujours pas.

27

Deuxième quinzaine de février. Mauvais signe : Javier Cruz n'a toujours pas donné signe de vie.

Pinto s'ennuie comme un rat mort dans la planque de Biscarosse. Il a récupéré ses haltères et son téléviseur au garde-meuble de Dax. Ses journées se résument à soulever de la fonte, se laver et bouffer d'un œil torve des séries télé américaines, allongé sur son matelas. Il ne sort presque jamais.

Adis García, lui, ne tient pas en place. Ce type est monsieur Courant-d'Air. Il entre, il sort, il s'absente pendant des heures, ne rentre que tard dans la nuit. Jamais armé – Pinto vérifie dès qu'il entend le moteur de la Clio s'éloigner sur le chemin de terre. García devrait arrêter de circuler à droite, à gauche, et montrer sa sale bobine de mercenaire sur toute la côte Atlantique. Tôt ou tard, les langues se délient. Pinto est plus prudent.

Il se tait et il observe.

Par exemple, il a acquis la certitude que García magouille dans son dos. Il a surpris certaines de ses conversations téléphoniques. Il a lu le mensonge dans ses yeux. García l'assure qu'il s'occupe de ses petites affaires personnelles. Une pute par-ci, des vieilles histoires à régler par-là. Rien qui concernerait Pinto. Rien qui pourrait les mettre en danger.

Je contrôle est son leitmotiv favori.

García a également contacté Marko Elizabe à cinq ou six reprises. À l'en croire, le journaliste et lui seraient devenus les meilleurs amis du monde. García n'aurait lâché que quelques éléments de vérité. La ferme où Sasco a été séquestré, la manière dont ils se sont débarrassés de l'Opel Corsa verte, ce genre de trucs *sans importance*, selon García qui prétend garder le journaliste sous surveillance rapprochée – par qui et avec quel fric ? – en lui montant des bateaux gros comme le *Titanic* sur le reste de l'opération.

Pinto n'est pas dupe. Quand son compagnon lui bourre le mou avec ses histoires à dormir debout, il se contente de saisir la télécommande, de changer de chaîne une bonne dizaine de fois et de demander, d'un air faussement nonchalant :

— Et la vidéo de l'enlèvement de Sasco, tu en fais quoi ?

— Je contrôle.

— Il te manipule.

C'est à chaque fois le même sketch. García feint la colère et tape du poing sur la table :

— Cette vidéo est notre pire ennemie et notre meilleure amie. Nous sommes cinq dessus. Cruz commandait l'opération. Il était le lien avec les donneurs d'ordres. Il en sait plus que toi et moi réunis. La vidéo l'implique directement. Elle *nous* menace en même temps que *lui*. Et si c'est le cas, elle est susceptible d'atteindre sa hiérarchie, tu piges ? Elle nous protège.

— À condition que le journaliste ne fasse pas n'importe quoi avec.

García fait un geste latéral du pouce sur son cou en guise de réponse.

— Cette vidéo, c'est notre assurance-vie. Maintenant on a un avantage sur Cruz. Cet enfoiré peut nous mettre temporairement sur la touche, mais dès qu'il refera surface, je le planterai devant un écran et je lui prouverai qu'il ne peut pas nous baiser.

— Et Elizabe ?

— Je contrôle, je te dis.

Pinto découvre en fouillant dans les affaires de García pendant l'une de ses absences que ce dernier a fait des copies de la carte-mémoire donnée par Elizabe. Il hésite à faire la même chose de son côté, pour se protéger. Problème : multiplier cette vidéo comme des petits pains revient à répandre un virus dans son sillage. García délire plein pot. Pinto va devoir suivre tout ça de très près. Il remet tout en place et se jure de ne rien dire à son retour.

À présent, Pinto tente de faire fonctionner ses méninges. Il cherche un moyen de se sortir de ce merdier sans se mettre García à dos. Les amphétamines et l'isolement lui fichent le cerveau en vrac. Il en conclut que patience et observation forment sans aucun doute la meilleure des stratégies.

Il gobe deux gélules et se promet de freiner sa consommation dans un avenir proche. Il saisit la télécommande et change de chaîne.

28

26 février 2009, à l'heure où les poules dorment encore. La maison empeste la pisse de chat. De la vaisselle salle s'entasse dans l'évier et sur l'égouttoir. Depuis dix jours, Elizabe se nourrit de biscuits trempés dans du café au lait. Les chats se délectent de steaks hachés décongelés au four à micro-ondes. Ils ronronnent de plaisir.

Elizabe a transformé son salon en salle d'archives. Il a poussé les meubles et s'est aménagé un espace de travail qui bouffe les trois quarts de l'espace. Il a punaisé une carte de la région sur le mur et planté des aiguilles sur chaque endroit où Jokin Sasco a transité depuis le 3 janvier. L'aire de repos, le trajet sur la nationale 10, la ferme près de Morcenx où il a été *retenu* et *interrogé* pendant une semaine – ce sont les mots précis employés par Adis García.

— Et ensuite ?

C'est toujours la même réponse qui tombe. García secoue la tête d'un air faussement contrit :

— Je ne sais pas.

— Qui l'a pris en charge ?

— L'antiterrorisme.

— Français ou espagnol ?

— Français.

— Qu'en ont-ils fait ? Où l'ont-ils emmené ?

— Je n'en ai aucune idée.

— Quelqu'un sait forcément ? Votre collègue, peut-être, celui qui était avec vous à la brasserie, l'autre jour ?

— Notre rôle dans l'opération s'est arrêté le jour du transfert de la cible.

À cet instant précis de leur conversation, Elizabe se retient à chaque fois de poser la seule question qui lui brûle les lèvres : était-il en vie après les séances de torture que vous lui avez infligées ?

Elizabe sait que García lui ment mais il ne peut pas le forcer à cracher le morceau. L'incommunication des militants enlevés et torturés ne dure jamais plus de cinq jours. Jamais. C'est une règle d'or. Ils sont ensuite relâchés dans la nature ou laissés pour morts devant une clinique ou un hôpital. Pourquoi Jokin Sasco échapperait-il à la sacro-sainte règle ? Pourquoi bénéficierait-il d'un traitement de faveur ? Pourquoi un si long silence ?

García est un connard de première. Il se paye sa tête et le promène du nord au sud des Landes. Elizabe ne l'a pas revu depuis leur rendez-vous sur le port de Bayonne. Uniquement au téléphone. Au cours de leurs conversations, García fait comme s'ils étaient les meilleurs amis du monde et se voyaient tous les jours. Quand Elizabe lui en fait la remarque, l'autre feint de s'en souvenir – *Ah oui, c'est vrai, suis-je bête !* –, ce qui plonge le journaliste dans la perplexité. Par ailleurs, le moindre sujet de discussion est prétexte à étaler ses fantasmes assassins sur les Noirs, les Arabes, les juifs... Il décèle des attentats-suicides et des complots partout. Il répète à l'envi qu'il faut nettoyer tout ça. Elizabe réprime sa nausée.

Pourquoi ?

Parce que García se croit invincible mais Elizabe a des dons de voyant extralucide. Il sait lire dans une boule de cristal. Il voit danser les fantômes du doute et de la peur dans les pupilles dilatées du mercenaire. Il effeuille patiemment le calendrier fixé au mur au-dessus de la photo de Mari.

Il cherche la faille.

Il ferme les yeux et se repasse mentalement leurs échanges qu'il compare avec ce qu'il tient pour acquis.

Il voit :

Adis García et le molosse sans nom qui l'accompagnait, l'autre jour, au Nautilus. Deux mercenaires désœuvrés qui jouent aux professionnels mais qui ont tout l'air de rouler pour leur propre compte. Deux des cinq hommes qui se trouvaient à bord de la Mégane break grise qui est entrée sur l'aire de repos ce 3 janvier à 10 h 14. Deux exécutants, monsieur Sans-Nom et Adis García, mais qui donne les ordres ?

Elizabe rouvre les yeux et se précipite sur son ordinateur pour se repasser la bande-vidéo de l'enlèvement. Il veut en savoir plus sur les trois autres.

Il lance le film. Il fait un arrêt sur image sur le cagoulé numéro cinq. Petite taille, un mètre soixante-cinq, soixante-dix maximum. Il tient une arme. C'est lui qui menace Sasco. Il dissimule son visage derrière une cagoule. Il n'apparaît à découvert à aucun moment. À l'inverse d'Adis García.

Le cinquième homme est le véritable chef de l'opération Sasco – contrairement à ce que lui laisse croire ce putain d'amateur d'Adis García.

Elizabe inspire profondément. Il isole l'image de Numéro Cinq et l'imprime sur une feuille au format A4. Il récupère la photo, la plie et la glisse dans sa poche. La peur envahit progressivement chacun de ses muscles. Il tremble en décrochant son téléphone et en composant le numéro fantôme que lui a laissé García pour le contacter.

Jovial, le mercenaire rappelle vingt minutes plus tard :

— Mon ami journaliste !

— Parlez-moi du cinquième homme. Parlez-moi du véritable responsable de l'opération Sasco.

Silence de mort et vent d'ouest. Fin de matinée au cimetière de Bayonne. Le ciel est dégagé et la lumière qui se reflète sur les marbres des plaques mortuaires est éblouissante.

La mise en scène est grotesque. Les yeux dissimulés derrière des lunettes noires, Adis García attend Elizabe devant la tombe du Soldat inconnu. Il a enfilé sa plus belle veste et bombe le torse. Il tient un pot de chrysanthèmes.

Poignée de main rapide.

García désigne du menton le pansement qui couvre le nez d'Elizabe :

— Ça va mieux, on dirait.

Puis, sans transition, il lui fait signe de le suivre.

Les deux hommes slalomment un moment à travers les allées. Le gravier crisse sous les rangers du mercenaire. Elizabe aperçoit par intermittence l'éclat métallique de la crosse d'une arme glissée dans l'arrière de son pantalon. Il s'efforce de maîtriser les tremblements qui agitent ses bras.

Ils parviennent devant une modeste tombe abandonnée, envahie par les mauvaises herbes. Trois prénoms sont inscrits dans la pierre. Un seul nom de famille, Victor. Une seule date : 19 juin 1987.

Comme s'il effectuait un cérémonial religieux, García s'agenouille et arrache les pousses de chiendent engagées dans les fissures de la dalle de ciment. Il y installe ensuite son pot de fleurs et contemple un instant son œuvre en se frottant les mains. Satisfait, il fait un signe de croix, avant de rejoindre Elizabe.

García récite :

— Jean Victor, né en 1952, assassiné le 19 juin 1987. Maria Victor née Palacios, née en 1954, assassinée le 19 juin 1987. Émilie Victor, née le 24 juin 1980, assassinée le 19 juin 1987.

Elizabe n'en mène pas large. Il ne voit pas où García veut en venir. Quel rapport avec le cagoulé numéro cinq ?

Il dit :

— À quoi ça rime ?

García retire ses lunettes et pose un regard halluciné sur lui.

— Un attentat à la voiture piégée sur le parking d'un centre commercial espagnol. Vingt et un morts, le double de blessés, ça ne te rappelle rien ?

— ETA.

— En plein dans le mille.

— Pourquoi me montrer ça ?

— Pour que tu fasses la part des choses, que tu ne commettes pas d'erreurs d'interprétation des faits et de l'histoire, *journaliste*.

Elizabe déglutit. Ses mains sont moites. Il pense à l'arme, dans le dos de García. Il se dit que ce type est fou à lier et qu'il pourrait le descendre, là, maintenant. Il balaie du regard les allées des tombes voisines dans l'espoir qu'un cortège funèbre apparaisse subitement.

García sort une cigarette et l'allume. Il tire une bouffée ou deux et l'écrase sous son talon, puis le dévisage longuement. Une vieille dame passe en clopinant à côté d'eux et les salue. García lui adresse un clin d'œil. Elle se raidit et presse le pas.

Il dit :

— Qui t'a mis au courant pour le chef d'opération ?

— C'est lui qui tient l'arme et qui donne les ordres sur la vidéo.

García sourit tristement et hoche la tête, comme si c'était une évidence.

Il déclare :

— Il s'appelle Javier Cruz. Je ne l'ai pas revu depuis le transfert de Sasco, le 10 janvier dernier.

— Où est-ce que je peux le joindre ?

— Je l'ignore.

Elizabe lit dans son regard qu'il ne ment pas.
— C'est un flic espagnol ?
— Motus et bouche cousue.
— Je vois... Comment je le trouve ?
García lève les yeux au ciel.
— Si je le savais...
— Et votre collègue, celui que j'ai croisé, le grand costaud qui a du mal à contenir ses pulsions dès qu'il voit un Basque ?
— Fais-moi une faveur, *journaliste*.
— Laquelle ?
— Laisse mon ami en dehors de tout ça. Il roule avec moi. Nous sommes comme deux frères. Je suis ton seul interlocuteur.
Elizabe le provoque :
— Vous m'appelez aussi votre *ami*. Javier Cruz ne l'est-il pas ?
García ne sourit plus du tout. Il passe lentement la main dans son dos. Elizabe l'imagine en train de caresser la crosse de son pistolet. Il recule d'un pas en vacillant.
Le ton de la voix du mercenaire est glacial :
— Tu n'es pas mon frère. Cruz a juste besoin qu'on lui remette les pendules à l'heure.
Elizabe se mord la lèvre. Il est allé trop loin. Il comprend mieux l'objet de toute cette mise en scène. Le cimetière, les lunettes noires, les larmes de contrition, tout ça.
Apparemment, García a des comptes à régler. Il avait prévu de lui filer le nom de Numéro Cinq dès le début. Il a planté le décor et s'est amusé avec la trouille qu'il lui inspire pour enrober sa réponse d'un joli paquet cadeau empoisonné.
García se racle la gorge :

— Tu as ce que tu étais venu chercher, il me semble.

— Oui.

— Je crois que nous devrions nous souhaiter une bonne journée, à présent.

— C'est aussi mon avis.

Le mercenaire ne bouge pas. Elizabe comprend que c'est à lui de partir le premier. Il s'éloigne sans demander son reste.

Il regagne sa voiture presque en sprintant et démarre aussitôt.

Il pense : Putain de bordel de merde ! Ce type est bon pour l'asile !

Il frémit rien que d'imaginer la réaction de García quand il découvrira ce qu'Elizabe est encore prêt à faire pour se rapprocher de la vérité.

Elizabe se gare en double file et pénètre dans la cabine qui fait l'angle entre les avenues Dubrocq et Foch. Il prend le combiné, insère une carte dans la fente et compose un numéro.

— Allô ?

— Javier Cruz, ce nom te dit quelque chose ?

À l'autre bout du fil, le lieutenant Gabi Arreitz n'est pas très loquace.

— Tu fais chier, Marko.

— C'est un délinquant. Il doit avoir un casier long comme le bras. Je dois mettre la main dessus.

— Tu me prends pour un con ?

— C'est rien pour toi. Tu n'as qu'à taper un nom dans une base de données.

— Je ne suis pas prestidigitateur.

— Cette vidéo que tu m'as filée prétend le contraire.

Silence.

— OK. Je te rappelle.

— Pas au téléphone.

— Après mon service, autour de 20 heures. Il y a une laverie automatique, dans la rue derrière chez moi.

29

Comme par miracle :

Javier Cruz a repris contact avec eux en fin d'après-midi.

García débarque dans le salon où Pinto fait des développés couchés. La radio est allumée. Le speaker annonce un avis de tempête pour le lendemain. Il prédit un coup de vent encore plus violent que Herr Klaus. Alerte rouge ! Alerte rouge ! Ne circulez pas en forêt et évitez de rouler entre 22 heures et 6 heures !

García est surexcité. Il branche le haut-parleur de son portable pour que Pinto profite du message que Javier Cruz a laissé sur son répondeur. Pinto peut l'entendre hurler le nom de Marko Elizabe.

Hystérique, Cruz se demande comment le journaliste a obtenu son nom. Il espère *très sincèrement* que García et Pinto n'ont rien à voir là-dedans. Surtout, qu'ils ne fassent rien sans le consulter *au préalable*.

Pinto se dit que Cruz outrepasse les codes élémentaires de sécurité téléphonique. On dirait qu'il a le feu au cul. Cruz laisse un numéro de portable et souhaite être rappelé de toute urgence. mais le plus étrange est que plus ses imprécations et ses menaces à peine déguisées montent dans les aigus, plus le sourire de García s'élargit jusqu'aux oreilles.

Pinto dévisage son compagnon avec méfiance et dit :

— Bien sûr, Cruz se trompe.

— Bien sûr.

— Tu n'as pas filé à Elizabe son nom et Dieu sait quoi encore dans le seul but de provoquer ce message sur ton répondeur et de nous foutre dans la merde.

García exulte.

— Évidemment.

Son regard exprime exactement l'inverse.

Pinto insiste :

— Tu vas donc le rappeler pour le lui expliquer.

— Sur-le-champ.

— Et lui parler de la vidéo.

García ne répond pas et sourit de plus belle. Il compose le numéro laissé par Cruz et attend. Pas longtemps. Leur responsable décroche à la première sonnerie.

García prononce des paroles rassurantes d'une voix de soldat aux ordres. Il écoute, prend l'air offusqué, puis juré, craché, il promet qu'ils s'occuperont personnellement de vérifier auprès de Marko Elizabe d'où proviennent ses informations. Ils ne laisseront pas un journaliste zélé compromettre des années de lutte antiterroriste. Ils feront leur boulot. Puis García raccroche.

Pinto s'attendait à ce que García dise à Cruz d'aller se faire mettre. Il ignore s'il doit se réjouir de ce changement d'attitude ou s'en inquiéter.

Il dit :

— Et la vidéo ?

— Quelle vidéo ?

— Tu te fous de ma gueule ?

García allume une cigarette et s'accroupit. Il pose une main sur le porte-haltères, à quelques centimètres de la tête de Pinto.

Il murmure :

— Tu as entendu Cruz ? Il faut régler le problème Elizabe. C'est exactement ce qu'on va faire. Pourquoi lui parler de cette vidéo puisque demain, elle n'existera plus ?

— Parce que nous sommes des exécutants et qu'il donne les ordres.

— Je ne vois pas les choses de cette manière.

— Ah oui ? Et on peut savoir comment tu les vois ?

— Tu le sais très bien.

Pinto secoue la tête.

— Qu'est-ce que tu me chantes ?

— Javier Cruz est un carriériste. Ce qui l'inquiète, ce sont ses galons et sa place. Aujourd'hui, il nous demande de parler à ce journaliste, mais bientôt, il s'occupera de nous et je n'ai pas l'intention de le laisser faire.

— Quel rapport, bordel ?

García pose un doigt sur sa poitrine.

— Cruz est un incompétent. Ce qui est arrivé pendant l'opération Sasco est entièrement de sa faute. L'existence même de cette vidéo est de son fait. C'était à lui de prévoir qu'il y aurait une caméra ! À lui encore de s'assurer qu'elle serait débranchée ou hors d'usage. Je ne vois pas au nom de quoi, ce serait nous qui en paierions le prix fort.

Pinto pense que García est sérieusement atteint s'il croit qu'un soldat comme lui a la moindre chance de remettre en question les règles hiérarchiques, mais il n'en dit rien.

Il se contente de se relever et de s'asseoir sur le banc de musculation en se massant la nuque.

— Tu as l'intention d'éliminer Elizabe ?

García caresse le métal des haltères du bout des doigts, l'air évasif.

— Pour qui me prends-tu ?

— Un mercenaire aux abois.

— Écoute-moi bien. Rendons dès à présent une visite à ce journaliste, faisons-lui entendre notre point de vue et discutons sereinement jusqu'à ce qu'il comprenne quel est son intérêt. Je ne suis pas un sauvage, tout de même !

— Je suis heureux de l'apprendre.

Pinto le sonde du regard, García ne cille pas. Il décide de le croire. García est supposé savoir que la fureur des médias est bien la dernière chose que des types comme eux souhaitent.

Il dit :

— Si je comprends bien, on reprend du service.

— Quelque chose comme ça.

García tend le bras et éteint la radio.

— Va te changer.

30

Arreitz se pointe avec une heure de retard à la laverie automatique, déguisé en monsieur Tout-le-Monde. Survêtement, baskets et banane autour de la ceinture. Ses bras sont chargés de sacs de linge sale.

Il ignore la main qu'Elizabe lui tend et lui jette un regard noir. Il lance deux machines sans proférer un son, après quoi il sort sur le perron, allume une cigarette, jette un œil à droite, puis à gauche, balance son mégot, et entre à nouveau.

Il se plante devant Elizabe et soupire.

— Fais chier.

— Tu te répètes, mon vieux.

— C'est un sacré sac de nœuds, ton histoire.

Elizabe s'étonne que le gendarme ne lui donne rien.

— Tu n'as pas quelque chose pour moi ?

— Ton mec, c'est pas un délinquant.

— Un ancien militaire ?

Arreitz se récrie :

— Que dalle ! Un putain de flic espagnol en service, voilà ce qu'il est ! Un sous-officier de la Guardia Civil déféré à l'Unité de coordination antiterroriste de Bordeaux.

— Il bosse avec l'antiterrorisme français ?

Effet de surprise garanti. Elizabe n'avait pas envisagé cette éventualité.

Il demande :

— Tu as eu accès à son dossier, je me trompe ?

— *Nada*. Le type est blanc comme neige. États de service parfaits, notes excellentes, casier vierge. Officiellement, ton Javier Cruz est un saint dévoué à la cause antiterroriste depuis quatre ans.

— Ce n'est peut-être pas le même mec.

— C'est le seul que j'aie trouvé en tout cas.

— Rien dans le fichier national ?

— Bon sang, Marko ! Tu as les oreilles bouchées ou quoi ?

Elizabe réfléchit et dit :

— Tu as son adresse ?

Arreitz secoue la tête.

— Il n'y a pas ce genre d'informations dans les dossiers des types qui bossent avec l'antiterrorisme. Même un journaliste devrait savoir ça.

— Merde.

— Comme tu dis. Et je serais toi, j'oublierais très vite ce type.

— Pourquoi ?

Arreitz ricane.

— Parce que quand j'ai prononcé le nom de Javier Cruz devant mon supérieur, j'ai vu ses yeux s'écarquiller et des antennes hautes comme les Twin Towers se dresser au sommet de son crâne et émettre un message du genre : *Alerte générale ! Alerte générale ! Tout le monde aux abris.*

— Tu lui as parlé de moi ?

— J'ai raconté qu'un journaliste m'avait contacté, suite à la conférence du procureur Delpierre. Il m'a demandé ton nom et m'a dit qu'il s'en occupait lui-même.

— Quel enfoiré !

Arreitz a les yeux rivés sur le bout de ses baskets. Il en sait plus qu'il ne veut bien l'avouer.

Il marmonne :

— Maintenant si tu permets, j'aimerais bien terminer ma lessive.

31

Marko Elizabe est le roi des fouineurs. Son repère ressemble à une porcherie réhabilitée en centre d'investigation dédié à la question basque. Cartes sur les murs, cartons étiquetés par années. Des piles de vieux journaux jaunis et de paperasse s'empilent du sol au plafond. Minutes de procès de militants, rapports balistiques, témoignages, dossiers d'enquête complets. Le genre de documentation qui s'obtient avec de la persévérance et des contacts dans l'institution judiciaire. Le travail de toute une vie.

Pinto se dit : *Un travail de flic.*

Des bruits de course-poursuite et des miaulements apeurés proviennent du couloir emprunté par García, dix minutes auparavant.

Pinto se concentre sur le salon. Au centre, la table de travail du journaliste. Dans l'ordinateur, un fichier de cent soixante-quinze gigas contenant la vidéo, ainsi que des centaines de clichés de militants, de flics, de juges et d'avocats. À droite du clavier, une pile d'imprimés, de notes manuscrites et de clichés anciens ou récents à la gloire d'Adis García.

Pinto appelle son compagnon et les lui tend.

— Ça te plairait de savoir sur quoi planchait ton *ami* le journaliste ?

García les feuillette rapidement et se décompose.

— Quel ramassis de conneries !

— Qui est le pigeon, dans l'affaire ? Qui contrôle qui ?

— Le fils de pute !

Pinto remarque les griffures sur ses bras et ses mains.

— Il y avait une colonie de chats cachée dans l'armoire de la chambre ?

García lève sur lui un regard furibard. Il balance les papiers le concernant par terre d'un geste rageur.

— Laisse-moi deviner. Il n'y a rien sur toi, c'est ça ?

— Bien vu.

— Merde, mais qu'est-ce que je lui ai fait ?

Pinto s'esclaffe.

— Et toi, tu as trouvé quelque chose, à part des animaux ?

García fouille dans sa veste et en ressort deux clefs USB et un DVD qu'il exhibe sous le nez de Pinto.

— Planqués dans la bibliothèque et dans la chambre.

Pinto les insère dans la tour de l'ordinateur et ouvre les fichiers correspondants, un par un, puis il les lui rend.

Il dit :

— Les deux clefs USB sont des copies de la vidéo. Elles datent du 28 janvier, à 2 heures du matin. Le DVD contient la même chose mais il date du 3 janvier. Sans doute l'original.

García plisse les yeux.

— Ce vieux malin a multiplié les vidéos comme des petits pains.

— Il a dû en planquer d'autres.

— Le mieux, c'est d'attendre l'intéressé pour lui poser directement la question, tu ne crois pas ?

Pinto embrasse la pièce du regard.

— On embarque l'ordinateur et un maximum de tous ces papiers dans le coffre.

García sort un briquet. La flamme jaillit sous le nez de Pinto.

— Il y a nos empreintes partout.

Pinto lui saisit le poignet. Il dit d'une voix ferme :

— Non.

— Pourquoi pas ? Notre boulot n'est pas d'enquêter mais de faire le ménage. Ça nous éviterait de transporter tous ces cartons.

Pinto resserre sa prise.

— J'ai dit : *Non*.

García avance son visage vers le sien en signe de défi. Pinto ne cède pas et soutient son regard jusqu'à ce qu'il ferme le Zippo d'un claquement de doigts et éclate de rire.

— Nous ferons un feu de joie ailleurs, dans ce cas.

32

Les prévisions d'Arreitz s'avèrent d'une précision redoutable. En arrivant chez lui, Elizabe découvre que la serrure a été forcée et que sa maison a été fouillée de fond en comble.

Les portes sont grandes ouvertes. Son matelas a été transpercé à coups de couteau. Le contenu de son armoire est étalé sur la moquette. Le salon ressemble à un champ de bataille. La plupart de ses dossiers ont disparu. L'ordinateur est hors-service. La carte sur le mur a été arrachée. Le cadre de la photo de Mari gît sur le carrelage de la cuisine.

Elizabe s'accroupit, le ramasse, balaie les bris de verre du dos de la main et plonge son regard dans celui de sa femme. Il sent ses forces l'abandonner.

Le cliché à la main, il se redresse péniblement et contemple un long moment le spectacle avant de réaliser qu'il n'a entendu aucun miaulement depuis son arrivée.

Il empoche machinalement la photo et appelle ses chats, un par un.

Pas de réponse.

Il jette un œil sous l'armoire, sous le canapé éventré, puis inspecte les pièces, une par une. Il trouve leurs cadavres dans un sac-poubelle immergé dans la baignoire remplie à ras bord.

Son cerveau se remet alors à fonctionner.

Il se dit que tout ça n'est peut-être qu'un simple avertissement mais qu'il ne parierait pas sa vie là-dessus. Il se dit aussi qu'il est peut-être temps de vider son compte en banque et de ranger les souvenirs de Mari dans une valise.

En se précipitant dans les toilettes pour vomir, il se prend même à espérer que la liberté de la presse a encore de beaux jours devant elle.

33

Pinto compte jusqu'à cent avant de sortir de la voiture et de s'élancer vers la maison. García est plus rapide. Il passe la porte en premier et disparaît dans le couloir. Quand Pinto le rejoint, il est dans les chiottes, son arme braquée sur la nuque du journaliste. Ce dernier a le menton et la veste barbouillés de vomis.

García le saisit par le col et le traîne dans le couloir.

— Comment as-tu eu toutes ces informations sur moi ?

Elizabe hoquette :

— De ce côté-ci de la frontière, tout le monde sait qui vous êtes !

— Et la vidéo ?

— Je vous l'ai déjà dit !

— Faut croire que je suis sourd.

— C'est un flic qui me l'a filée.

García le gifle.

— Je ne te crois pas.

Nouvelle gifle, plus violente celle-là. Elizabe se cogne le crâne contre la cloison et se redresse en gémissant.

— C'est la vérité !

— Pour qui tu bosses ?

— Je suis journaliste. Je fais mon boulot !

García déplace le canon de son arme sur la poitrine du journaliste et l'immobilise dans l'axe de son cœur.

— Je ne connais aucun journaliste prêt à risquer sa peau pour un putain de militant basque ! Es-tu informateur pour l'antiterrorisme ?

— Non.

— Tu bosses pour le procureur ?

— Non !

— Pour qui, alors ?

García fait mine de presser la détente. Elizabe ferme les yeux. Il tremble de tous ses membres. Des larmes coulent sur ses joues.

Il psalmodie :

— Personne, personne, personne…

Pinto écarte lentement le bras de García. D'un signe de tête, il l'invite à reculer, l'air de dire : *Ce n'est qu'un interrogatoire d'intimidation, pas une exécution. C'est ce qui était convenu, n'est-ce pas ? Pas d'emmerdes avec la presse.*

Sans plus se préoccuper de lui, il s'accroupit auprès d'Elizabe et lui prend délicatement la tête entre les mains.

Il chuchote, comme s'il s'adressait à un enfant :

— Marko, j'ai un aveu à te faire.

Le journaliste ouvre les yeux.

Pinto dit :

— Mon ami est d'avis que tu vas tous nous balancer et, moi, je crois qu'il se trompe.

Elizabe secoue la tête.

— Qu'en penses-tu ? Tu ne ferais pas ça, n'est-ce pas ?

— Non.

— Dis-le-moi, s'il te plaît. J'ai besoin de l'entendre de ta bouche.

— Je ne vous balancerai pas.

— C'est bien.

Pinto lui réajuste le col de sa veste et esquisse un sourire.

— Tu es un type raisonnable.

Au lieu d'acquiescer comme le ferait un *type raisonnable*, Marko Elizabe se raidit et écarquille les yeux. Il fixe un point situé derrière Pinto, au fond du couloir.

Perplexe, Pinto se retourne lentement.

Il croise le regard halluciné de García. Juste avant de sentir l'odeur de brûlé et de voir les flammes lécher les rideaux de l'une des fenêtres du salon, puis s'étendre au tapis et embraser en une fraction de seconde l'une des piles de papiers appuyées au chambranle de la porte du couloir.

34

Des langues de feu galopent sur le plancher et dévorent les rangées de cartons dans un boucan de tous les diables. Marko Elizabe ne réagit pas tout de suite. Fasciné, il contemple le spectacle. Le colosse l'attrape par le bras et le force à se lever. Il n'oppose aucune résistance et se laisse guider dans le couloir.

Le vacarme est dominé par le rire dément d'Adis García.

Les deux hommes atteignent le salon. La chaleur du foyer est insoutenable. Elizabe suffoque et plisse les yeux. De l'autre côté de la pièce, García se tient dans l'encadrement de la porte d'entrée, grande ouverte. Sa silhouette vacille dans la fumée et les vapeurs toxiques. Il leur fait signe de se dépêcher. Son arme brille au bout de son bras. Un pan entier de la bibliothèque s'effondre dans un fracas de crépitements aigus, libérant Elizabe de l'étreinte du colosse et formant une barrière infranchissable entre eux.

L'idée d'une fin proche agit comme une décharge électrique sur son esprit. Il s'élance dans la direction opposée, indifférent aux cris qui le somment de revenir sur ses pas. Des coups de feu claquent. Les poumons saturés, il s'engouffre dans la chambre, encore épargnée et verrouille la porte. L'intensité du bruit chute, d'un coup. Il parcourt la pièce du regard, étourdi. Une drôle de sensation envahit son bras gauche. Un liquide poisseux s'écoule entre ses doigts. Il aperçoit les traces d'une main ensanglantée sur le mur. Il constate avec stupeur qu'il s'agit de son propre sang. Il baisse les yeux. La manche de sa veste est rouge vif. La douleur se fraie un chemin jusqu'à son cerveau à la vitesse d'un cheval au galop. Ses oreilles bourdonnent.

Elizabe s'extirpe de son état d'hébétude, attrape un sac de sa main valide et y enfourne tout ce qui est à sa portée. Appareil photo, vêtements, un album photo, une broche ayant appartenu à Mari, posée sur la table de nuit depuis son hospitalisation. Il le referme, empoigne les anses et gagne la fenêtre qu'il ouvre en grimaçant.

Une sirène de pompiers de plus en plus stridente perce derrière les craquements du brasier. La fumée charrie des bouts de papiers au-dessus du jardin et sur les toits des voitures. Une explosion lui fait perdre l'équilibre. Elizabe saute et roule dans l'herbe. Sa blessure lui arrache un cri. Il se relève et se met à courir en direction du portail.

L'embrasement éclaire les façades des maisons voisines et le feuillage épais des haies de thuyas. Des voisins sont aux fenêtres et sur leur perron pour profiter du feu d'artifice. Sur le trottoir d'en face, un homme presse ses enfants de grimper dans une 106 Peugeot recouverte de cendres.

Adis García et le colosse ont disparu des écrans radar.

Elizabe s'avance au milieu de la chaussée, lâche son sac et s'affaisse sur le bitume. Sa maison n'est plus qu'une gigantesque torche. Il sort la photo de sa poche et se perd dans les yeux de Mari.

Sa voix supplante toutes les autres :

— Je suis morte, Marko.

Une femme se penche sur lui. Un parfum capiteux couvre un instant les relents de plastique fondu. Ses traits sont doux, ses lèvres épaisses et charnues. Elizabe sourit.

La voix dit :

— Tout va bien, monsieur ?

Il la rassure :

— Ils ne m'ont pas eu, Mari. Pas cette fois.

Des doigts l'auscultent. Les mouvements sont brefs et précis. La même voix, à la cantonade :

— Blessures par balle à l'épaule et à la tête ! Apportez une civière !

35

Cramponné à son flingue, Adis García exulte :

— C'est fini.

— Tu nous as mis dans la merde.

— Plus de vidéo, plus de journaliste, plus de preuves, plus de témoin.

— Ta gueule !

Les yeux rivés sur la route, Pinto se retient d'arrêter le véhicule sur la bande d'arrêt d'urgence et de le rouer de coups de poing. Il sait qu'il aurait le dessus. García est un costaud, mais Pinto est mieux entraîné.

Il s'énerve :

— Il abandonnait la partie !

— Il représentait une menace.

Pinto secoue la tête sans perdre de vue l'arme de García. Il se dit que les douilles laissées sur place dans les flammes parleront. Avant demain soir, la plaque d'immatriculation de la Clio s'affichera sur les murs de toutes les gendarmeries de la région. Leur identité et leur signalement avec. Cela atteindra ensuite les oreilles de Javier Cruz et de ses supérieurs.

Pinto doit se débarrasser de la caisse aussi vite que possible et vider la planque de Biscarosse cette nuit.

De la main droite, il allume le poste et le règle sur une fréquence locale. García glisse une cigarette entre ses lèvres sans cesser de pérorer.

Pinto ferme son esprit, baisse la vitre et se concentre sur sa conduite. Un courant d'air glacé pénètre dans l'habitacle.

Les kilomètres défilent. Biscarosse est en vue. À la radio, un commandant de gendarmerie commente d'une voix monocorde l'incendie d'une villa dans les quartiers sud de Bayonne. Il n'évoque ni la découverte d'un cadavre, ni celle de balles.

García se marre :

— Ce fils de pute a eu ce qu'il méritait.

Pinto s'engage sur le chemin qui conduit à la planque et coupe le contact devant le garage. Une rafale de vent le cueille à sa sortie de voiture. Les ricanements de García se perdent dans la nuit. Pinto se dirige vers le coffre et en extrait son .38 à canon court de sa cachette. Sans hésitation, il contourne la Clio et vient se placer sur le perron, face à la route.

Il dit :

— Donne-moi ton arme.

García aperçoit le Ruger et s'immobilise.

— Tu veux jouer à ça ?

— Ne fais pas d'histoires.

— Tu n'as pas les épaules assez larges.

Pinto soupire :

— Donne-le-moi.

— Je ne le ferai pas.

García relève le menton, crânement, dans une attitude de défi.

Pinto hausse les épaules.

— Comme tu voudras.

Il avance d'un pas, braque l'arme sur la poitrine de García et l'abat.

L'éclat de lumière provoqué par la déflagration illumine brièvement le visage incrédule du mercenaire. Le vent et le rugissement de l'océan couvrent le bruit de la détonation.

Personne n'a rien entendu.

Il attrape une pelle dans le garage et tire le corps de l'autre côté de la maison, contre la dune. Puis il commence à creuser.

Pinto abandonne la Clio dans la banlieue est de Pau après avoir aspergé les sièges d'essence et mis le feu au réservoir.

Il parcourt à pied les deux kilomètres qui le séparent du centre-ville, puis s'enfonce dans les rues piétonnes. Le ciel s'éclaircit. Il déniche un hôtel sur le boulevard des Pyrénées dans lequel il loue une petite chambre avec toilettes et douche sur le palier. Dans sa poche, le portable de García sonne avec insistance. Il pose ses sacs sur un matelas et décroche.

Javier Cruz dit :

— Tu es un homme mort.

36

Dimanche 1er mars. Iban Urtiz regarde le journal télévisé d'un œil distrait. Il n'a pas quitté sa piaule du week-end. Son appartement aurait besoin d'être nettoyé au Kärcher.

La baraque de Marko Elizabe a cramé et il ne répond pas au téléphone depuis trois semaines. Il a demandé et obtenu un congé sans solde de six mois, dixit Mikel Goiri. Iban a sa petite idée.

Marlène s'est lassée de laisser des messages. L'affaire Sasco a disparu dans les limbes de la préhistoire médiatique. Après dix jours de coups d'éclat policiers et de communication à outrance, les deux parties semblent avoir opté pour un cessez-le-feu.

En attendant – mais quoi ? – Iban exécute le boulot pour *Lurrama* sans rechigner. Chiens écrasés, chats empoisonnés, battues au sanglier, inaugurations de ceci, célébration de cela, faits divers locaux.

Tout ce temps-là, Iban appelle les flics, harcèle le bureau du procureur Delpierre. Il planque pendant des heures devant les domiciles de la famille Sasco. Il note les immatriculations de tous les véhicules qui lui semblent suspects. Il établit les emplois du temps des uns et des autres. Il joue au journaliste d'investigation. Il se documente, le jour. Il se prend pour Günter Wallraff[1], la nuit. Il laisse des messages sur le répondeur d'Eztia Sasco. Il relance Élea Viscaya, la supplie de le mettre en contact avec les autres militants enlevés et torturés au cours des dernières années, essuie refus sur refus.

Les paquets vides de Winston et les cartons de pizzas à emporter s'amoncellent sur le tapis de sol de la Ford Fiesta.

Il ronge son frein.

Il s'impatiente.

Dans son esprit, l'idée germe que quelque chose lui est passé sous le nez et qu'il l'a définitivement laissé filer. L'attente se mue en obsession.

L'avis de gros temps annoncé pour la nuit de samedi à dimanche sur toute la façade atlantique a fait *pschitt !* sur la côte landaise. Alerte orange sur le sud. Catastrophe au nord de Bordeaux. Cette fois-ci, la tempête porte un nom féminin. Xynthia. Plus sexy. Les météorologues espéraient peut-être qu'elle soit moins virulente que son homologue aux consonances allemandes.

Ils se sont plantés en beauté.

Dimanche a donc succédé à samedi.

Cédant aux sirènes de la préfecture, Goiri a cherché à le joindre vers 9 heures pour lui demander de sortir prendre des photos. Xynthia

---

1. Journaliste d'investigation allemand. Il s'est notamment rendu célèbre avec son livre *Tête de Turc* (éditions La Découverte, 1986).

a soufflé toute la journée sans discontinuer, projetant au sol les arbres qui avaient échappé à la tempête précédente. Iban a laissé le répondeur s'enclencher sans prendre l'appel. Xynthia balaie Klaus, Sasco avec elle.

La sonnerie du téléphone le tire de ses rêveries en fin d'après-midi. Numéro inconnu. Il décroche.

La réception est mauvaise, la nuit passée les antennes relais ont souffert des rafales de vent. La voix masculine à l'autre bout de la ligne est entrecoupée de crépitements aigus.

— Élea m'a dit que je pouvais avoir confiance.

— Qui est à l'appareil ?

Silence, crépitements, silence.

— Txomin Zunda.

Iban inspire un grand coup :

— On peut se voir ?

— Quand ?

— Le plus tôt possible.

— Ce soir.

— Où ?

— Je préférerais chez vous.

Zunda est ponctuel. Il paraît moins que ses 18 ans. Un duvet brunâtre court sur ses joues. Ses traits poupons sont encore ceux d'un adolescent timide. Pas le genre de gamin que l'on arrête et torture des jours durant.

Il serre mollement la main qu'Iban lui tend, l'observe à la dérobée, avant de le suivre dans le salon. Il se vautre dans le canapé sans attendre d'y être invité.

Iban lui propose une canette de bière qu'il accepte, mais n'ouvre pas, le regard vissé sur le mur, droit devant lui. Le journaliste allume une Winston, tire longuement dessus et pose le paquet en évidence sur la table basse.

Zunda baisse la tête.

— Je ne sais pas si j'ai bien fait de venir.

Iban tire une chaise et s'assoit face à lui.

— Écoute, tu es là pour parler et moi pour t'écouter parce que ton amie Élea l'a jugé bon. Je cherche Jokin Sasco depuis longtemps. Je veux savoir pourquoi et qui en est responsable.

Zunda décapsule sa canette et boit une gorgée, donnant l'impression de prendre son souffle avant de se lancer.

— Ça s'est passé le 4 mai 2008.

— Tu te souviens de l'heure exacte ?

Zunda secoue la tête.

— J'avais fait la fête avec des copains, chez moi, à Bayonne. Ils sont partis plutôt tard, 3, 4 heures du matin. Il faisait encore nuit. Je cuvais ma bière sur mon lit. Ils ont défoncé la porte du studio, m'ont bâillonné et m'ont descendu dans une voiture.

— Quelle marque ?

— Je ne voyais rien, je flippais comme un malade. Il y avait ces rumeurs. On connaissait tous les histoires de Bixente, d'Oihan ou d'Iñaki, ces histoires d'enlèvements et de tortures.

Iban pense :

Bixente Hirigoyen, enlevé le 4 mars 2001, puis torturé. Oihan Borotra, le 10 février 2007. Iñaki Goya, le 2 avril 2008.

— J'étais à l'arrière, entre deux de ces types cagoulés.

— Combien étaient-ils ?

— Il y avait aussi le conducteur et celui qui donnait les ordres, assis à l'avant.

— C'était leur chef ?

— Il était le seul à parler.

— Que s'est-il passé ensuite ?

Zunda prend une autre gorgée de bière.

Son histoire, toujours le même scénario morbide et insensé :

La voiture remonte vers le nord. En chemin, les cagoulés le contraignent à rester courbé vers l'avant, dans une position très inconfortable. Peu de temps avant qu'ils parviennent à destination, Zunda peut se relever quelques secondes pour prendre sa respiration. Les premières lueurs du jour sont juste suffisantes pour qu'il puisse regarder par la vitre. Il croit lire le nom de la ville de Castets sur un panneau publicitaire planté dans le jardin d'une villa. Il n'est sûr de rien.

Iban souligne Castets deux fois.

Ils appliquent un foulard sur son visage. Ils le lui retirent bien après que la voiture s'est arrêtée et qu'ils l'ont contraint à marcher pendant dix à quinze minutes, peut-être davantage. Zunda est attaché dans une cabane humide qui empeste l'urine. Quatre ou cinq mètres carrés. De la sciure sur le sol et de la tôle ondulée en guise de toit. Les murs en bois sont solides.

Les deux premiers jours, ils le harcèlent psychologiquement. Le cagoulé qui parle profère des menaces à l'encontre de sa famille, en particulier de sa sœur cadette qui n'a que 15 ans. Il dit des trucs horribles sur ce qu'elle pourrait subir. À plusieurs reprises, il raconte qu'elle est dans une cabane, pas très loin d'ici, et que les autres cagoulés s'occupent d'elle. Zunda pleure et se pisse dessus. Il perd la notion du temps.

À partir de ce moment-là, ils entrent, ils sortent, dans un long cycle ininterrompu. Ils crient, ils rient, ils crient à nouveau. Ils ramènent un groupe électrogène dans la cabane et simulent des décharges électriques. Puis ils lui passent des enregistrements sonores d'autres jeunes comme lui, torturés également. Des hurlements atroces.

Des gars et des filles.

Zunda entend les voix des amis avec lesquels il a passé la soirée avant son enlèvement. Il croit reconnaître celle de sa sœur. Il est dans un tel état de stress et d'épuisement, qu'ils pourraient bien lui passer en boucle des cris d'animaux, il imaginerait sa famille au grand complet. Zunda raconte tout ce que le cagoulé en chef veut entendre. Il répète chacune de ses affirmations.

Mais ils ne s'arrêtent pas là.

Iban gratte le papier avec frénésie.

Il note :

Le troisième ou le quatrième jour, ils le forcent à se lever et à appliquer les paumes de ses mains contre le mur. Il réalise que celui-ci a été badigeonné au préalable d'une poudre blanche. Peu de temps après, Zunda sent ses mains s'engourdir, comme anesthésiées. L'un d'entre eux brandit alors un seau plein de cette drôle de poudre et lui en jette de grosses quantités sur les jambes. Résultat : Zunda s'effondre sur le sol, incapable de tenir debout.

Les cagoulés ressortent en riant, puis reviennent avec une assiette remplie de fèves et de bouts de viande, sans cuillère, ni fourchette. Affamé, Zunda se précipite dessus dès leur départ et engloutit son repas avec les doigts.

Une fois rassasié, il réalise qu'il n'a pas pensé à se nettoyer les mains. La poudre fait maintenant effet sur ses lèvres, sa langue et son palais. La tête lui tourne. Il pense tout de suite à un poison et se met à délirer. Il tombe dans les vapes.

À son réveil, il est allongé sur son lit, dans son appartement. Ses draps sont souillés de pisse et de merde. Il se rend au commissariat dans cet état pour porter plainte. Un médecin expert est mandaté et parle de delirium tremens. Il conclut à un coma éthylique grave, en raison du fort taux d'alcool retrouvé dans son sang et de l'incohérence de ses propos. Le juge classe le dossier sans suite.

L'incommunication de Zunda a duré quatre jours. Depuis neuf mois, il n'a pas dormi plus de deux heures d'affilée tant son angoisse est profonde.

Sa canette est vide. Iban pousse la sienne devant lui. Il repense au récit d'Élea. Il le connaît par cœur. Il cherche les liens entre leurs deux histoires. Même mode opératoire, même conclusion.

Il demande :

— Tu veux qu'on fasse une pause ?

— Allez-y, posez vos questions.

Iban reprend son stylo :

— Ils étaient quatre.

— Dans la voiture, uniquement. À la cabane, ils étaient cinq.

— Tu en es sûr ?

Zunda attrape la bière et l'ouvre. Sa main tremble. Moins que celle d'Iban.

Il dit :

— Quatre types costauds et leur chef.

— Les mêmes que dans la voiture ?

— Je crois que oui. Ils étaient presque tous sapés de la même manière. Jeans, baskets, pulls à capuche ou hauts de survêtement.

— Ce chef, à quoi il ressemblait ?

— Il était cagoulé.

Iban insiste :

— Un signe particulier, un tatouage, une malformation, quelque chose ?

— Il était plus petit que les autres. Un mètre soixante-cinq, un mètre soixante-dix. Le genre trapu.

— Une alliance, une gourmette ?

— Non. Ah si, un truc. Il avait un Zippo sans inscription avec lequel il jouait en permanence. Il le rangeait dans sa poche à chaque fois qu'il parlait, puis le ressortait quand les autres s'activaient sur moi.

— Il fumait ?

— Pas en ma présence.

Zunda cligne plusieurs fois des paupières.

— Il y en a un qui puait le tabac.

— Ce n'était pas le chef ?

— Non, non. Un grand, des bras énormes. Son pull était trop petit pour lui, comme si c'était celui d'un autre. Même ses fringues sentaient, comme s'il était resté des heures dans un bocal rempli de fumée de cigarette. Un autre, plus costaud encore, empestait l'après-rasage. Une odeur écœurante. Il transpirait beaucoup. Je ne me souviens de rien d'autre, je suis désolé.

Iban grimace pour cacher son excitation.

Zunda descend sa bière. L'alcool le décontracte. Ses tremblements sont à peine perceptibles, à présent. Iban passe dans la cuisine récupérer deux autres canettes dans le réfrigérateur.

À son retour :

— Mets-moi en contact avec tes amis.

Le gamin se fige.

— Iñaki, Oihan et les autres, c'est ça ?

Iban acquiesce.

— Ils ne parleront pas.

— Tu es venu me voir, pourtant.

— Ils ne veulent pas vous parler ! J'aime bien Élea. Elle est un peu comme une grande sœur pour moi. Après mon incommunication, elle a été très présente, et j'ai fait la même chose pour elle. C'est elle qui m'a persuadé de venir vous voir. Mais son influence s'arrête là et moi, personne ne m'écoutera. Merde, j'ai envie de témoigner, mais personne ne sait d'où vous sortez et pour le compte de qui vous bossez !

Iban insiste, sans résultat. Zunda repart peu après minuit. Iban sort aussitôt son portable.

Malgré l'heure tardive, Élea Viscaya répond à la deuxième sonnerie.

— Txomin ressort à l'instant de chez moi.

Sa réponse est à peine perceptible :

— Je sais.

Elle ne peut pas discuter longtemps. Simon la tanne de raccrocher et d'arrêter ses conneries. La peur, toujours la peur. Elle demande à Iban d'être bref.

Il résume le récit de Zunda.

— Je veux savoir à quoi ressemblaient vos ravisseurs.

— Vous ne les retrouverez jamais.

— Vous ne voulez pas connaître la vérité ?

Elle soupire.

— Je connais la vérité.

— Aidez-moi.

— C'est un jeu dangereux.

— Je vous en prie.

— Ils remonteront jusqu'à moi et Zunda et ça recommencera. Maintenant que vous avez nos histoires, vous devez vous débrouiller seul. C'est comme ça que ça marche.

Iban récite sa leçon :

— Ils étaient cinq. L'un d'entre eux était plus petit que les autres, trapu. Il possédait un Zippo sans inscription qu'il tenait, soit dans la main, soit rangé dans la poche. C'est exact ?

Elle ne répond pas, il prend ça pour un assentiment.

— Parmi les quatre restants, l'un transpirait abondamment et essayait de le cacher par du parfum ou un après-rasage à l'odeur écœurante. Un autre empestait le tabac brun. Vous souvenez-vous de quelque chose de plus ?

Elle reste muette.

— Un briquet, un après-rasage, un gros fumeur. Vous vous rappelez forcément d'un détail qui lui aurait échappé.

Il perçoit son souffle à l'autre bout du fil.

Il répète :

— Un briquet, un après-rasage, un gros fumeur.

Simon lui ordonne de raccrocher. Ils se disputent. Iban entend une porte claquer.

— Une casse automobile, dit-elle après un long silence. Je n'en ai parlé qu'à Simon... Ça s'est passé au cours de mon incommunication, le deuxième ou troisième jour. Deux d'entre eux parlaient à voix basse, en espagnol. L'un d'eux a fait allusion à une casse, plus au nord. Peut-être les Landes ou la Gironde, mais si ça se trouve, c'était bien plus haut. Celui qui sentait le tabac brun n'arrêtait pas de répéter que c'était la planque idéale.

— Une planque pour quoi ?

— Il ne l'a pas dit.

— Mais vous avez bien une idée.

Elle marque une pause. Simon est de retour dans la pièce. Il élève la voix. En larmes, elle crie qu'elle est assez grande pour prendre ses responsabilités et que c'est à elle de décider. Il la traite de folle et d'irresponsable.

La communication est brusquement interrompue.

Iban écarte le combiné de son oreille et le fixe un moment sans bouger, comme s'il tenait un bâton de dynamite prêt à lui sauter à la figure.

Une Opel Corsa verte.

La voiture de Jokin Sasco.

Il balance le téléphone sur le canapé et se précipite sur son ordinateur. Il lance Internet et se connecte au service des Pages jaunes. Moins de cinq minutes plus tard, l'imprimante crache une liste de deux cent dix-neuf casses automobiles couvrant la région Aquitaine, dont soixante-douze spécialisées dans la destruction de véhicules.

III

37

L'homme, un employé obèse de la casse d'Audenge, saisit un chiffon graisseux et s'essuie les mains sans quitter le moteur des yeux. Un tic nerveux agite la partie droite de son visage.

On n'est que début avril, mais le thermomètre grimpe déjà au-delà des vingt-cinq degrés à l'ombre.

L'employé affiche un air satisfait.

— Opel Manta, 1973. Onze chevaux, en parfait état de marche. Je connais un gars qui m'en offrira au moins deux mille cinq cents euros, rien que pour la carrosserie. Un collectionneur.

Iban soupire, exaspéré.

Il énonce sa requête pour la troisième fois en moins de cinq minutes.

— Je cherche une Opel Corsa de couleur verte, pas une Manta.

— Je peux vous faire un prix.

— Une Corsa verte.

Agacé, l'obèse referme le capot pour lui couper la chique.

— Ça va, ça va, j'ai compris.

— Vous en avez ?

— Là-bas, dans le fond. Deux épaves.

— Je peux les voir ?

L'employé le guide à travers un entrelacs de pièces empilées et de voitures en attente d'être démontées avant de s'immobiliser au pied d'une montagne de carcasses entièrement vidées. Il montre du doigt deux points de couleur verte, l'un au centre de la pile, l'autre au sommet.

— Si le cœur vous dit d'aller regarder de plus près.

Il ponctue son invitation d'un rire sonore.

Chauffés par la réverbération du soleil, les monceaux de tôle et de ferraille font probablement monter le mercure de deux ou trois points. Iban regrette d'avoir gardé son blouson.

— Bon, vous faites quoi ?

Sans tenir compte de la question, Iban tourne la tête et balaie la casse du regard dans l'espoir d'un miracle.

Il sort une feuille de sa poche et compte le nombre d'endroits comme celui-ci qu'il lui reste à visiter, sur les quelque deux cents que contenait sa liste au départ. Près d'une centaine d'Opel Corsa vertes recensées à ce jour. L'écrasante majorité enregistrée avant la disparition de Jokin Sasco, le 3 janvier dernier. Les voitures restantes ont été éliminées après vérification auprès du service des cartes grises de la préfecture. A priori, aucun des propriétaires rencontrés n'a de lien avec un militaire ou un policier espagnol.

Chou blanc.

Depuis le début du mois de mars, dès qu'il a une heure devant lui, Iban se plonge dans les archives de *Lurrama*. Il compile les sites Internet, les articles de presse française ou espagnole concernant des faits d'armes ou des opérations ayant impliqué des policiers espagnols engagés dans la lutte contre ETA. Photos, noms, trombinoscopes, plaintes, il passe dix jours à fouiner, à comparer, à scruter le moindre cliché à la loupe, à étudier les promotions de flics dont il peut obtenir les organigrammes par la voie officielle ou les procès dans lesquels certains d'entre eux étaient appelés à la barre en tant que témoins ou accusés.

Priorité :

Les affaires de violences, les abus de pouvoir, les enlèvements ou les faits de torture. Comme il s'y attendait, il se heurte au secret de l'instruction et à la protection renforcée dont jouissent les flics dans ce type de dossiers. Il persévère néanmoins, avec un objectif insensé en tête : identifier cinq flics, dont l'un possède un Zippo, les deux autres se parfumant au produit pour chiottes et au tabac brun.

S'il s'agit réellement de flics.

Sur son temps libre, week-end, soirées, congés : la Grande Tournée.

Pau, Agen, Marmande, Périgueux, Bergerac, Bordeaux, Mont-de-Marsan, Dax, Capbreton, Bayonne, Anglet, Saint-Jean-de-Luz, Hendaye.

Cela fera bientôt quarante jours qu'il écume les casses automobiles de la région dans l'espoir de retrouver l'Opel Corsa verte, afin de remonter jusqu'à ceux qui ont enlevé Jokin Sasco.

S'il a réellement été enlevé.

S'il n'est pas en ce moment même au volant de sa voiture quelque part en France ou dans un pays limitrophe.

Si l'Opel Corsa n'est pas au fond d'un étang ou dans un garage espagnol.

Si la carrosserie n'a pas été repeinte.

Si, si, si...

Iban s'entête.

Il allume une Winston et se retourne vers l'employé pour lui demander la date d'enregistrement des deux véhicules. Après une courte hésitation, l'homme l'entraîne jusqu'au bureau, puis l'abandonne à la secrétaire. La femme, une brune entre deux âges aux charmes fatigués, lève les yeux au ciel et lui ouvre le fichier des entrées au 4 décembre 2007 et au 23 juin 2008. Les dates sont bien antérieures au 3 janvier dernier.

Une fois dehors, il sort son carnet, trace une croix à la date du samedi 4 avril 2009 et inscrit le nombre de casses encore à vérifier : trente-deux.

En nage, il regagne sa voiture et se débarrasse de son blouson sur la banquette arrière. L'horloge de l'autoradio indique 13 h 03. S'il ne traîne pas, il a encore le temps d'être à l'heure à Hendaye, pour l'enterrement d'un ancien militant d'ETA.

Une odeur entêtante de pin flotte dans les allées du cimetière. Debout à l'écart, Iban écoute d'une oreille distraite le discours de l'homme qui se présente comme le frère de Fabrice Iraola. Il connaît déjà l'histoire.

Le 27 janvier 1984, au cœur du Petit Bayonne, à proximité de la Nive, la Renault 5 beige d'Iraola explose. À l'origine, une bombe placée sous la calandre de son véhicule par un commando paramilitaire composé d'hommes du GAL. La charge blesse légèrement trois passants, dont un adolescent. Fabrice Iraola survit mais l'attentat le laisse défiguré et paraplégique. Le militant vient tout juste de fêter ses 20 ans. Il en vivra vingt-cinq de plus. Enfin, si on peut appeler ça vivre.

Des policiers observent la scène depuis le portail d'entrée, côté rue Henri-Barbusse. Une foule de trois ou quatre cents personnes est réunie autour de la tombe et dans les allées. Eztia Sasco est parmi eux.

Elle porte une robe aux motifs fleuris qui contraste avec le cadre. Ses cheveux détachés couvrent en partie son visage. Hasard ou effet de perspective, elle paraît isolée du reste du groupe. Comme si les autres traçaient un périmètre de sécurité d'un mètre autour d'elle, à l'intérieur duquel personne ne serait admis, renforçant le sentiment de solitude qu'elle dégage.

Intouchable. Terme ambigu qui évoque le respect en même temps que la crainte et le rejet. Eztia Sasco est la sœur de celui qui a disparu. Celui que l'on ne peut pas enterrer et pleurer. Mais aussi : celui qu'ETA dénonce.

La victime ou le traître.

La victime *et* le traître.

Iban ne la quitte pas des yeux un instant. Il n'est là que pour elle.

Il aimerait s'approcher, lui prendre la main et lui chuchoter à l'oreille : *Je fais mon boulot du mieux que je peux et même au-delà. Je comprends ta douleur. S'il te plaît, laisse-moi la partager. Laisse-moi t'aider à supporter ta peine.*

Il a dans sa poche de quoi lui prouver qu'il cherche son frère jour et nuit comme un damné. Il ne baisse pas les bras. Elle peut compter sur lui. Il voudrait qu'elle tourne la tête dans sa direction, mais son regard reste braqué sur le cercueil d'Iraola, comme s'il s'agissait de celui de son frère.

Iban quitte discrètement le cimetière avant la fin de la cérémonie.

Il poursuit ses investigations au rythme des missions que Goiri lui confie. Les jours s'égrènent avec une lenteur épouvantable, sans qu'aucune preuve ne vienne étayer ses convictions.

Jeudi 30 avril, des militants manifestent en short, T-shirt et casquette à Biarritz pour médiatiser l'affaire Jokin Sasco, embourbée dans les méandres d'une procédure étrangement prudente. Le printemps est d'une douceur exceptionnelle. Les températures battent des records.

Des cars de CRS transpirants et au bord de l'hyperthermie sont dépêchés sur place pour disperser la foule, provoquer et, au besoin, mater les récalcitrants un peu excités.

Iban aperçoit Eztia Sasco en tête de cortège. Toujours fière et combative d'apparence, mais de plus en plus dure et tassée sur elle-même. Il prend une dizaine de photos de loin. Elle se faufile à l'arrière et disparaît avant que les CRS donnent l'assaut et que les choses dégénèrent.

La liste de casses automobiles à visiter s'amenuise. Et avec elle, l'espoir d'une issue favorable.

Iban recommence à zéro, persuadé d'être passé à côté de quelque chose.

Il focalise son attention sur les cent quarante-sept établissements spécialisés dans la revente de pièces détachées et sur les concessionnaires de voitures d'occasion.

Il est désormais capable de nommer par leur prénom la plupart des employées de préfecture de la région affectées au service des cartes grises. Il sait qui traite quoi. Le circuit du business de l'automobile n'a plus de secrets pour lui. Certains vendeurs l'appellent pour lui signaler la moindre occasion. Le tiers de sa paie passe en essence et en pourboires.

Vendredi 1er mai, fête du Travail. Message électronique de Goiri pour lui signaler que le groupe hospitalier Pellegrin de Bordeaux répond par la négative à la procédure pour « disparition inquiétante » lancée par le procureur Delpierre, trois mois auparavant. Aucune personne correspondant au portrait et à la description de Jokin Sasco n'a été admise entre le 3 janvier et le 4 février dans leurs services.

Même son de cloche les jours suivants des hôpitaux de Toulouse, Orthez, Tarbes, Auch, Agen, Dax, Mont-de-Marsan, Pau et Bayonne. À croire qu'ils se sont donné le mot pour répondre au même moment. Iban les rappelle tous un par un pour vérification. Il apprend que les avocats de la famille Sasco ont eu le même réflexe.

Du 4 au 7 mai, il suspend temporairement ses recherches pour se rendre à Toulouse, y rencontrer un contact bossant pour le quotidien *La Dépêche du Midi*. Deux ans auparavant, le journaliste a publié un papier sérieux et documenté évoquant des villas isolées dans l'agglomération toulousaine soupçonnées de servir de planques pour l'antiterrorisme.

Ils passent trois jours à quadriller les environs, attendant la nuit pour se rapprocher des maisons bourgeoises que le journaliste prétend avoir identifiées, au terme de plusieurs années d'enquête. Ils planquent des heures dans des granges ou des trous, observent à la jumelle les allées et venues des propriétaires, quand les villas ne sont pas purement et simplement abandonnées.

Iban met du temps à comprendre que le type le mène en bateau. Il laisse tomber le troisième soir, alors que l'autre insiste pour lui montrer sa petite collection personnelle de photos. Le pseudo-journaliste est en réalité un bras cassé, doublé d'un allumé paranoïaque qui attendait que quelqu'un partage ses délires. Renseignements pris, l'homme est sous le coup d'un procès et a été licencié huit mois plus tôt pour harcèlement et voyeurisme. Il profitait de ses planques dans des lieux isolés pour photographier, à leur insu, des femmes en petite tenue. Un mari l'a surpris en pleine nuit, perché en haut d'un mûrier de sa cour et l'a dérouillé après avoir récupéré son appareil photo.

Lundi 11 mai, à 20 heures, après quatre jours de reprise difficile et d'urgences à traiter pour *Lurrama*, Iban reçoit l'appel d'un employé d'une casse spécialisée dans le retraitement des moteurs et des pièces électroniques.

La société est située à Fontet, dans l'est de la Gironde. Le type prétend avoir sous les yeux un moteur d'Opel Corsa verte dont le dernier propriétaire dirigerait une casse à dix kilomètres au sud de Castets.

La ville dont Txomin Zunda a aperçu le panneau le jour de son enlèvement.

Le hasard n'existe pas, se dit Iban, le 12 mai à la première heure, en arrivant en vue du portail de la société Castaings & Fils de Fontet. Dans le lecteur CD, Saul Hudson pose le dernier riff guerrier de *Perfect Crime*. Iban attend que la dernière note se soit éteinte pour couper le contact.

Physiquement, l'homme est impressionnant. La quarantaine, bleu de travail, mains larges et calleuses, il fume une Lucky Strike devant la porte d'entrée des bureaux de la société, couvant le domaine du regard comme un loup veille sur une bergerie. Il se dirige vers lui sans hésiter.

Sa voix est puissante :

— Je vous attendais.

Iban répond du tac au tac :

— Je ne paie que les renseignements utiles.

Sourire carnassier de l'homme.

— Je suis un ami de la presse, monsieur Urtiz.

— Si vous me montriez cet engin.

Ils se rendent dans le fond d'un atelier encore vide d'employés. À même le sol, un moteur 1,4 litre à injection de 60 chevaux, en partie dissimulé par une bâche graisseuse.

L'homme dégage la protection, s'accroupit et désigne un point situé sur le côté gauche. Iban se penche, mais ne voit que de la fonte. Nouveau sourire amusé de son interlocuteur.

— Le numéro de série a été limé.

— Qu'est-ce que vous voulez que ça me foute ?

Le sourire disparaît aussi sec.

— Ça signifie que la caisse a été volée et que le patron s'est fait enfler en l'achetant. Alors, vous me filez le fric ou pas ?

Iban se relève et époussette son pantalon. Il se dit qu'un moteur de cent cinquante kilos, même privé de numéro de série, vaut bien deux cents euros s'il le conduit aux responsables de la disparition de Jokin Sasco.

— Vous avez le contrat de vente et les papiers ?

L'homme sort une pochette plastifiée de la poche intérieure de sa veste. Iban en extrait les documents et les parcourt avec fébrilité.

Photocopies de la police d'assurance, de la carte grise et du certificat de vente. Des chiffres et des dates. Le nom de Sasco ne figure nulle part.

Sa déception est temporaire.

Il déniche deux informations qui l'intéressent.

Un, l'employé n'a pas menti. L'Opel Corsa est exactement du même modèle que celle de Sasco. Les papiers sont au nom d'un certain Jean-Pierre Mora. Il dirige une casse automobile située sur la commune d'Herm, dix kilomètres au sud de Castets. À cinq minutes à peine de la nationale 10. À quinze du panneau aperçu par Zunda.

Deux, et ça vaut de l'or, le contrôle technique date du lundi 12 janvier 2009, neuf jours après la disparition de Sasco. L'Opel Corsa a passé l'ensemble des tests avec succès. L'heureux propriétaire l'a enregistrée à la préfecture dès le lendemain. Castaings l'a achetée le 15 janvier pour sept cent cinquante euros seulement. Le contrat ne stipule que leurs deux noms.

Iban relève la tête.

— Du neuf pour le prix d'une épave, votre patron a fait une sacrée affaire.

— Mora était pressé.

— Ce que je ne pige pas, c'est pourquoi vous vous êtes empressé de démonter un véhicule en parfait état de marche et de le fourguer en pièces détachées ? Vu le prix d'achat, vous pouviez le revendre tel quel en dégageant une belle marge.

Du pouce et de l'index, l'homme mime le geste de réclamer de l'argent.

— Ça rapporte plus.

— Mais c'est beaucoup de boulot pour pas grand-chose.

— Vous voulez m'apprendre mon métier ?

— On parle d'une Opel Corsa standard de 2006, pas d'une rareté ou d'une voiture de collection.

— Et alors ?

Iban se rapproche, sort quatre billets de cinquante et les agite sous son nez.

L'homme proteste :

— C'était il y a quatre mois.

— Tu parles.

Il louche sur le fric.

— Mora avait déjà appelé plusieurs casses avant la nôtre. Il voulait être certain que la Corsa serait bien vendue en pièces détachées. Une bonne affaire reste une bonne affaire. C'était bizarre, mais le patron a accepté et m'a chargé du boulot.

L'employé tend la main, Iban lâche les billets et empoche les documents. Il réfléchit à la meilleure stratégie. Filer à Herm directement ou se renseigner d'abord.

L'employé se détend.

— Elle intéresse du monde, cette caisse.

Iban se raidit.

— Quelqu'un est déjà venu ?

— Un type, il y a un mois.

— Vous avez son nom ?

— Je ne le lui ai pas demandé.

— À quoi ressemblait-il ?

L'employé décrit un homme costaud, la cinquantaine, cheveux bouclés, grisonnant, sale caractère, le genre négligé.

Iban serre les poings.

Marko Elizabe.

Le cameraman n'a jamais abandonné l'affaire Sasco. Il a choisi de garder l'info pour lui et son passage ici confirme la validité de la piste. Mauvaise nouvelle : Iban a un mois de retard sur lui.

Téléphone vissé à l'oreille, Iban descend la N10 pied au plancher.

Cinq sonneries dans le vide. Le répondeur d'Eztia Sasco s'enclenche. Il se présente, laisse ses coordonnées et demande à ce qu'elle le rappelle sans tarder. Il ne raccroche pas tout de suite.

Il marque volontairement une pause pour ménager son petit effet et il dit :

— J'ai peut-être retrouvé la voiture de votre frère.

Une décharge d'adrénaline lui parcourt le corps. Il réalise que son cœur bat à plein régime et ça l'excite salement.

38

Peio Sasco fait irruption dans le salon. Ses clefs tintent. Il laisse tomber une sacoche sur le canapé. Il est essoufflé. Il s'approche de sa mère, recroquevillée dans son fauteuil, le regard vide, et l'embrasse avec tendresse sur le front.

Un châle en laine de couleur beige est étendu sur les jambes d'Amaia. Ses joues sont creuses. Elle donne l'impression d'être noyée dans ses vêtements. Sa respiration est effroyablement lente, comme si elle économisait ses forces. Elle ne quitte quasiment plus sa place, près de la fenêtre.

Eztia s'inquiète. Leur mère n'a pas prononcé un mot depuis deux jours.

Peio consulte sa montre :

— Comment va-t-elle aujourd'hui ?

— À ton avis ?

Il encaisse sans broncher.

— Elle a mangé ?

Elle désigne le bol de soupe froide encore plein sur la table basse.

— Comme tu vois.

— Qu'est-ce que le médecin a dit ?

— Depuis quand la santé de ta propre famille t'intéresse-t-elle ?

Eztia étudie la réaction de son frère. Ses traits sont émaciés. Lui aussi a maigri. Lui aussi cherche un frère disparu. Peut-être est-elle trop dure avec lui. Peut-être le juge-t-elle sans vraiment chercher à comprendre ce qui l'anime.

Elle demande :

— Et toi ?

Peio hausse les épaules, comme si la question n'avait aucune espèce d'importance.

— La gauche *abertzale* prépare un communiqué pour les trois mois de la disparition de Jokin.

Eztia ironise :

— Le retour de la guerre sale, pas vrai ! Le graaand refrain de la gauche *abertzale*.

— Tu ne penses pas ce que tu dis.

Il a raison. Elle crève d'envie d'en savoir plus.

— Tout le monde se fout de ce que je pense.

— Tu as mieux à proposer ?

— Tu pourrais me relayer de temps en temps auprès de maman, par exemple.

Peio la foudroie du regard. Eztia reçoit le message cinq sur cinq. Elle jette un coup d'œil à Amaia et passe devant lui.

— Suis-moi dans la cuisine. J'ai quelque chose à te montrer.

Peio s'exécute. Un journal est posé, déplié, sur la table. Le quotidien *Lurrama*. En date du 28 janvier 2009. Un article sur la conférence de presse qu'ils ont donnée pour signaler la disparition de Jokin, le 27 janvier dernier.

Il le parcourt rapidement des yeux.

— Et alors ?

Eztia pose le doigt sur le nom de l'auteur. Peio lit à voix haute :

— Iban Urtiz.

Elle lui colle son portable à l'oreille avant qu'il ne fasse un commentaire pour lui faire écouter le message laissé par le journaliste un peu plus tôt.

Une fois l'enregistrement terminé, Peio relève la tête, incrédule. Eztia sourit.

— Qu'est-ce que tu en dis ?

Peio grimace en guise de réponse. Sa bouche dessine une moue dubitative. Il observe Amaia, un instant, l'air songeur. Il se gratte le sommet du crâne d'un geste mécanique. Enfin, il se retourne face à Eztia. Il tend le bras et lui caresse la joue du bout des doigts avec maladresse.

Sa voix claque comme un avertissement :

— C'est des conneries.

39

Jean-Pierre Mora supervise le déchargement d'une Golf accidentée quand Iban pénètre dans la cour de la casse. Un mètre soixante, casque de chantier vissé au sommet du crâne, moustache d'une autre époque, double menton et ventre proéminent, l'homme a l'air d'un contrôleur des impôts assermenté grimé en chef de chantier.

Il lui dit de se garer dans le fond, à côté du Range Rover et de l'attendre devant l'accueil. Il ne le rejoint qu'une fois la dépanneuse partie.

Iban attaque sa troisième cigarette. Il décide de ne pas tourner autour du pot :

— Je cherche une Opel Corsa verte.

Mora blêmit. Son regard est rivé sur la plaque minéralogique de la Ford Fiesta.

— Vous êtes qui ?

Iban secoue la tête.

— Votre collègue, monsieur Castaings, m'a dit que vous étiez spécialisé dans ce type de véhicule.

— Connais pas.

Le ton est sec. Iban brandit devant lui les photocopies obtenues une heure plus tôt. Mora les reconnaît et tend la main pour les récupérer. Iban les rempoche aussi sec.

— Il m'a conseillé d'insister.

— Qu'est-ce que c'est que ces conneries ? Où avez-vous trouvé ces papiers ?

— Jokin Sasco, ce nom vous dit quelque chose ?

Mora lui attrape violemment le bras pour se saisir des documents. Son casque roule dans le gravier. Iban se défend mais le petit homme est étonnamment vif.

— Ce sont des faux. Castaings ne t'a rien donné.

— Je croyais que vous ne le connaissiez pas !

— Tu es qui, toi ?

— Je suis journaliste.

— Un journaliste, voyez-vous ça ! Et tu crois que ça t'autorise à débarquer chez moi et à me menacer ?

Iban tente de se dégager. L'autre finit par lâcher prise.

— Garde tes papiers et casse-toi !

— Écoutez, cette voiture, je m'en fous. Ce que je veux, c'est savoir qui vous l'a ramenée.

Mora ne répond pas. Il se penche à l'arrière de son pick-up. Une barre de fer apparaît dans sa main. Il la lève au-dessus de lui d'un geste menaçant.

Iban recule pour éviter un coup et bute contre l'aile de sa voiture.

— On se calme.

La barre s'abat sur le capot, à quelques centimètres de sa main. Iban se précipite sur la portière et s'engouffre dans l'habitacle. Mora glisse la barre de fer dans l'ouverture pour l'empêcher de refermer.

— Un conseil. Laisse tomber si tu ne veux pas d'emmerdes.

Il retire son arme.

— Maintenant, dégage !

Iban démarre, passe la première et accélère, la peur au ventre. Dans le rétroviseur, il voit Mora le suivre des yeux jusqu'à ce qu'il disparaisse de l'autre côté du mur d'enceinte. Iban donnerait cher pour connaître le numéro de téléphone qu'il doit s'empresser de composer en ce moment même.

Il roule jusqu'au centre-ville d'Herm, les mains cramponnées au volant pour les empêcher de trembler. Il se gare sur la première place de parking qu'il trouve, coupe le moteur et frappe à trois reprises le tableau de bord en se traitant de *sale connard !* En fonçant tête baissée chez Mora, il s'est grillé tout seul. À présent, l'homme ne parlera plus.

Il se laisse aller contre le dossier, la tête en arrière, jusqu'à recouvrer son calme.

Sur le trottoir opposé, un bureau de poste.

Iban quitte sa voiture et traverse la rue. La porte vitrée coulisse en ronronnant. À l'intérieur, une vieille dame discute avec la guichetière. Deux paires d'yeux se braquent sur lui. Il repère un bottin sur une tablette, à côté d'une gondole publicitaire. Il le prend et en tourne les pages avec frénésie.

La sonnerie de son portable retentit. Il jette un œil. Mikel Goiri. Il l'ignore. Derrière lui, les bavardages se sont tus.

Son index s'immobilise à la lettre M.

Mora Jean-Pierre, 47, impasse des Bourdaines, Herm.

11 h 40. Sortie des classes. Isabelle Mora, mèches décolorées, vêtements élégants et talons hauts, se presse dans l'allée de la maison familiale. Quinze ans de moins que son mari. Peut-être davantage. Elle pousse et tire ses enfants vers la porte d'entrée. Le plus jeune tient dans une poussette. Le plus âgé, à qui il ne manque que la moustache pour ressembler à son père, ne dépasse pas le sein maternel.

Deux cents mètres carrés au sol à vue de nez. Garage, abri de jardin, piscine. Pelouse et plates-bandes entretenues avec soin par madame. Bégonias aux fenêtres, barbecue intégré et table de jardin. Moche, mais cher. Quartier de retraités et villas aux volets roulants électriques. Des voisins aux fenêtres qui épient la moindre allée et venue.

Le cadre idéal pour se faire chier toute une vie.

Pas pour organiser des séances de torture de militants *abertzale*.

Iban laisse le moteur tourner et réfléchit un moment au moyen de sortir de l'impasse dans laquelle il se trouve, puis il s'éloigne en direction de la mairie.

La préposée au service du cadastre, une rousse pulpeuse, lève le nez de son écran, l'air contrarié. Son bureau empeste le désodorisant.

— Il n'y a aucun terrain à ce nom sur la commune d'Herm.

Iban lui tend le papier sur lequel il a noté l'adresse.

Il répète :

— Il y a certainement une erreur. Vous avez peut-être mal orthographié son nom. Jean-Pierre Mora.

Iban épelle :

— M.O.R.A. Il possède aussi une casse, sur la route de Pontonx.

La femme se passe la langue sur les lèvres et lance une nouvelle recherche.

Soudain, son visage s'éclaire.

— J'ai trouvé. Les deux lots sont à son nom de jeune fille. C'est elle, la propriétaire. Pas Mora.

Iban se penche par-dessus son épaule. Il lit et mémorise : Isabelle Duprat, épouse Mora, née le 23 juin 1971 à Dax.

Il demande :

— Vous savez s'il y a d'autres terrains ?

— Pas sur Herm, en tout cas.

— Vous pouvez regarder s'il y en a dans les environs ?

Elle presse une touche sur son clavier, la fiche disparaît.

— Je ne peux rien pour vous, désolée. Pour ce genre de renseignements, vous devez vous adresser au centre des impôts. C'est là que les actes notariés du département sont publiés.

Isabelle tient les cordons de la bourse, se dit Iban en regagnant sa voiture. Et le mari magouille et joue au mâle en maniant la barre de fer pour éloigner les journalistes trop curieux.

Iban pénètre dans les locaux de la conservation des hypothèques, à l'ouverture, deux heures plus tard. Eztia Sasco n'a toujours pas rappelé.

Il apprend qu'Isabelle Duprat, en plus de la maison et de la casse, possède une ferme et vingt-cinq hectares de pinèdes à Morcenx, au nord de Castets. Date d'achat : février 2001. Tarif légal de l'information : dix-sept euros.

Une fois dehors, Iban appelle le domicile des Mora. Monsieur est au travail, madame décroche.

Iban dit :

— J'aimerais louer votre ferme de Morcenx.

— Il y a un bail en cours.

— Savez-vous à quel nom et jusqu'à quand ?

— Vous pouvez voir avec mon mari s'il se termine bientôt. C'est lui qui gère la location.

Iban raccroche après avoir pris soin de noter le numéro de portable de Mora.

Une petite voix, toujours la même, lui souffle à l'oreille :

— *Cherche à qui profite le crime.*

Il tourne la clef dans le démarreur, glisse le dernier Axl Rose dans le lecteur CD et monte le volume. Les premières notes de *Shackler's Revenge* couvrent à peine le murmure lancinant et confus de quatre autres voix, celles de Mora et de trois cagoulés, répétant inlassablement :

— *Laisse tomber, si tu ne veux pas te retrouver dans les emmerdes jusqu'au cou.*

40

Pau, planque numéro trois : avec vue sur la gare et les Pyrénées.

Suivant les consignes de Javier Cruz, Pinto s'est calfeutré dans sa chambre d'hôtel. Il a tué l'un des siens. Même si Adis García les avait fichus dans la merde, lui, Cruz et tous les membres de l'opération Sasco, c'était un soldat, comme chacun d'entre eux. Pinto ne s'en est pas encore vraiment remis. Comme une bête à l'abattoir, il redoute les mauvaises nouvelles. Enchaîné dans son box, et pourtant au milieu du vacarme assourdissant de ses congénères sentant approcher l'heure de la mise à mort.

Son credo : discrétion et amphétamines.

Mars :

Le jour, le calme de la ville et la douceur printanière le terrifient. Les allées et venues nocturnes des clients et des voitures sur le boulevard le rendent parano. Dans son esprit, les salauds ne portent pas de cagoules noires, mais ressemblent à monsieur et madame Tout-le-Monde. À chaque bruit de pas suspect devant sa porte, Pinto s'enfonce dans un coin sombre de la pièce, le Ruger dans une main, prêt à tirer pour se défendre. Il ne tiendra pas longtemps à ce rythme-là.

Sa tanière sent le bouc. Il est à court : de sommeil, de patience, bientôt de fric. Il sort peu, uniquement pour acheter la presse et se réapprovisionner en pizzas et en pilules magiques auprès de petits dealers locaux. Il redoute les témoins, les curieux, les traces informatiques, les caméras de vidéosurveillance – surtout les caméras.

Il déniche une cabine téléphonique pour passer quelques coups de fil. Au standard de *Lurrama*, une voix féminine lui apprend que Marko Elizabe n'est pas joignable car il a pris un congé sans solde.

— Vous êtes sûre ?

— Évidemment que je suis sûre.

— Non, je veux dire : il est vivant ?

La standardiste manque de s'étouffer.

— Hein ?

— Je le croyais décédé dans l'incendie de sa maison.

— Vous vous foutez de moi ou quoi ?

Pinto éclate de rire et coupe la communication. Il appelle les renseignements. Un instant après, une boîte vocale automatisée lui confirme que la ligne fixe du journaliste n'est plus attribuée et qu'il n'en existe aucune autre répertoriée.

Soulagé, il laisse un message sur le répondeur de Javier Cruz.

— Il y a du nouveau. Je suis seul. J'attends les consignes. A.P.

Pinto répète sa phrase, donne les coordonnées de son hôtel et le numéro de sa chambre, puis il raccroche.

Cruz le rappelle dans la soirée. La ligne crépite comme s'il appelait d'un portable en pleine tempête. Il est tendu. Pinto raconte toute l'histoire de A à Z, depuis son départ de Dax, sans broderies, sans fioritures. La planque de Biscarosse, Elizabe, la vidéo, les délires de García, l'incendie et la tombe, creusée dans les dunes, puis la fuite sur Pau. Cruz attend qu'il ait terminé sans l'interrompre.

Pinto dit :

— Je veux continuer la mission.

— Tu as encore le portable de García ?

— Oui.

— Débarrasse-t'en. On t'en fournira un nouveau rapidement. Il te faut aussi des papiers et du matériel. Tu as gardé l'arme de García ?

— Oui.

— Même chose que pour le portable.

— Quand est-ce que je serai livré ?

Cruz réfléchit avant de répondre.

— Ça prendra un peu de temps.

— Alors je garde les flingues en attendant.

Les deux hommes s'entendent sur les modalités pratiques, puis Cruz raccroche. Pinto retire la puce du portable de García, la détruit à coups de talon et jette l'appareil.

Il se dit que l'inquiétude de son chef d'opération laisse présager les pires saloperies. Il imagine les titres racoleurs dans la presse. Pinto est le coupable idéal. L'assassin d'un militant d'ETA et d'un mercenaire. Tentative de meurtre sur la personne d'un journaliste. Sur le dos : les flics, la gauche droits-de-l'hommiste, l'extrême gauche révolutionnaire, les Basques, les politiques, les médias au grand complet. Le casting rêvé. Marko Elizabe à la réalisation.

Avril :

Pinto attend des nouvelles de Cruz. Il fait le compte des occasions ratées de sa vie. Il se fait une raison. Des dizaines de fois, il se repasse le scénario de la nuit où il a tué García. Dans aucune version, le mercenaire ne survit.

Voici venu le joli mois de mai :

Pinto intensifie les séances de pompes et de développés couchés. Il a installé une barre dans l'encadrement de la porte pour effectuer des séries de tractions. Il voit la vie en rose et en noir. Il s'est constitué des stocks de speed, savamment cachés derrière une plinthe, sous le radiateur de la chambre. Il veille à ne manquer de rien. La gonflette et les amphétamines le gorgent d'optimisme.

Le 8 mai, Cruz lui fait parvenir un colis à la réception de l'hôtel. Changement de planque et nouvelles consignes. Un jeu de clefs, une adresse sur Bordeaux, un numéro de compte, un billet de train et un passeport au nom de Cristobal Flores. Le type sur la photo du passeport a une tête d'ingénieur et cinq ans de moins que lui. Pinto est épaté par les talents des fournisseurs de Cruz sur Photoshop.

Le 10 mai, conformément aux instructions, il contacte la banque postale de Saint-Jean-de-Luz, sous le nom de Flores. Les fonds sont disponibles. Il gagne le premier bureau de poste et retire la somme maximale autorisée. Sept mille cinq cents euros.

L'employé au guichet le regarde d'un drôle d'air en lui tendant son passeport et le fric.

Gare de Pau, heure de pointe.

Pinto grimpe dans un train régional en direction de Bordeaux. Un pistolet Herstal 9 mm et une dizaine de grenades à plâtre contenant du plastic l'attendent dans un appartement du centre-ville.

Son nouveau credo : action et amphétamines.

Il ouvre la tablette devant lui et déplie son journal. Pages régionales, Pays basque sud. Une manifestation en soutien à la famille Sasco est prévue le lendemain, à Donostia. Pinto sourit en lisant la brève. Hasard ou signe du destin, elle est signée Iban Urtiz.

Pinto se fait la remarque que, dans sa position, mieux vaut ne pas confier sa vie au hasard. Il referme le journal, se cale contre le dossier de son siège et ferme les yeux.

41

Iban entre dans Morcenx sur les coups de 15 heures. Il traverse la ville et prend la direction de l'est. La ferme d'Isabelle Duprat n'est pas visible de la route. Le chemin de terre défoncé qui permet d'atteindre la propriété est interrompu, à mi-distance, par un enchevêtrement de pins que Herr Klaus et sa grande sœur Fräulein Xynthia ont jeté au sol.

Il fait demi-tour. Il scrute les environs en quête d'une autre voie d'accès, mais n'en trouve pas. Il revient à son point de départ et abandonne la Ford Fiesta derrière un taillis de ronces.

Aucune trace de passage récent.

En sueur, Iban parcourt environ cinq cents mètres avant d'atteindre la ferme. Elle est composée d'une imposante maison à colombages, de deux granges en bois et d'un poulailler recouvert de plaques de tôle.

Une ruine.

Murs délabrés, carreaux brisés, volets vermoulus quand ils ne pourrissent pas au sol. De la mousse et des plaques d'herbe s'épanouissent sur les tuiles du toit, dont un cinquième est effondré. Du matériel agricole rouille dans l'unique grange encore debout. Le poulailler comme la cour ont été envahis par des rejets d'acacias. À en juger par la taille de ces derniers, la ferme devait déjà être dans cet état au moment de l'établissement du bail.

Les seuls locataires pouvant vivre là-dedans sont des fantômes, des rats ou des morts.

Iban contourne le bâtiment principal et découvre une extension préservée. Aucune ronce ne pousse devant la porte d'entrée. Elle est équipée de deux serrures neuves qui contrastent avec la vétusté des lieux. Iban balance un coup de pied dans le battant, mais le bois ne cède pas.

Il revient sur ses pas, déniche une barre à mine dans l'une des granges et retourne à l'arrière. Le volet de l'une des fenêtres cède à sa première tentative dans un craquement sec. Il brise la vitre, tourne le loquet et se glisse à l'intérieur.

Iban ouvre les autres volets pour laisser la lumière entrer et allume une Winston.

Coin cuisine, plaques électriques, lavabo, réfrigérateur, cafetière et grille-pain. Une odeur de rat crevé plane dans l'air. Au centre, une table en teck, des bancs et trois chaises. Dans le fond, six matelas sont empilés et un téléviseur dort sur un tabouret. Sur sa droite, un radiateur électrique, puis un bahut. Iban tire sur sa cigarette et ouvre un battant. Sucre, pâtes, café, Kronenbourg et boîtes de conserve. Il en attrape une et consulte l'étiquette. À consommer de préférence avant fin : juillet 2013.

Il prend une canette de bière, vérifie la date de péremption, la décapsule et en boit la moitié. Au pied du meuble, une prise téléphonique. Dans l'angle opposé, un simple rideau masque les toilettes et la douche. Il traverse la pièce et tend la main vers l'interrupteur le plus proche. L'ampoule du plafond s'éclaire aussitôt. Il l'éteint et réfléchit.

La ferme semble inoccupée mais on peut y débarquer à n'importe quel moment.

Iban se fait son petit film Super 8.

Des cagoulés débarquent, accompagnés de Txomin Zunda, d'Élea Viscaya ou de Jokin Sasco. La ferme est une planque idéale. Pas de voisins inopportuns, discrétion assurée, de quoi passer plusieurs jours à six ou plus.

Propre, spartiate, pratique et sûr.

Question : où enfermer la cible ?

Zunda a décrit une pièce de petite dimension aux murs recouverts de planches.

Iban parcourt les lieux du regard en vidant sa bière.

Murs en briques.

Pas d'autre porte, ni de réduit.

Nulle part où enfermer un gamin terrorisé.

Il empoche la canette vide dans laquelle il écrase son mégot et sort en prenant soin de repousser les volets afin de maquiller son effraction, au moins au premier coup d'œil.

Iban passe la ferme au peigne fin.

Rez-de-chaussée, premier étage, combles, cave, placards et cellier. Il sonde les murs du poing, soulève les lattes du parquet. Il calcule la superficie de la bâtisse, assemble mentalement les pièces et le grenier pour vérifier qu'il n'existe aucun espace vacant. Il ne trouve que poussière, moisissures et merdes de rat.

Retour dans la cour :

Il inspecte rapidement le poulailler. Il soulève la paille à la recherche d'une trappe, soulevant un nuage de fiente de volaille séchée à l'odeur écœurante. La première grange ne révèle rien non plus. À défaut d'une geôle, Iban trouve un groupe électrogène presque neuf dans la deuxième, dissimulé derrière deux ballots de paille en état de décomposition avancée.

L'engin ravive le souvenir du récit de captivité de Zunda.

Iban ajoute des scènes à son petit film Super 8 paranoïaque.

Les cagoulés qui ramènent un groupe électrogène dans la pièce où il est retenu.

Les cagoulés qui simulent des décharges électriques.

Zunda, auquel ils font entendre des enregistrements sonores d'autres prisonniers torturés qui lui rappellent des voix connues.

Qui se pisse dessus en croyant reconnaître celle de sa sœur.

Qui imagine le pire.

Qui hurle mais que personne n'entend.

Qui s'évanouit de trouille.

Iban rallume une cigarette pour masquer l'odeur de merde qui lui colle aux semelles et aux doigts. Il refait pour la deuxième fois le parcours emprunté par les cagoulés. Remonter le chemin depuis la route. Contourner la ferme par la gauche. Ouvrir grand les yeux. Si l'on fait abstraction des herbes hautes, un passage assez large pour qu'une voiture s'y faufile se devine.

Derrière le bâtiment, le passage se rétrécit et se divise en deux parties. L'une rejoint la pièce aménagée. L'autre s'enfonce dans la pinède.

Iban opte pour la seconde.

Étroit à première vue, le sentier est en réalité l'une des deux ornières qui composent un chemin forestier. Le tracé bifurque peu après sur la droite, avant de reprendre à gauche, cent mètres plus loin. Là, il débouche sur une saignée de pylônes à haute tension qu'il traverse du nord au sud. Nouvelle parcelle de pins, puis deux cents mètres de ligne droite jusqu'à un bosquet de chênes, plantés de part et d'autre d'un monticule de quatre ou cinq mètres de haut.

Iban grimpe. Derrière, il découvre deux cabanes en parfait état. Des fenêtres à hauteur d'homme sont pratiquées dans les murs de la plus petite. Des planches vissées sans ouverture composent l'ensemble des murs de l'autre, qui est surmontée de plaques de tôle en guise de toit.

Le cœur battant, il ouvre la porte de la cabane aveugle, munie de deux verrous extérieurs, l'un au niveau de la poitrine, l'autre, à trente centimètres du sol.

Iban entre. Il scrute les murs et le plafond, gratte la sciure sur le sol, mais ne voit rien d'autre qu'une cabane vide et trop propre.

Il se dit qu'elle ferait un excellent point d'observation pour la chasse, mais que, sans ouverture, elle est parfaitement inutile.

Il se dit aussi qu'il ne connaît pas de meilleur endroit pour séquestrer, torturer et ficher une peur bleue à des types comme Txomin Zunda ou Jokin Sasco. Leur histoire est peut-être là, devant lui, qui n'en finit pas de se dérouler. Il la regarde droit dans les yeux.

Iban photographie le moindre détail. La fête est finie, mais il entend leurs cris et leurs gémissements. Il s'imagine sur les traces des bourreaux. Il voit les cagoulés qui s'acquittent de leur sale boulot. Qui mènent la sale guerre de ceux qui les emploient et les observent à des centaines de kilomètres, bien au chaud derrière leurs bureaux Louis XVI.

Il a retrouvé les documents et les témoignages. Il a rencontré deux victimes. À force de persévérance, il est remonté jusqu'à l'Opel Corsa de Sasco, puis jusqu'à la ferme, la pièce à l'arrière, les vivres et les matelas. Il a réveillé des fantômes et réuni des preuves.

À présent, il est là, dans cette cabane vide et trop propre.

Il en sait trop et pas assez.

La boîte de Pandore est ouverte. Que leur histoire le concerne ou pas, il y est plongé jusqu'au cou.

Iban serre les dents et pense à l'angoisse d'Élea Viscaya, perdue au milieu de nulle part, à la merci de cinq types qui lui jettent de l'eau glacée sur l'entrejambe et menacent de la violer pour une guerre qui a commencé quand elle n'était même pas encore née. Une guerre bien trop sale pour elle.

Il se souvient alors que la jeune femme a parlé d'une pièce et d'une baignoire, et non d'une cabane en bois. D'autres endroits sordides comme celui-ci existent ailleurs.

Il se dit :

L'histoire ne s'arrête pas là.

La sonnerie de son portable interrompt le petit film qui lui trotte dans la tête. Incapable de maîtriser son excitation, Iban sort de la cabane et décroche.

42

Debout au milieu de la pièce, son portable collé à l'oreille, Eztia est déterminée. Peio peut crever de culpabilité, ça n'est pas son problème. Elle ne lâche pas Simon et Élea des yeux.

Le haut-parleur est branché. Il s'agit d'une affaire de famille. Tout le monde entend les deux sonneries, puis la voix essoufflée d'Iban Urtiz.

— Allô ?

Eztia attaque d'entrée de jeu :

— Je sais qui vous êtes. Je me suis renseignée. Vous étiez à la conférence de presse, fin janvier. C'est vous qui m'avez appelée ce jour-là. Mon frère vous a raccroché au nez. Nous nous sommes également croisés à ma sortie de garde à vue… J'espère que vous avez conscience de la gravité du message que vous m'avez laissé.

— C'est le cas, je vous assure.

— Je l'espère sincèrement.

— Je sais ce que vous endurez.

— Me faites pas rire.

— Je ne joue pas.

— C'est à moi d'en juger.

Le ton de sa voix baisse d'un cran :

— Alors, vous avez vraiment retrouvé l'Opel Corsa ?

— J'ai bossé dur depuis trois mois. J'ai accumulé pas mal d'éléments que je souhaite vous montrer. Je ne suis sûr de rien, mais je crois que ça vaut la peine. Votre avis pourrait m'être d'une grande utilité.

Elle ricane.

— Vous voulez que je vous aide ?

— Non, ce que je veux avant tout, c'est vous rencontrer.

— Pourquoi ?

— Pour savoir si je dois laisser tomber maintenant ou si j'ai raison de croire que cette enquête est la plus importante de ma vie.

Simon se penche vers Élea et lui chuchote quelque chose à l'oreille. Élea secoue la tête avec virulence. Eztia leur fait un clin d'œil, l'air de dire : *Le petit journaliste chercherait-il un scoop ?*

— Je n'ai rien à foutre de vos plans de carrière.

— Vous ne comprenez pas. La disparition de votre frère, les séquestrations d'Élea Viscaya, de Zunda Txomin et des autres, l'incendie de la maison de Marko Elizabe, les cagoulés, tout ça me dépasse. J'ai juste besoin de comprendre. Les preuves que j'ai amassées risquent davantage de ruiner ma carrière que l'inverse. Je fais ça pour moi, sur mon temps libre. Aux yeux de mon responsable, je suis la ligne officielle.

— Vous avez peur ?

— C'est une question piège ?

— Répondez.

Il n'hésite pas longtemps :

— Oui.

— Vous n'imaginez même pas ce que c'est que d'avoir *réellement* peur.

Eztia Sasco se tait un instant. Son cœur bat deux fois plus vite que ce matin de février où les cow-boys de l'antiterrorisme ont fait irruption chez elle.

Elle demande :

— Que comptez-vous faire de tout ça ?

— Je n'en sais rien.

— Un reportage, un livre, des révélations fracassantes ?

— Je n'en ai aucune idée, il faut que vous me croyiez. Pour le moment, j'avance. Après, on verra bien.

Simon fait un geste de la main qui signifie : *C'est du pipeau, il te bourre le mou.*

Eztia dit :

— J'ai besoin de garanties.

— Tout ce que vous voulez.

Surprise, elle marque un temps d'arrêt.

— Vous êtes bizarre, comme journaliste.

— Je suis un *erdaldun*. Pas vraiment de chez vous, pas vraiment d'ailleurs.

Elle rit.

— Vous êtes franc ou stupide ?

— Un peu des deux.

Elle rit pour la deuxième fois. Pas lui, sa gorge est nouée.

Eléa et Simon échangent un regard entendu. Eztia feint de n'avoir rien vu.

Elle dit :

— Je suis d'accord pour vous rencontrer.

— Quand et où ?

Elle propose le 19 mai à Azur, midi, dans une cave à bières. Dans une semaine, jour pour jour. Elle rappellera la veille pour confirmer. Sans message de sa part, il pourra considérer que le rendez-vous est annulé. Il accepte. Elle ne rit plus.

Elle répète, comme un avertissement :

— Je sais qui vous êtes.

43

Iban referme lentement la porte de la cabane en frissonnant et tire chaque verrou. Il rebrousse chemin et regagne sa voiture en courant sans regarder une seule fois en arrière.

Il murmure pour lui-même :

— Voilà, c'est fait.

Les poumons en feu, il s'appuie contre la portière pour reprendre son souffle et réfléchir. Son crâne lui donne l'impression d'être une cocotte-minute sous pression. Il sort ses cigarettes et en allume une. Il la fume comme s'il s'agissait d'une friandise pour enfant.

Au volant, en direction de Castets, le portable coincé entre l'épaule et l'oreille : Jean-Pierre Mora n'a pas le temps d'en placer une.

Iban lui parle de la ferme de Morcenx, de la location bidon, de sa femme, Isabelle Duprat, qui ne sait rien mais qui paie tout, de la pièce à l'arrière du bâtiment, des matelas, du bahut rempli d'assiettes et de bouffe, du groupe électrogène planqué dans la grange à moitié effondrée. Il reprend sa respiration.

L'homme pousse des hauts cris. Il proteste. Iban lui coupe la parole :

— Vous avez du sang sur les mains.

— Qu'est-ce que tu veux dire ?

Iban répond :

— J'entends des cris.

— Quoi ?

Iban remet ça en changeant de refrain :

— Je vois un gamin qui hurle de peur et de douleur.

— C'est quoi, ces conneries ?

— Il y a un cadavre.

— Merde, je n'ai tué personne !

— Je sais des choses sur votre compte.

Alors Iban raconte qu'il a emprunté le chemin dans la pinède qui mène aux deux cabanes de chasse. Il les décrit pour que l'autre ne s'imagine pas qu'il bluffe. Il n'oublie aucun détail. Deux verrous extérieurs, l'un en haut, l'autre en bas. Et un gamin, à l'intérieur, qui hurle de peur.

Mora ne proteste plus. Iban se sent pousser des ailes.

Il demande :

— Combien vous touchez pour tout ça ?

Pas de réponse.

— Combien vous seriez prêt à donner pour que votre femme n'en sache rien ?

Il raccroche.

Au volant de sa Ford Fiesta, Iban ferme les yeux. Il sait que l'autre va rappeler. Il compte jusqu'à trois. Un, deux... La sonnerie retentit.

Mora fait les cent pas devant le portail de la casse. Iban s'arrête le long du mur d'enceinte. Il se penche pour ouvrir la portière avant droite.

Après une seconde d'hésitation, Mora le rejoint et s'assoit, une jambe à l'intérieur, l'autre dehors. Il jette des coups d'œil nerveux au rétroviseur.

— Tu veux du fric ?

Iban ne répond pas. Il observe tranquillement Mora qui s'agite sur son siège. La donne a changé. C'est lui qui tient les rênes à présent.

Mora demande :

— Combien ?

Iban prend son temps. Il sort ses Winston, en propose une à Mora qui la regarde sans la voir. Il hausse les épaules et s'en allume une.

— Depuis quand louez-vous la ferme de votre femme ?

Il insiste sur le *votre femme*. Mora encaisse sans broncher.

— Quatre ans.

— À qui ?

— Des gens qui paient bien.

Iban lève les yeux au ciel et coupe le moteur. Il comprend qu'il doit être plus ferme. Il se retourne vers Mora et le complimente sur sa villa. Il lui dit sa chance d'avoir une aussi jolie femme et des garçons bien éduqués. Ils formaient une belle petite famille, tout à l'heure, dans l'allée. Il ponctue sa description d'un sifflement d'admiration qui a tout l'air d'être sincère.

Les regards paniqués de Mora lui confirment que ses insinuations sont reçues cinq sur cinq.

— Putain, tu veux quoi ?

— Savoir à qui vous louez et pourquoi ils vous louent cette baraque pourrie.

— Tu ignores à qui tu as affaire.

— À un citoyen modèle qui s'apprête à aider la presse pour sauver sa peau.

— Je ne parle pas de moi ! Tu fonces tête baissée dans des emmerdes qui te dépassent.

Mora commence à sortir. Iban lui attrape le bras, le contraint à se rasseoir et lui passe devant pour claquer la portière.

Il susurre :

— Je veux des noms.

Le ton calme de sa voix contraste avec la violence de son geste.

Mora ferme les yeux un bref instant avant de se décider à parler. Il commence par plaider l'innocence. Il joue à l'acteur de cinéma. Il s'offre un rôle de composition, celui de la victime. Ses locataires ne lui auraient pas laissé le choix et, de toute façon, il ne s'est jamais mêlé de leurs affaires. Il en a gros sur la patate parce qu'il sent bien que tout ça n'est pas *net, net*. Il n'en a pas parlé à sa femme pour qu'elle ne se tracasse pas. C'est un bon père de famille, genre : sortez les violons ! Il aime teeellement ses enfants. Pour eux, il vendrait son âme au diable s'il le fallait.

Iban le laisse se lamenter un moment. Il s'étire sur son siège et écrase son mégot dans le cendrier.

Il demande :

— À quelles *affaires* faites-vous allusion ?

Mora raconte que des militaires français sont venus le trouver quatre ans plus tôt. Ils ont sorti des cartes et des documents officiels. Il n'a pas discuté à cause du tampon du ministère et de tout un tas de signatures de hauts gradés. Ils avaient besoin du terrain de Morcenx pour des manœuvres. Qu'il ne s'inquiète pas, ils n'abîmeraient rien. Ils étaient prêts à louer la ferme, même en ruine. C'était temporaire, quelques mois, quelques années dans le pire des cas. Il était possible qu'ils ne l'utilisent pas, mais Mora percevrait l'argent de la location, quoi qu'il advienne. Ils ont fixé un prix pour son silence. Mora leur a dit qu'ils l'achetaient. Les militaires ont doublé le tarif. Il a accepté.

D'autres types sont venus deux mois plus tard le voir à la casse. Ils étaient trois. Des flics français, cette fois-ci, qui ont prétendu s'occuper de la paperasse administrative pour les militaires. L'un d'entre eux a sorti un contrat de location qu'il a dû signer en quatre exemplaires. Sur les documents, ne figuraient qu'un nom, celui d'un Espagnol, Adis García, et des espaces blancs qu'ils compléteraient plus tard.

Iban veut savoir :

— Qui est Adis García ?

Mora assure qu'il ne l'a jamais rencontré, mais que les virements mensuels qu'il perçoit depuis quatre ans proviennent d'un compte bancaire à ce nom. De l'agence bayonnaise d'une banque espagnole, pour être précis. Avec le temps, il a fini par oublier leur existence. Il encaisse l'argent et ne se pose plus de questions.

Iban note le nom de l'intermédiaire et de la banque.

— Vous ne vous êtes jamais demandé pourquoi ils ont choisi votre terrain pour des manœuvres soi-disant militaires, alors qu'il existe la plus grande base de France à trente kilomètres au nord.

— Je ne suis pas stratège militaire, je démonte et je revends des pièces automobiles.

— Vous n'avez pas posé de questions ?

— Aucune.

— Vous n'êtes pas retourné à Morcenx ?

— Jamais.

Iban observe Mora et réfléchit. Son interlocuteur fait profil bas mais sa femme n'en est pas la raison. Quelle est-elle, dans ce cas ? Il sourit. Il croit avoir deviné.

Il demande :

— Vous avez essayé de les joindre, après ma première visite ?

Mora regarde ses mains comme s'il les découvrait pour la première fois.

Iban reformule sa question :

— Ils vous ont envoyé vous faire foutre, n'est-ce pas ?

Mora sort un mouchoir de sa poche, crache dedans, s'essuie la commissure des lèvres et contemple le résultat avant de le remettre à sa place.

Il dit :

— Putain de merde.

Iban lui tape sur l'épaule.

— Quand se sont-ils manifestés pour la dernière fois ?

— Mi-janvier.
— Racontez-moi ça.
— Il n'y a rien à dire. Un type est venu me voir. Un flic espagnol qui puait le tabac.
Iban se fige. Il pense au récit d'Élea Viscaya.
— À quoi ressemblait-il ?
— Plutôt grand, costaud, cheveux courts.
— Quel âge ?
— La quarantaine.
— Vous dites *un flic*. Il vous a montré une carte ?
— C'est comme ça qu'il s'est présenté. Je lui ai demandé si c'était lui, García, mais il a éludé. Il a dit qu'il venait sur les conseils des militaires qui ont arrangé le contrat de location.
— Qu'est-ce qu'il voulait ?
— Il avait une voiture à fourguer.
— L'Opel Corsa verte de Jokin Sasco.
Mora hoche la tête.
— Il m'a dit que c'était la sienne. Je n'avais aucune raison de penser qu'il mentait.
— Vous ne lisez pas la presse ?
Il grimace.
— Le moins possible.
Ses yeux affirment le contraire.
— Que voulait-il exactement ?
— Que je le débarrasse d'une épave.
— Une épave en parfait état de marche.
— Il a payé en liquide, j'ai fait mon boulot.
— Il était pressé ?
— Très.
— Vous ne l'avez pas revu après ?
— Non.

Mora tripote la poignée. Iban scrute ses traits, à la recherche d'un doute ou d'un remords, mais il n'y lit que l'ombre de la peur. Combien de types comme lui savent et ferment les yeux pour une poignée de billets ? Jusqu'à quel point ment-il ? Soupçonne-t-il les activités de ses locataires ? S'est-il renseigné ? A-t-il participé ? Se contente-t-il du loyer ou y trouve-t-il des compensations personnelles qu'il n'a pas évoquées ?

Il demande à nouveau :

— Vous les avez prévenus de ma visite, ce matin ?

Mora soupire avec lassitude.

Iban répète :

— Vous les avez prévenus ?

— Le numéro n'était plus attribué.

— Celui de qui ?

— Mon contact était García.

— Et García a disparu.

— Oui.

— Vous percevez encore le fric ?

— Non.

— Vous avez vérifié ?

— Juste après avoir essayé de joindre García.

Iban se penche devant lui, attrape la poignée et ouvre la portière.

— Il semblerait que vous l'ayez dans l'os, si je comprends bien.

Mora pose un pied sur les graviers.

— On dirait bien.

— J'imagine que ces choses-là arrivent tôt ou tard. Maintenant, vous allez rentrer travailler et on va se souhaiter une bonne fin de journée.

Mora sort et referme. Iban baisse sa vitre et y passe la tête.

Il crie :

— Ne jouez pas au con, Jean-Pierre. N'allez pas foutre le feu à la ferme ou ce genre de choses. Surtout, restez dans le coin.

Il réfléchit et ajoute :

— Vos amis pourraient mal le prendre et moi aussi.

Mora ne se retourne pas. Écœuré, Iban démarre. Il le frôle en passant, manquant de peu de le renverser. Le claquement de la boîte de vitesses et le grondement du moteur qui force enflent dans sa tête.

Les vitres grandes ouvertes :

Courants d'air, musique, riffs de guitare, rythme endiablé, volume à fond. Iban ne regarde pas la route. Ses mains tremblent. Ses cuisses, ses mollets. Les ailes qui lui poussaient dans le dos une heure plus tôt sont parties en fumée.

Le chanteur hurle d'une voix nasillarde dans les enceintes : *Perfect crime – God damn it, it's a perfect crime – Motherfucker, it's a perfect crime – Don't you know it's a perfect crime.*

Les yeux rivés au rétroviseur, il imagine une armée de cagoulés entassée dans des grosses cylindrées qui surgirait par le portail de la casse de Mora et se lancerait à sa poursuite. Tous ces cagoulés n'auraient qu'une seule image en tête. Celle d'un journaliste trop curieux, pissant et pleurant de trouille, recroquevillé dans une cabane vide et sale, attendant avec angoisse le prochain sale coup. La porte s'ouvrirait soudain, ils l'attraperaient par les bras et le relèveraient de force. Jean-Pierre Mora serait planté dans l'encadrement et éclaterait de rire à son premier cri.

Iban coupe la radio et accélère encore. La vitesse estompe ses visions de cauchemar. Il regagne la voie rapide, roule sur une vingtaine de kilomètres, emprunte la sortie numéro 10 et file plein ouest, ne s'arrêtant qu'au sommet de la dune de Moliets, face au poste de surveillance.

Marée basse. La plage est jonchée de bouts de bois et de déchets de plastique. Cinq ou six pêcheurs en bottes, cuissardes et cirés installent leurs cannes sur la droite, au niveau du courant d'Huchet. Un chien, sans doute celui de l'un d'entre eux, s'élance en jappant de plaisir en direction d'une colonie de goélands à bec cerclé qui s'envolent au dernier moment pour se reposer cent mètres plus loin.

Iban court en direction de l'océan. Il retire d'abord ses chaussures remplies de sable, puis il se déshabille entièrement et plonge dans une vague.

Malgré la douceur ambiante, la température de l'eau ne dépasse pas les treize ou quatorze degrés. Les muscles de sa poitrine et de son dos se contractent violemment. Il expire, reprend sa respiration et plonge à nouveau, une fois, dix fois, vingt fois, jusqu'à sentir ses poumons se libérer du poids qui les oppressait. Une sensation de paix l'envahit alors.

Il pique une dernière tête dans les rouleaux, se laisse porter jusqu'au bord et sort de l'eau en frissonnant, la tête vide. Il s'étend sur le sable, à côté de ses vêtements et fixe le ciel d'un bleu pâle, presque laiteux, persuadé que l'histoire ne s'arrête pas là.

44

Grenoble, à deux pas de la gare. Marko Elizabe quitte son hôtel et remonte à pied la ligne du tramway en direction des rues piétonnes. Il croise le visage de Mari partout. Des guirlandes et des affiches criardes annoncent *Fête des Mères !* dans les vitrines. Des boîtes de cadeaux sont empilées jusqu'aux plafonds. C'est Noël avant l'heure.

Au musée, il prend à droite sur le boulevard du Maréchal-Leclerc, puis à nouveau à droite, rue Auguste-Prudhomme. Face à l'hôtel de police, les trois tours de l'Île Verte. Devant : les archives départementales. Il pousse la lourde porte vitrée, entre et se dirige vers l'accueil pour qu'on le guide.

À l'étage, une salle immense éclairée au néon, parcourue de rayonnages. Secteur justice, séries U, W et 5K. Depuis un mois, Elizabe suit le procureur de la République de Bayonne à la trace. Il s'intéresse de très près aux archives de la cour d'appel de Grenoble dont le magistrat dépendait entre 1995 et 2001, quand il était en poste à Gap.

Jean-Marie Delpierre n'est pas aussi stupide qu'il en a l'air. Il aime l'argent et les voitures de luxe. Il possède un chalet à Megève et une marina à Istres. Son train de vie dépasse largement les capacités de son salaire et de celui de sa femme cumulés.

Elizabe a une affection particulière pour les paradoxes. Il se dit que Delpierre n'a pas été muté à Bayonne sur l'affaire Sasco par hasard. Alors, il fait son métier : il enfonce ses mains dans la merde pour en extraire des pépites d'or.

Et il trouve.

Avant Bayonne : Pointe-à-Pitre.

Direction le soleil de la Guadeloupe et les Amériques. Ses grèves générales du LKP et ses villégiatures pour grands bourgeois internationaux, ses îles et ses exonérés fiscaux, ses agriculteurs surendettés et ses planteurs de béton. Sur les photos, Delpierre porte un magnifique trois-pièces écru. Il a dix ans de moins. C'est un procureur peu farouche. Les Antilles, c'est sa récompense. Il vient de monter en grade.

Là-bas, il reprend en 2007 le dossier d'un yacht qui a coulé en quelques minutes, au large de Saint-Barthélemy. Alors que les familles des victimes, les magistrats qui instruisent l'affaire et les experts indépendants soupçonnent une collision entre le bateau de plaisance et un sous-marin français, ce brave Delpierre surgit tel un prestidigitateur. Après lecture du dossier, le magistrat privilégie la thèse de l'*accident de navigation*. Miracle du vocabulaire géopolitique et de l'analyse juridique.

Courant 2007, les parties civiles s'inquiètent à plusieurs reprises du peu d'empressement du ministère de la Défense de l'époque à déclassifier les documents ayant trait à l'affaire. Elles seront servies : en octobre 2008, Delpierre demande – et obtient – que l'instruction soit close par un non-lieu. Juste avant son départ pour le Pays basque, ce qui constitue, en soi, un autre petit miracle.

Mais ce n'est pas tout.

Avant la Guadeloupe : les Hautes-Alpes.

Gap, son parc des Écrins, sa glaciation de Würm, ses Nocturnes estivales et, fin du fin, son procureur de la République Jean-Marie Delpierre, *spécialiste ès affaires classées*.

Elizabe se dit que le magistrat est en passe de devenir un monument local à lui tout seul.

Le préposé aux visiteurs dépose sur la table trois cartons. Années 1999, 2000 et 2001.

Elizabe retire sa veste et se plonge dans les papiers. Il ne relève la tête qu'à la fermeture au public, un sourire aux lèvres.

À Gap, Delpierre n'a pas ménagé sa peine, ni ses talents d'illusionniste.

Une affaire de glissement de terrain, cette fois-ci, intervenue un an et six mois avant la nomination du procureur.

Un cadeau de bienvenue :

Deux morts, une route départementale emportée par une coulée de boue, sur sa trajectoire, un immeuble au permis de construire étrange, des millions d'euros de dommages-intérêts réclamés aux assurances. Les familles des victimes veulent les têtes du préfet et de trois hauts fonctionnaires de la DDE. Les avocats ont réuni des preuves. Le dossier contient des échanges de courrier électronique, des lettres de menaces, des fausses factures. Il empeste les pots-de-vin, le mépris et la merde.

Delpierre est l'homme de la situation. Il s'y connaît en béton et en fosses septiques. Il réclame un non-lieu. Il l'obtient, trois ans plus tard.

Un type soupçonneux s'interrogerait. Delpierre pourrait avoir été consacré spécialiste des affaires classées, des non-lieux *et* des drôles de coïncidences. Un fouineur à l'imagination délirante y verrait sans doute une série de hasards troubles. Presque un faisceau de preuves. De quoi alimenter les théories du complot. Un type tordu se demanderait si le magistrat fait ça dans l'intérêt de la République ou pour des raisons moins avouables.

Un type aussi *tordu et soupçonneux* que Marko Elizabe verrait d'un sale œil la mutation du magistrat à Bayonne, quelques mois seulement avant l'affaire Sasco. Il s'étonnerait de l'étonnante avalanche de dysfonctionnements touchant les institutions policières et judiciaires ayant conduit à l'enlèvement, puis la disparition pure et simple d'un militant d'ETA classé comme dangereux par l'antiterrorisme et surveillé vingt-quatre heures sur vingt-quatre et sept jours sur sept depuis sa libération. Avec ses airs de brave gars dépassé par les événements, Delpierre mène tout le monde en bateau.

Elizabe est excité comme une puce. Il ramasse ses affaires et se presse vers la sortie. De retour à son hôtel, il prend une douche brûlante pour se vider la tête. La peau écarlate, il étale ses notes sur le lit et s'assied en tailleur pour réfléchir.

Il se dit que les Jean-Marie Delpierre ont toujours les mains propres. D'autres font le sale boulot à leur place. Des hommes de l'ombre tels Javier Cruz et Adis García. Ceux-là mêmes qui accomplissent les basses besognes et qui portent les valises pleines de fric venant alimenter le porte-monnaie du magistrat. Des valises comme celle que transportait Jokin Sasco pour ETA et qui a été interceptée par Cruz, García et les trois autres cagoulés. De l'argent facile qui n'apparaîtra jamais dans les comptes de la République.

Dépouiller une organisation terroriste, est-ce vraiment du vol ?

Elizabe passe machinalement les doigts sur sa tempe. Ses cicatrices au crâne et à l'épaule le démangent quotidiennement. Conscient de son tic, il retire sa main. Il prend le téléphone et appelle les renseignements. Un quart d'heure plus tard, il obtient les coordonnées de Radio Guadeloupe RFO ainsi que le nom et l'adresse email du journaliste qui a couvert l'affaire du yacht de Saint-Barthélemy.

Il se rhabille à la hâte et descend à l'accueil de l'hôtel scanner une copie de sa carte de presse qu'il envoie par courrier électronique avec la mention « Urgent ! ». Il désire une revue de presse complète et demande également si les noms de Javier Cruz et d'Adis García lui évoquent quelque chose. Il les souligne de deux traits rageurs.

Il propose un dédommagement pour les frais, ajoute ses coordonnées et remonte se coucher. Il s'endort presque aussitôt.

La sonnerie de son portable le tire brutalement d'un cauchemar dont il est le héros et la principale victime. Les flammes imaginaires qui dansent dans son crâne et lui lèchent la peau tardent à se dissiper. Des vers par centaines semblent ronger ses cicatrices de l'intérieur. Il grimace et ouvre les yeux. L'horloge du téléviseur indique qu'il n'est pas encore minuit. Il tend la main et décroche le téléphone.

Une voix d'homme, hilare, dotée d'un fort accent :

— Marko Elizabe ?

— Qui est à l'appareil ?

— Je suis Pierre-Jules Fanget, de Radio Guadeloupe. Vous avez une connexion Internet à disposition ?

— Non.

— Alors bougez-vous le cul, mon vieux, et munissez-vous d'une ramette de papier, parce que je m'apprête à vous envoyer le fruit de deux années d'investigations.

Il est près de 3 heures quand l'imprimante de l'hôtel termine enfin de cracher les informations du journaliste guadeloupéen. Son dossier sous le bras, Elizabe regagne sa chambre et se met à la lecture sans attendre. 7 h 30 sonnent au moment où il boucle le dernier feuillet, les yeux douloureux et le cerveau en ébullition.

Comme le lui a confirmé Fanget, les noms d'Adis García et Javier Cruz ne sont cités à aucun moment dans l'affaire du yacht.

Par contre, un visage familier apparaît sur un grand nombre de photos officielles, la plupart du temps en retrait derrière Jean-Marie Delpierre. Costume sombre impeccable, cheveux bruns bouclés, moustache impeccablement taillée et regard fuyant. Le garde du corps du procureur de la République. Son homme à tout faire.

Elizabe met un certain temps à identifier les traits du mercenaire qui était avec García quand ils ont incendié sa maison. Le même qui était sur l'aire de repos le jour de l'enlèvement de Jokin Sasco, quelques mois après la mutation de Delpierre à Bayonne.

Il n'en croit pas ses yeux.

Il lui rase mentalement la moustache et les cheveux. Il troque le costume contre un jeans et un blouson noir. Il voit alors distinctement l'un des cinq cagoulés du commando Sasco.

Il pense : *Le putain de porteur de valises de Jean-Marie Delpierre !*

Ce n'est pas tout :

Le journaliste guadeloupéen a fait mieux que ça. Il a même dégotté un nom dans les registres officiels du tribunal de grande instance de Pointe-à-Pitre, avec un numéro de sécurité sociale et une adresse.

Le colosse s'appelle désormais Alirio Pinto.

45

Mercredi 13 mai, dans l'après-midi. Calme plat dans la grande salle de *Lurrama*. Iban est à cran. Il traque Adis García partout.

Comme il s'y attendait, la banque ne lui a fourni aucune indication sur son client espagnol. Il cherche en vain un moyen de court-circuiter le secret bancaire. Il tape dans les bases de données du journal, potasse les articles de presse liés aux différentes affaires ETA.

Selon la description de Mora, le type pourrait avoir pris ses fonctions dans les années 1990. Or, son nom ne figure sur aucun listing disponible. Soit il est flic, comme il le prétend, soit il bosse pour les flics, ce qui élargit le champ de recherche à l'ensemble de la population espagnole masculine née dans les années 1960.

Les deux seuls Adis García figurant dans l'annuaire sont un grabataire de 87 ans et un type de 22 ans. Résultat identique auprès des services d'immigration de la préfecture.

Faux nom, faux papiers, fausse identité. Adis García est un fantôme, sorti tout droit du pire cauchemar de la famille Sasco.

Mikel Goiri passe en fin d'après-midi et lui file du travail pour le lendemain.

Vendredi 15. À partir de photos de presse, Iban dresse sans trop y croire une liste de flics ressemblant à Adis García.

Son nom n'apparaît nulle part. Jean-Pierre Mora a peut-être menti sur toute la ligne.

Iban envoie les photos à Élea Viscaya, mais sa réponse est négative. Elle transmet à Zunda, sans plus de succès.

Il se replonge dans les communiqués de presse d'ETA et dans les articles des quotidiens régionaux. L'organisation envoie des signaux contradictoires qu'Iban ne parvient pas à décrypter.

Le dernier communiqué en date n'évoque même pas Jokin Sasco. ETA parle d'engagement total envers le processus de solution en Euskal Herria[1]. Il évoque des chemins *raisonnables*. Il dit que les anciennes plaies doivent être refermées. Il conclut par un appel à la lutte.

Une photo illustre le communiqué. Trois hommes sont assis derrière une table, vêtus d'un uniforme noir, d'un béret basque et d'une cagoule blanche. Ils lèvent le poing gauche. Le logo d'ETA est cousu sur leur poitrine et cloué sur le mur, derrière eux, en lettres bleu, brun et blanc. Une devise, *bietan jarrai*, celle des deux voies. Une hache, symbole de la force, représentant la lutte armée, autour de laquelle s'enroule un serpent, illustrant la sagesse et la lutte politique.

---

1. Littéralement, le pays où l'on parle la langue basque.

Iban est perdu, il ne maîtrise ni le vocabulaire, ni les signes, ni les codes. Il ne connaît pas l'histoire.

Pour lui, tout ça n'est qu'un folklore exotique de secte et de cinéma. Il ne voit que des cagoulés dans les deux camps et des paradoxes. Ceux en blanc, qui postent des communiqués et prônent la lutte armée et la réconciliation. Ceux en noir, sur une aire de repos, qui enlèvent et torturent. Il aimerait que Marko Elizabe lui fasse une traduction. Il se demande quelles sont les positions d'Eztia ou d'Élea vis-à-vis de toutes ces conneries de drapeau et de symboles.

Sans réponses, Iban quitte le journal en début de soirée et traîne dans les bars de Bayonne, jusqu'à l'écœurement.

Samedi : gueule de bois à se frapper le crâne contre les murs. Iban trouve l'énergie d'éplucher le bottin et d'appeler tous les hôtels d'une zone située entre Hendaye et Capbreton.

Vers 15 heures, un petit miracle se produit. Son mal de tête s'atténue et il trouve la trace d'un homme correspondant à la description d'Adis García. Il aurait séjourné du 22 novembre 2008 au 11 janvier 2009 dans un motel pour saisonniers à Tarnos.

11 janvier 2009 : précisément la date du raid de l'antiterrorisme dans une planque bordelaise d'ETA.

Iban fouille ses notes. Jokin Sasco devait y livrer la valise le 3 janvier. Ses empreintes digitales auraient été retrouvées partout, de la cuvette des chiottes aux films plastique dans lesquels étaient enveloppés les explosifs et les armes.

Iban se rend au motel, carte de presse autour du cou.

La gérante, une femme forte en gueule, a peu de temps à lui accorder. Des cars entiers de touristes espagnols déferlent sur la côte pour profiter des congés de printemps.

Iban apprend toutefois qu'Adis García n'était pas seul. Les locations étaient à son nom et comprenaient cinq lits. Chambres séparées. Elle n'a pas l'identité des quatre autres hommes qu'elle ne voyait quasiment jamais. Discrets et pas causants. Carrures et tailles correspondent en partie à celles des cagoulés qui ont enlevé Zunda et Élea Viscaya.

Dans l'hypothèse où ces hommes se seraient également occupés de Jokin Sasco, la durée de leur séjour laisse supposer que l'opération était prévue de longue date.

La gérante se souvient bien d'eux. En hiver, ses chambres sont presque toutes vides : cinq balèzes ne passent pas inaperçus. Elle s'est pris le bec plusieurs fois avec García à cause de l'odeur du tabac dans sa piaule. Il fume des brunes. Des Ducados bleues. Elle n'était pas fâchée qu'ils s'en aillent, même si elle affirme que, côté loyer, ils étaient réglos. Elle ignore complètement où ils ont pu se rendre après.

À présent, García et les quatre autres enfoirés de cagoulés peuvent être n'importe où. Iban continue de chasser des fantômes.

De retour chez lui, Iban allume une cigarette et appelle sa mère. Elle est surprise. Elle ne s'attendait pas à son coup de fil. Il lui manque. Elle suit des cours de réflexologie après le boulot. Iban se garde bien de dire ce qu'il en pense. Elle demande quand il viendra en Savoie. Elle voit quelqu'un en ce moment et elle aimerait le lui présenter.

Il promet :

— Bientôt, bientôt.

Il sent au ton de sa voix qu'elle ne le croit pas. Il aimerait poser des questions sur son père. Elle bégaie, elle s'excuse, elle a un rendez-vous important et doit raccrocher. La prochaine fois, ils prendront le temps. À son tour de ne pas la croire.

Il dîne sur un coin de table, zappe une heure sur les chaînes d'information, puis se remet au travail. Il reprend l'ensemble de ses notes sur ses recherches des cinq derniers jours et les compile dans un document, photos à l'appui. Il envoie le tout par courrier électronique à Marko Elizabe.

Il conclut son message par une proposition :

À toi de me dire ce que tu sais.

Il signe : *l'erdaldun*.

La réponse du cameraman tombe peu après minuit :

J'ai une bombe entre les mains qui explosera très bientôt.

Iban sourit.

Au moins, le contact est rétabli.

46

À l'autre bout de la ligne, la journaliste basque Elisabeth Munoa déclare :

— Je te remercie d'accepter de répondre à mes questions.

Le tutoiement agace Eztia qui meurt d'envie de l'envoyer promener, mais elle fait le boulot. Pour Jokin. Et parce que ça fait chier Peio qui lui a interdit de parler à la presse sans son accord.

Elle attrape une cigarette et l'allume.

— De rien.

— As-tu remarqué un changement d'attitude de la police après le communiqué d'ETA qui reconnaissait que Jokin faisait partie de l'organisation ?

Eztia soupèse chacun des mots de sa réponse avant de l'énoncer. Elle est prête à mentir parce qu'elle sait que ses phrases seront décortiquées par ceux qui ont enlevé Jokin.

— Quand j'ai été convoquée à Bayonne, on m'a interrogée deux jours durant. À l'exception de mon interpellation, les policiers se sont conduits de façon correcte. Ils sont revenus le dimanche, et à nouveau le lundi, mais cela s'est passé sans heurts. Ils ont emporté le rasoir de Jokin, ses gants et d'autres effets personnels, pour prélever son ADN. Ils ont aussi pris le disque dur de son ordinateur et plusieurs clefs USB. Les policiers venus de Paris n'ont pas non plus tenté de m'intimider.

— As-tu le sentiment que la police fait tout son possible pour retrouver Jokin ?

Eztia prend à nouveau son temps. Elle écrase nerveusement dans le cendrier sa cigarette à peine entamée et en rallume une autre.

— Je n'ai aucune nouvelle des policiers parisiens. Ceux de Bayonne nous tiennent informés par le biais de notre avocate ou m'appellent pour me tenir au courant des progrès de l'enquête. Par exemple, lorsqu'ils ont découvert le cadavre d'un homme dans le gave de Pau, ils m'ont appelée pour savoir si Jokin avait des tatouages ou des marques caractéristiques pour l'identifier.

— Es-tu certaine que ce n'était pas lui ?

— J'ai vu le cadavre à la morgue de Toulouse de mes propres yeux.

La journaliste marque un léger temps d'arrêt.

— Et depuis ?

— Ces derniers temps, ils nous appellent moins. Ils disent qu'ils ont vérifié les aéroports, les trains, les gares, les hôpitaux, mais que les recherches n'ont rien donné pour l'instant.

— As-tu une idée de ce que ton frère est devenu ?

Eztia prend sa respiration avant de répondre, d'une traite :

— Une femme policière m'a demandé pourquoi je parlais de Jokin au passé. Je ne m'en rendais même pas compte. Cela m'arrive parfois.

Elle inhale lentement la fumée et ajoute :

— Maintenant, je dois vous laisser. Merci de ce que vous faites pour nous aider à retrouver mon frère.

Le combiné dans la main, elle termine sa cigarette, puis se rend dans la cuisine boire de l'eau à même le robinet, au bord de la nausée. Elle consulte l'horloge de la gazinière et réalise qu'elle a juste le temps de se doucher et de prendre la voiture si elle ne veut pas être en retard à son rendez-vous avec le jeune journaliste de *Lurrama*.

Iban Urtiz est en retard. Eztia Sasco est déjà installée depuis vingt minutes à la terrasse du Mercade, côté rue, quand il débarque.

Elle est vêtue d'un jeans et d'un débardeur noir. Un foulard aux couleurs vives lui couvre les cheveux. Elle ne porte aucun bijou. Elle sait que son visage dégage un mélange de détermination et d'apaisement qui contraste avec celui de la lionne aux abois qui sortait de garde à vue le 7 février dernier.

Sur la table, une tasse de café vide, un portefeuille et un paquet de Gauloises blondes light. Dans le cendrier, trois mégots écrasés.

Urtiz se présente. Il la remercie d'être venue jusqu'à lui. Elle coupe court :

— J'avais des trucs à régler dans le coin.

Elle désigne la chaise face à elle.

— Vous ne vous asseyez pas. Je vous effraie ?

Il balbutie, hèle le serveur et passe la commande pour donner le change. Elle rit. Son rire est clair et franc. Puis elle s'interrompt, surprise de sa réaction. Urtiz lui avoue ne pas réaliser être assis en compagnie de la sœur de Jokin Sasco. Celui qu'il recherche depuis plus de trois mois. Comme si toute cette histoire n'était qu'une mauvaise blague.

Elle rit de plus belle et allume une autre cigarette en le dévisageant sans éprouver la moindre gêne. Urtiz est beau garçon et sait en jouer. Vêtements à la mode, regard sombre et lèvres charnues. Ses mains sont fines. Il a l'air d'un gamin de 20 ans.

Elle demande :

— Vous vivez dans le coin ?

— À Moliets.

— Vous n'êtes pas d'ici, pourtant.

— Je suis né au Pays basque.

Sa langue claque.

— Ah oui, je me souviens, un *erdaldun*.

— C'est ça.

— Vous n'avez pas l'accent.

— Ma mère est savoyarde, j'ai vécu là-bas. Je suis basque par mon père.

— Vous n'avez pas à vous justifier.

— Je sais.

Elle l'observe un moment en fumant, puis son regard se durcit. Elle écrase longuement son mégot sans le quitter des yeux.

— Vous vous trompez. Je ne fabrique pas d'explosifs et je ne place aucune bombe. Mon frère non plus.

— Je n'ai jamais dit que…

Elle le coupe.

— Je sais ce que vous pensez. Vous le pensez tous un jour ou l'autre.

— Qui, vous ?

Elle sourit.

— Je vais vous raconter l'histoire d'un homme que j'ai bien connu. Avant, je dois vous préciser qu'en France ou en Espagne, les arrestations ont lieu à 6 heures du matin. Toujours. Question de légalité. Sauf pour les hauts responsables d'ETA. À cette heure-là, les voisins et les proches sont rapidement prévenus. Ils s'amassent dans les cages d'escalier, bloquent les portes, empêchent le plus longtemps possible les véhicules de police de passer. Puis ce qui doit arriver arrive. Les flics finissent par repartir avec l'*atxilotua*, c'est-à-dire la personne arrêtée. L'interpellation a lieu quand même, mais elle se fait au grand jour. Tout le monde est au courant, les médias basques sont prévenus. L'homme dont je vous parle n'avait commis que deux crimes. Il était membre du parti Batasuna et il était de nationalité espagnole. Il vivait en France, à Hendaye. Pendant sept ans, il se levait tous les jours avant 5 heures du matin. Il s'habillait, s'éloignait de son domicile, surveillait les alentours, puis il rentrait dormir à 7 heures. Vous imaginez ce que ça représente ?

Elle s'interrompt pour boire une gorgée de café.

— Lui s'est fait arrêter à 3 heures et demie du matin. Cinq jours de garde à vue sans avocat. Cinq jours d'incommunication. Vous connaissez ce terme ?

Urtiz hoche la tête.

Elle poursuit, le regard dur :

— Personne ne savait où il était. Ni sa femme, ni ses proches, ni sa fille. Dans leur jargon, ils appellent ça une interpellation *discrète*.

Elle ricane.

— Dans ce cas-là, la famille n'est pas avertie. L'angoisse commence. Ici, personne ne se rend à la police quand un militant basque disparaît : aucune réponse ne sera donnée pendant cinq jours. Et pour cause ! Le matin du sixième jour, la famille ou ses avocats commencent toujours par contacter les hôpitaux.

— Qui était-ce ? demande Urtiz.

Elle chasse sa question d'un geste de la main. Ses yeux brillent.

— Peu importe. Ce que je veux vous dire à travers cet exemple, c'est qu'il est arrivé exactement la même chose à mon frère. À un détail près. L'incommunication a duré plus de trois semaines avant que les autorités ne mènent des recherches officielles. Pas cinq jours. Voilà en quoi consiste l'élément numéro un du mystère Jokin Sasco. Les flics n'ont pas réagi, *officiellement*.

— Et le communiqué d'ETA ?

Elle termine son café, attrape son paquet de cigarettes et en allume une nouvelle.

— C'est le mystère numéro deux.

— Qu'y avait-il dans la valise que portait votre frère ?

— Ne mélangez pas tout. Ce sont deux questions différentes.

— Elles semblent liées, au contraire.

— Peu importe ce qu'elle contenait ce jour-là. Certains ont parlé de fric, d'autres d'armes. J'ai même entendu dire qu'il blanchissait de la drogue pour financer ETA. La question n'est pas là. Le fait est que Jokin était porteur de valises pour eux – il m'assurait que non, mais je sais qu'il mentait – et qu'il devait livrer une valise ce jour-là à Bordeaux. C'est la seule chose qui compte pour comprendre leur réaction. Le 3 janvier, Jokin disparaît. La famille s'inquiète, c'est normal. Les destinataires de la valise râlent et comprennent que le contenu est perdu, là aussi, rien de plus normal. C'était la merde, mais c'était *normal*, putain ! Or, passé le sixième jour, plus rien ne l'était. Ni pour nous, ni pour eux, vous comprenez ? Non seulement ils avaient perdu le contenu, mais ils réalisaient que le porteur les avait peut-être trahis. Il n'existe que deux raisons qui justifient qu'un militant disparaisse plus de cinq jours. Soit il est mort. Soit c'est un traître et il se planque. Voilà le sens du communiqué d'ETA. En clamant haut et fort que Jokin travaille pour eux, ils ne disent qu'une seule chose : nous ne sommes responsables ni de sa mort, ni de sa trahison.

— Qu'est-ce que ça a changé ?

— Les gardes à vue le lendemain. Quarante-huit heures d'interrogatoire. Je suis rentrée le samedi. Une heure avant ma libération, les flics étaient encore chez moi à effectuer des prélèvements d'ADN. Ils ont embarqué la plupart de ses affaires. Des flics de Bayonne et de la capitale. Et après, plus rien. Une fois passé l'emballement médiatique suscité par la conférence de presse du procureur, je n'ai plus revu ceux de Paris. Le commissariat de Bayonne m'a contactée une seule fois. Ils avaient retrouvé un cadavre près de Pau et voulaient savoir si Jokin portait des tatouages. Pour le reste, ils passent par nos avocats.

— Le reste ?

— Les résultats de l'enquête officielle. Il paraît qu'ils ont vérifié les gares, les aéroports et les hôpitaux de la région, mais que leurs recherches n'ont rien donné.

— Vous ne les croyez pas ?

Elle ricane.

— La guerre sale a existé. Elle peut exister encore.

— Je vous crois.

Elle l'observe.

— Et pour la voiture ?

Urtiz raconte. Il n'omet aucun détail ou alors il ment bien. Mora, les pièces détachées, le flic espagnol, la ferme et les cabanes dans la pinède. Il décrit les cinq cagoulés. Eztia l'écoute sans l'interrompre. Concentrée. Dure, plus dure que jamais. Elle est venue pour ça. Il a l'air de guetter sa réaction. Elle tente d'encaisser sans broncher, mais elle est surprise et des larmes lui montent aux yeux.

— Excusez-moi.

Il se penche vers elle et lui tend un paquet de mouchoirs en papier sans rien dire. Elle secoue la tête. Il n'insiste pas et le rempoche.

Elle demande en s'efforçant de ne pas renifler :

— Pourquoi vous intéressez-vous à mon frère ?

— Ça paraît évident.

— Vous avez des comptes à régler ?

— Non.

Il a l'air sincère. Sa réaction la surprend.

— Je ne comprends pas. Personne ne s'intéresse à nos histoires. J'ai lu vos articles, vous suivez l'affaire depuis des mois. Pourquoi ? Quel est votre intérêt personnel ?

— Aucun.

— Tout le monde en a un.

— Je fais mon boulot.

Elle est intriguée, presque amusée.

— Ça ne suffit pas. Les gens ne réagissent pas comme ça.

— Je ne suis pas *les gens*.

— Vous ne défendez pas la cause basque.

— Et alors ? Ça fait de moi un ennemi ?

— Non, mais vous êtes quoi ? Un militant de la Ligue des droits de l'homme, un internationaliste, un libertaire ?

— Je suis journaliste.

— Tu parles d'un argument !

— Tu me reproches quoi au juste ?

Bizarrement, le tutoiement ne gêne pas Eztia. Elle redresse la tête et le jauge une longue minute avant de répondre :

— Je n'en sais rien. C'est tellement...

Elle cherche ses mots.

— Inhabituel.

— Je ne vois pas en quoi. Je veux comprendre pourquoi ton frère a disparu, où il se trouve aujourd'hui, et ce qu'il s'est passé entre les deux. C'est aussi simple que cela. Il me semble que c'est la seule bonne question à se poser.

— Comment peux-tu en être si sûr ?

— Tu me demandes des preuves ? Écoute, je reçois des lettres de menaces depuis trois mois. Le 4 février dernier, deux types encagoulés m'attendaient en bas de chez moi pour me faire comprendre qui étaient les patrons.

— Je suis désolée.

— Pourquoi ? Tu étais la commanditaire ?

— Bien sûr que non !

— Parce que le problème n'est pas d'avoir terminé ma nuit aux urgences de Dax.

— Quoi alors ?

— Le *vrai* problème, c'est que j'ignore dans quel camp étaient ceux qui portaient les cagoules.

Urtiz se penche vers elle. Ses mains tremblent. Il n'aurait qu'à tendre le bras pour lui toucher le visage.

Il dit :

— Tu le sais, toi ?

Eztia se lève d'un bond et le menace de l'index.

— Tu m'as fait venir ici pour m'insulter ?

— Non.

— C'est pourtant ce que tu viens de faire !

En colère, elle ouvre la bouche pour ajouter quelque chose, mais elle se ravise, ramasse ses affaires et quitte la terrasse.

Urtiz jette un billet sur la table et s'élance à sa poursuite. Il la rejoint alors qu'elle s'apprête à ouvrir la portière de sa voiture.

— Attends !

Il lui saisit le bras. Elle se retourne d'un mouvement sec pour lui faire front. Il l'embrasse. Elle s'écarte et le gifle violemment.

— Qu'est-ce que tu crois ?

Il recommence. Elle se laisse aller dans ses bras un instant, puis elle s'écarte à nouveau, secoue la tête, s'engouffre dans sa voiture et se met à pleurer.

Urtiz pose une main sur son épaule. Elle l'envoie promener.

— Laisse-moi tranquille.

Apparemment, il ne trouve rien à répondre à ça. Il se tait. Il s'accroupit à côté de la portière ouverte et la regarde un moment. Un camion chargé de billons de pin passe sur l'avenue dans un tourbillon de poussière et un vacarme épouvantable. Eztia finit par se redresser et tourne la tête vers lui.

— Et maintenant ?

Urtiz réfléchit à sa réponse.

— Je peux essayer de publier un article sur tout ce que je sais, ce qui contraindrait les flics ou les politiques à réagir. J'ai des contacts dans la presse nationale. Ça peut intéresser du monde.

Elle grimace.

— On ne peut pas avoir confiance en eux et tu n'as pas assez de preuves.

— On peut les attaquer sur le plan juridique pour enlèvement, séquestration et torture.

— Cette bataille-là est perdue d'avance.

— Je ne suis pas d'accord.

Elle lève la main.

— Ça ne marche pas comme ça.

— Je n'ai pas peur d'eux.

— Ce n'est pas la question, putain ! Tu crois que j'ai peur d'eux ?

— Je ne veux qu'une chose : la vérité sur ton frère.

— Ce n'est pas suffisant.

— Qu'est-ce que tu proposes, alors ?

Elle soupire longuement.

— Je n'en ai aucune idée.

Puis elle rapproche son visage du sien et l'embrasse.

Le ciel s'éclaircit. Eztia glisse une Winston entre ses lèvres et quitte le lit à regret pour chercher un briquet dans la poche de son jeans. Elle traverse l'appartement dans le noir, allume le néon au-dessus de l'évier et met du café à réchauffer dans une casserole. Pensive, elle fume sa cigarette, puis prépare deux tasses et les remplit.

Le bruit de la douche s'interrompt. Urtiz fait irruption dans le salon un instant plus tard. Ses cheveux sont mouillés et des gouttes d'eau perlent sur ses épaules. Ils échangent un regard, mais elle ne bouge pas. Elle l'observe se rhabiller dans la pénombre, consciente de jouer à un jeu dangereux. Elle ne connaît qu'une partie des règles, il ignore tout ou presque des autres joueurs, même si, à cet instant précis, ce n'est pas ce qui la préoccupe le plus.

— J'ai préparé du café.

Elle vide sa tasse et se dirige vers la salle de bains.

Quand elle en sort, dix minutes plus tard, Urtiz est parti acheter du pain et des croissants. Elle griffonne un mot sur lequel elle indique son numéro de portable. Elle le dépose sur la table basse, s'habille à la hâte et s'enfuit avant qu'il ne rentre.

Une fois dans sa voiture, elle commence malgré elle à calculer les heures qu'il lui reste avant de le revoir et elle s'en veut pour ça.

47

Encore une filature aujourd'hui. Alirio Pinto fait désormais cavalier seul. Il passe par sa planque bordelaise uniquement pour se raser et se doucher. Jour et nuit, la Peugeot 306 grise qu'il a louée lui tient lieu de chambre, de cuisine et de salon. Des armes et deux jeux de plaques d'immatriculation différentes sont dissimulés sous la roue de secours, dans le coffre.

Pinto a presque oublié Adis García. Il fait des rêves psychédéliques. Il est heureux comme un poisson dans l'eau.

Javier Cruz se manifeste une fois par semaine sous la forme de petits colis. Il prend soin de Pinto comme s'il s'agissait de son propre fils. Un vrai papa gâteau. Mots doux, plans d'action, biographie détaillée des cibles à filer, jambon séché espagnol, lunettes TN-21 à amplification de lumière pour voir même dans la nuit la plus noire, argent liquide et amphétamines.

Quatre jours de boulot, deux jours de pause. Quatre jours de terrain, deux jours de rapports. Plus un petit extra de temps en temps.

La cible : Eztia Sasco, la sœur du cadavre le plus encombrant de sa carrière de mercenaire.

Au programme : pas de menaces ni de violences physiques ou sexuelles. L'incident de la maison de Marko Elizabe ne doit pas se reproduire. Officiellement, il n'existe aucune enquête visant la sœur de Sasco.

Observer, prendre des notes et élaborer de beaux rapports.

Discrétion et encore discrétion.

Pinto gobe une pilule magique et boit une gorgée d'eau à la bouteille. Il déglutit et jette un œil à sa montre. L'appartement de cet enfoiré d'Iban Urtiz est toujours éteint mais il lui a semblé percevoir du mouvement derrière la fenêtre du salon. Bingo ! La lumière de la salle de bains s'éclaire.

Il saisit son enregistreur numérique, presse une touche et murmure :

— 7 h 02. Le journaliste Iban Urtiz se lave enfin la bite après une nuit de baise torride avec la cible et sort cinq minutes pour acheter des croissants.

L'indépendance de la presse en prend un coup. Désormais les motivations du journaliste sont claires. Il a choisi le camp des terroristes. Eztia Sasco se console dans ses bras de la disparition de son frère. À moins qu'elle n'achète des informations avec son cul. Ou les deux.

Il repose l'appareil en se demandant en quoi ce type d'informations peut être utile à ses supérieurs, même s'il sait que Cruz en pissera dans son froc d'excitation quand il apprendra qu'Urtiz fraie avec cette salope d'*abertzale*.

Il se gratte le crâne et s'étire en bâillant. Il repense avec nostalgie au joli déhanché de la cible, intégralement à poil, quatre heures plus tôt, dans la chambre du journaliste, avant que ce connard ne tire les rideaux. Il se dit que dans deux jours, il aura tout le loisir de se faire astiquer le manche par l'une des putes du quartier de Bordeaux Saint-Jean et qu'elles, au moins, ne font pas de politique.

Les néons de la cage d'escalier s'illuminent soudain. Peu après, la cible pousse la porte de l'immeuble comme si elle avait le diable aux fesses. Pinto se tasse sur son siège pour ne pas être repéré. Elle s'engouffre dans sa voiture et démarre aussitôt.

Il tend le bras, extrait de la boîte à gants le récepteur antédiluvien que lui a fourni Cruz et l'allume. Il constate avec soulagement que le dispositif de géolocalisation qu'il a planqué sous son pare-chocs arrière fonctionne. Un point rouge apparaît sur l'écran, avec la position de la fille. Elle se dirige vers la N10.

Il décide d'attendre une minute avant de se lancer à sa poursuite en coupant par la route qui longe la côte.

Pinto rattrape la cible quarante minutes plus tard, à Bayonne, au moment où elle pénètre sur le parking de l'immeuble où vit son frère Peio. Il note l'heure et descend de la 206 pour se dégourdir les jambes.

Autour de lui, le quartier se réveille. Des gamins sortent des halls d'immeubles, un cartable sur le dos, suivis par leurs mères. Un groupe d'adolescentes passe en gloussant devant lui. Le regard de l'une d'entre elles s'attarde un instant sur lui. Elle lui sourit. Merde, il lui semble même qu'elle essaie de l'allumer ! Ces petites putes de filles de terroristes ne doutent de rien. Il secoue la tête et réintègre la voiture sans plus s'occuper d'elles.

Il attrape l'enregistreur, réfléchit un instant, puis il dit :

— 8 h 15. La cible est chez son frère, probablement occupée à faire son rapport. Possible lien entre le journaliste Iban Urtiz et la famille Sasco. À déterminer. Nouvelles consignes ?

Pinto retire ensuite la carte mémoire de l'appareil qu'il introduit dans son PC portable. Il tape la clef à quatorze chiffres pour se connecter en mode sécurisé à la messagerie de Cruz, patiente un instant que l'ordinateur charge le fichier son et l'envoie, puis il attend.

La réponse tombe dix minutes plus tard sous la forme d'un mot laconique : *Pas de changement de cible pour le moment*.

Pinto hausse les épaules, se déconnecte, remet tout en place et se tient prêt.

Un homme d'une quarantaine d'années au visage sombre donne deux coups brefs sur la portière côté conducteur. Surpris, Pinto fait un bond, ce qui fait sourire le type. Ce dernier mime le geste de baisser la vitre. Pinto s'exécute.

Le type pose une main sur le toit et se penche en prenant son temps. Il balaie l'habitacle du regard, s'attarde sur la boîte à gants, puis se fixe sur Pinto.

Il dit :

— Faut pas rester là, monsieur.

Pinto ricane.

— Et qui m'en empêcherait ?

L'homme se raidit. Il fait un signe de la main. Six autres types entre 20 et 50 ans le rejoignent, les poings enfoncés dans leurs poches.

Pinto les observe se placer autour de la 206. Son rythme cardiaque accélère. Des habitants du quartier regardent la scène à distance.

Pinto pense : *Putain de solidarité basque de mes couilles !*

Il dit, des trémolos dans la voix :

— À quoi vous jouez ?

L'autre fronce les sourcils, comme si la question était parfaitement incongrue.

Pinto comprend que son interlocuteur est le chefaillon d'une milice qui veille sur Peio et Eztia Sasco. Pinto devine qu'il ne connaît pas son identité, mais qu'il pourrait passer un sale quart d'heure si ce dernier découvrait l'arsenal de surveillance qu'il planque dans sa boîte à gants. Il comprend aussi que la filature d'Eztia est terminée pour aujourd'hui et qu'il devra changer de bagnole. Il se dit qu'il doit prendre les devants et impressionner les gars un bon coup avant de mettre les voiles.

Le regard mauvais, le type se penche un peu plus et rentre la tête par la portière. Pinto amorce le geste de glisser la main sous son siège pour y attraper son pistolet Herstal 9 mm, mais le type l'a vu venir et l'en empêche d'une poigne ferme.

— Faut pas rester là une minute de plus.

Il désigne le démarreur de l'index.

— Tire-toi !

48

Marko Elizabe est de retour à Bayonne et il est bien décidé à faire éclater la vérité sur la disparition de Jokin Sasco dès qu'il aura réuni toutes les preuves.

Il possède une vidéo accablante. Il a harcelé tous ses contacts, dans la police et dans les cercles militants. Il a découvert qu'Alirio Pinto était le porteur de valises du procureur de la République. Le lien entre le mercenaire présent sur l'aire de repos où Sasco a été enlevé et l'institution judiciaire est à présent établi. Elizabe a contacté le conseiller du procureur. Il a laissé un message éloquent à la secrétaire qui a décroché. Jean-Marie Delpierre doit en chier dans son froc, maintenant qu'il sait.

Depuis trois jours, Elizabe cherche Pinto partout. Il a distribué sa photo dans chaque bar et dans chaque commissariat, tout en sachant qu'il prend de gros risques. Il a multiplié les oreilles et les yeux comme des petits pains. Cousue dans la doublure de la poche intérieure de sa veste avec la carte mémoire de la vidéo, la photo de Mari veille sur lui et le protège de ses démons.

Il faut tirer les langues de force pour qu'elles se délient. Au besoin, les arracher.

Le travail de contre-communication du pouvoir mené depuis le début des années 1980 a remarquablement bien fonctionné et a laissé des traces durables. La stratégie menée par Madrid fonctionne comme une véritable machine de guerre. *Silence ! Isiltasuna ! Silencio !* D'un côté et de l'autre de la frontière, quel que soit leur camp, qu'ils portent une cagoule ou pas, ils apprennent tous à murmurer, d'abord, et à se taire, ensuite. Seul le vacarme des bombes perturbe les mots d'ordre.

1983, l'année fondatrice du plan Zen.

Lois d'exception, contrôle de la population, répression policière accentuée, action psychologique et désinformation sont les ingrédients de ce plan, destiné à en finir avec la question basque. Officiellement, tout le monde est Zen.

Zen, comme *Zona Especial del Norte*.

Zen, comme :

« Silence, ça tourne au Pays basque nord ! »

Zen, comme :

« Hé les gars ! Oubliez Jean-Marie Delpierre, Javier Cruz et Mikel Goiri. Voyez la légende Kelly Slater. Faites comme lui, soyez cools ! Et n'oubliez pas de fermer vos gueules ! »

Aujourd'hui, le Pays basque en est là où il en est. Sasco est kidnappé, torturé et relégué aux oubliettes, mais les mercenaires responsables de ce bordel sont plus bavards que trois millions de Basques réunis.

Elizabe a envie de hurler :

— Zeeeeeeeeeeen !

Il ne baisse pas les bras pour autant. Il harcèle à nouveau tous ses contacts policiers et militants. Il imprime d'autres photos qu'il distribue comme s'il s'agissait de flyers pour une soirée étudiante. La plupart le voient comme un fou. Tous le traitent de salaud dans son dos.

Elizabe gueule haut et fort :

— Gratuit pour les filles !

Il précise, à voix basse :

— Qui sera le prochain Jokin Sasco ? Toi ? Ta sœur ? Peut-être même ton fils ?

Pour se motiver, Elizabe imagine le gros titre :

Une investigation coup de théâtre d'un journaliste basque est publiée dans Lurrama :

Selon des sources policières fiables, Jokin Sasco aurait été intercepté sur la N10 le 3 janvier, mais, souffrant, il aurait trouvé la mort au cours de l'interrogatoire mené de manière illégale sur le territoire français. Selon les mêmes sources, décrites comme fiables, il aurait ensuite été enterré en France.

Il en oublierait presque les démangeaisons de ses cicatrices à la tempe et l'épaule.

Son entêtement finit par payer.

Il apprend qu'Alirio Pinto n'existe pas avant 2003 et qu'il disparaît au printemps 2008, après des années de bons et loyaux services auprès du procureur Delpierre. Cinq ans d'existence, c'est court pour un type aussi âgé. Ça mérite une petite récompense, non ? Un casier vierge, par exemple.

Nous y voilà :

Alirio Pinto change d'identité comme s'il pleuvait des passeports sur lui. Un paumé lui ressemblant a été signalé à plusieurs reprises sous le nom d'Aristidès Pérez Montilla dans les Pyrénées-Atlantiques, au début des années 1980. Il ne portait pas la moustache mais la barbe, les cheveux longs et des lunettes noires. Il avait vingt kilos et trente ans de moins. Trente ans ? Pas tout à fait… Les témoins de l'époque évoquent un type d'une quarantaine d'années. C'était peut-être lui, peut-être pas. Qui sait ? Au même moment, Delpierre était encore sur les bancs de la fac de droit de Strasbourg. Ça lui ferait dans les 70 ans aujourd'hui.

Elizabe pense :

— Le temps nous joue des tours.

Ce n'est pas tout.

Lundi, un email d'un contact presse de Bordeaux l'attend sur sa messagerie, avec l'adresse de la planque d'ETA où les empreintes de Sasco ont été retrouvées. À l'origine de l'information, des fuites organisées.

Le quotidien régional *Sud-Ouest* aurait reçu un appel anonyme, la veille au soir. Elizabe l'appelle pour caler un rendez-vous et se précipite à sa voiture, sans prendre le temps de boire un café.

Deux heures plus tard, Elizabe se gare rue Filaurie, derrière la gare de Bordeaux Saint-Jean. Son contact fait les cent pas sur le trottoir. Elizabe coupe le moteur, enclenche les warnings et le rejoint.

— C'est où ?

— Immeuble Avauges, cent mètres plus bas. Appartement 17, deuxième étage. Le gardien est au courant. Il te filera les clefs pour le même tarif.

Elizabe comprend l'allusion et lui glisse un billet de cinquante dans la main.

— Il n'y a plus de flics ?

— L'enquête est close depuis la semaine dernière. Les lieux ont été nettoyés.

— C'est cher pour un appartement vide.

— À ce prix-là, le gardien répond aussi à tes questions. Si tu ajoutes un billet, je parie qu'il peut même te trouver de la compagnie.

Elizabe grimace. Le type éclate de rire et s'éloigne en direction de la gare.

Les Avauges ressemblent à une vieille bâtisse bourgeoise reconvertie. Pierres de taille apparentes, peintures de couleur claire dans le hall, néons et carrelage rutilant.

Elizabe frappe à la porte de la loge. Un nom est inscrit sur une plaque dorée, *Hervé Dufau*. Le gardien, un quinquagénaire bedonnant, ouvre presque aussitôt, comme s'il guettait son arrivée. Elizabe extrait un billet de cinquante de sa poche et lui sert son plus beau sourire.

— J'ai appris que le 17 était à louer.

Dufau pose des yeux torves sur lui, puis sur l'argent, avant d'empocher le billet et d'attraper un jeu de clefs sur un tableau.

— Suivez-moi.

Ils gravissent les deux étages. Dufau déverrouille. Il dit :

— On vient juste de le récupérer.

Elizabe entre et visite les lieux. Deux pièces sans mobilier, cuisine, chiottes, salle de bains. Soixante mètres carrés. Vue sur la rue, côté salon. La fenêtre de la cuisine donne sur le toit du garage de la villa voisine. Les cloisons séparant la chambre et le salon sont éventrées sur toute la hauteur.

Elizabe se retourne vers le gardien, qui n'a pas bougé du palier.

— L'antiterrorisme voulait agrandir ?

— Il paraît qu'ils ont trouvé des explosifs et des munitions.

— Les armes étaient où ?

Dufau désigne les toilettes de l'index.

— Le faux plafond en était rempli.

Elizabe se dispense de vérifier.

— Ils étaient combien ?

— Cinq au moment de leur interpellation. L'appartement était loué au nom d'un type de Bayonne, mort depuis trois ans.

— Ils vivaient tous ici ?

— Je ne surveillais pas leurs allées et venues. Je voyais surtout un couple, la trentaine. Des jeunes très sympathiques, propres, sans histoire.

— Ça n'a pas l'air de vous défriser beaucoup de savoir qu'ils planquaient de quoi faire sauter l'immeuble, je me trompe ?

Elizabe attend une réponse qui ne vient pas.

— Ils louaient depuis longtemps ?

— Dix-huit mois.

— Avez-vous rencontré Jokin Sasco ?

— Les flics m'ont posé la même question, figurez-vous.

— Sans blague.

— Et je vous répondrai la même chose qu'à eux : non, jamais vu ici.

— Vous en êtes sûr ?

Le gardien lève les yeux au plafond.

— Je ne passe pas ma vie dans la cage d'escalier.

— Ni derrière le judas de votre porte.

Elizabe jette un nouveau coup d'œil dans la pièce, puis revient sur le gardien.

— Quelqu'un a bien prévenu les flics, dit-il en sortant de l'appartement.

Elizabe fouille dans sa poche et lui tend la photo d'Alirio Pinto.

Dufau ne prend pas la peine de regarder.

— Connais pas.

Elizabe lui saisit le bras et le plaque violemment contre le mur du couloir. Il serre les dents. Son visage touche celui du gardien.

— Je me permets d'insister.

Dufau proteste mollement. Comme Elizabe raffermit sa prise, il finit par baisser les yeux sur la photo et prend le portrait de Pinto du bout des doigts comme si le papier était brûlant.

Elizabe retire sa main et recule d'un pas.

Il demande :

— Comptait-il parmi les cinq personnes qui louaient l'appartement ?

Dufau secoue la tête.

— Faisait-il partie des flics qui sont intervenus le 11 janvier ?

— Non.

— Est-il venu après le 11 janvier ?

— Non.

— Cette tête vous dit quelque chose, quand même ?

Un voile passe devant les yeux de Dufau.

— Possible.

Elizabe sort une liasse de clichés d'Alirio Pinto de sa poche, copies des différents articles récupérés en Guadeloupe.

— Et là ?

Dufau ne respire plus. Son front et son cou s'empourprent à vue d'œil. Il répète, d'une voix mécanique :

— Possible.

Elizabe frappe du poing contre la porte, à quelques centimètres du crâne de Dufau.

Le gardien murmure :

— Flores.

Elizabe se colle contre lui et met la main derrière son oreille.

— Je n'entends rien.

— C'est comme ça qu'il a dit qu'il s'appelait. Cristobal Flores.

Elizabe crie à lui en exploser les tympans :

— Qui, putain ?

Dufau balbutie :

— Le type qui est passé il y a une semaine.

— Il voulait quoi ?

— Vous n'avez pas le droit de me parler comme ça.

Le poing d'Elizabe s'abat une deuxième fois. Encore plus près.

— Il voulait quoi ?

— Merde, vous faites chier ! Il s'est présenté comme un flic. Il m'a donné son nom. Il a dit qu'il travaillait pour l'antiterrorisme et que je devais lui signaler toute personne qui viendrait poser des questions.

Elizabe réfléchit à toute vitesse. Pinto change de nom une nouvelle fois. Il assure maintenant le service après-vente des conneries engendrées par l'affaire Sasco. Quelqu'un au-dessus de lui provoque des fuites au sujet de la planque présumée d'ETA dans l'appartement bordelais. Comme par miracle, Pinto/Flores apparaît pour se rencarder sur les fouineurs qui pointeraient le bout de leur nez.

Il répète, pour se convaincre lui-même :

— Cristobal Flores.

— C'est ça.

— Il n'a rien dit d'autre ?

— Seulement qu'il voulait être tenu au courant du moindre mouvement au numéro 17.

Elizabe récupère ses photos d'un mouvement brusque et les empoche, puis il s'écarte pour laisser passer le gardien.

Son trousseau de clefs à la main, Dufau ferme la porte en tremblant. Il se précipite ensuite dans la cage d'escalier et descend les marches. Elizabe ne prend même pas la peine de le retenir et de lui dire de ne pas rapporter sa visite à Pinto.

Il sonne à la porte d'à côté sans plus se préoccuper du gardien. Un type en survêtement lui ouvre. Elizabe brandit la photo de Pinto devant lui. L'autre n'a jamais vu le mercenaire. Il répond sans hésiter. Son de cloche identique chez les autres voisins de l'immeuble. Il y a eu une enquête et des gardes à vue. Ils ont goûté aux méthodes d'interrogatoire de l'antiterrorisme. Ils crèvent de trouille, mais aucun Pinto/Flores n'est venu leur rendre visite récemment. Certains fréquentaient l'appartement 17. Ils ne se doutaient de rien. La famille Labeyrie, premier étage, porte de gauche, mariés, deux enfants, propres sur eux, a déménagé fin avril. Madame ne dormait plus. Elle voyait des bombes partout.

Personne n'a rien vu, personne ne s'est méfié.

Personne n'énonce le nom de Jokin Sasco comme s'il risquait de leur exploser à la figure.

Aujourd'hui, ils épient le moindre mouvement, ils se méfient de tout le monde, mais non, décidément, Pinto/Flores a dû se faufiler sous leur judas sans se faire remarquer.

Tous parlent à voix basse en prononçant les mots *terrorisme*, *Pays basque* et *ETA*.

Ils murmurent :

— Ils pourraient nous entendre.

Elizabe demande :

— Qui ça, *ils* ?

Sourires gênés en guise de réponse.

Il est midi. Rue Filaurie, les langues tournent sept fois dans les bouches, les voisins soupçonnent les voisins, les volets sont croisés et il est l'heure de passer à table. La cage d'escalier sent le poisson frit, les pommes de terre sautées et la peur.

49

Iban consacre son mercredi et l'après-midi du jeudi à fumer et à éplucher une nouvelle fois les dépêches AFP et les archives de presse basque entre 2001 et 2009.

Sa rencontre avec Eztia Sasco échauffe son esprit. Dès qu'il ferme les yeux, il revit la nuit passée avec elle. Au-dessus de l'odeur du tabac, celle de la peau d'Eztia. Bien au-dessus du ronronnement des imprimantes et des sonneries de téléphone, les cris de plaisir d'Eztia. Et les siens, putain ! Il a la trique, mais ce n'est pas elle qui l'excite le plus.

Il ouvre les yeux en grand et, cette fois-ci, c'est le visage stupéfait puis paniqué de Jokin Sasco qui s'impose à lui, aussi nettement que s'il le connaissait depuis toujours.

Il dresse les oreilles et hume l'air, comme un chien qui a flairé une piste :

Les mauvaises langues et les minutes des procès classés sans suite racontent de drôles d'histoires.

Celles de commandos paramilitaires semblables aux groupes antiterroristes de libération des années 1980. Disposant de fonds secrets, ils seraient composés de membres de la Guardia Civil, de la Policía Nacional et des services spéciaux espagnols. Des hauts fonctionnaires du ministère de l'Intérieur espagnol et des nostalgiques des GAL les dirigeraient en sous-main. Certains prétendent qu'ils auraient recours aux services de criminels de droit commun pour les basses besognes.

Ces commandos agiraient sous couvert des accords de lutte antiterroriste passés entre la France et l'Espagne depuis 2001.

Des scénarios circulent.

Certains s'étonnent d'une improbable réactivation de la stratégie de guerre sale. Ils s'alarment de l'application de mesures normalement révolues, comme l'interdiction de partis politiques, la fermeture de journaux, les détentions arbitraires ou les affaires d'enlèvements. Des listes de cas récents circulent. Patxi Errecart, Iñaki Goya, Oihan Borotra, Bixente Hirigoyen, Julen Bertiz, Txomin Zunda et Élea Viscaya.

L'histoire officielle dresse un autre type d'inventaire : menace d'ETA, prévention, coïncidences malheureuses, cas isolés, préservation de la démocratie, devoir de mémoire, victimes du terrorisme aveugle.

Chacun y va de son laïus. Chacun campe sur ses positions.

Tant de choses se disent.

Et personne pour les prouver.

Pourtant, les fantômes des cinq cagoulés se faufilent entre les doigts d'Iban sans qu'il parvienne à les attraper. Ces cagoulés-là sont insaisissables. Ils n'ont rien à faire des déclarations des uns et des autres. Ils n'ont aucune étiquette, ils roulent pour le fric, ils sont sur le terrain, les mains dans la merde, dopés à l'adrénaline. Ils jouent leur petit scénario et fabriquent l'histoire. Ils n'ont aucune élection à gagner, ni de poste en vue. On ne les paie pas pour leurs idées. Ils ont leur propre petit film Super 8 à tourner.

Alors Iban leur donne des noms de scène.

Adis García est Ducados. Il gère les aspects pratiques.

Il y a Après-Rasage et Zippo, qui ont tous deux entre 40 et 50 ans. Zunda et Élea désignent ce dernier comme le chef d'unité lors des enlèvements.

Restent les deux autres. Les plus discrets. Inconnu n° 1 et Inconnu n° 2. Leurs descriptions varient, de Zunda à la gérante du motel de Tarnos, mais elles convergent sur leur âge. Vingt ans, peut-être moins. Trop jeunes pour être flics dans l'antiterrorisme. Sans doute des militaires.

Tous introuvables.

Parce que Iban n'a pas les bons contacts et ne traîne pas aux bons endroits.

Il sait par Goiri que Marko Elizabe a des oreilles partout. Les cercles de militants, les syndicats de flics, les bars que fréquentent les flics, les associations de leurs femmes et les clubs sportifs de leurs gosses. Le cameraman tisse son réseau depuis des décennies. Or, Iban n'a pas vingt ans devant lui et Elizabe ne répond au téléphone que quand ça l'arrange.

Excédé, Iban quitte son poste en début d'après-midi et descend s'acheter un sandwich au poulet au snack d'en bas. Il le mastique sans conviction jusqu'à sa voiture. Il roule le papier en boule et le jette dans le caniveau, puis il sort ses clefs et s'installe au volant.

Trois quarts d'heure plus tard, il arrive en vue de la sortie 13, à hauteur de Morcenx. Il se rabat sur la file de droite, quitte la voie rapide et prend la direction de la ferme des Mora.

Le soleil cogne sur le pare-brise. Un petit film Super 8 paranoïaque dans la tête.

Iban passe devant le chemin d'accès principal sans ralentir. Il se gare cinq cents mètres plus loin, en lisière de forêt, au cas où Mora aurait donné le signalement de sa voiture. En nage, il quitte sa veste et la balance sur le siège passager, puis il refait le chemin en sens inverse, à pied, et s'enfonce dans la pinède. Des troncs d'arbres barrent toujours l'accès au bâtiment principal. Il inspecte rapidement la pièce de derrière, puis les deux cabanes de chasseur. Aucun passage depuis sa dernière visite.

Iban allume une cigarette et consulte sa montre. Il s'écarte ensuite de la ferme en quête d'un poste d'observation qui lui permettrait de surveiller les environs.

Il finit par dénicher un coin en retrait, derrière un massif de jeunes pousses de bourdaine et de bruyère situé à proximité d'un chemin forestier, avec vue sur la propriété. Il reste là jusqu'à la nuit, assis à réfléchir et à fumer clope sur clope, guettant l'arrivée éventuelle des locataires.

De retour à sa voiture, il rallume son portable et compose le numéro d'Eztia. Le répondeur s'enclenche au bout de cinq sonneries. Il raccroche. Trente minutes plus tard, de chez lui, il recommence. Même résultat. Il hésite à laisser un message, se ravise et pose l'appareil sur la table. Il crève d'envie de remonter dans la Ford Fiesta et de rouler jusqu'à Bayonne pour la voir, la toucher, s'assurer que cinq cagoulés ne l'ont pas embarquée, elle aussi.

Il se traite d'imbécile et passe la soirée à zapper sur la TNT pour tuer le temps, un pack de bière à ses pieds.

Équipé de jumelles, d'un blouson et de trucs à grignoter et à boire, Iban retourne à Morcenx dès le lendemain matin, avec l'intention de passer le week-end en planque.

Il prend soin de cacher sa voiture, coupe à travers bois et refait le tour du propriétaire pour vérifier qu'il n'y ait pas eu de mouvement pendant la nuit, avant de s'installer le plus confortablement possible.

Il quitte son poste le lundi matin à la première heure sans résultat et courbaturé. Il passe chez lui prendre une douche et relever sa boîte mail.

Le miroir de la salle de bains lui renvoie le reflet d'un visage cerné et d'un corps amaigri.

Eztia n'a pas rappelé.

Aucune nouvelle d'Elizabe et de sa « bombe » prête à exploser.

Goiri l'attend à *Lurrama* pour faire le point sur le planning de la semaine.

Iban atteint Bayonne aux alentours de 9 heures.

La journée se traîne. Reportages sans importance, inauguration d'un bâtiment public quelconque, première pierre d'un centre de tri des déchets, dans la zone industrielle. Iban ronge son frein et surfe sur des sites Internet basques l'essentiel de l'après-midi. Il regagne sa planque à la ferme des Mora avant le coucher du soleil, prêt à remettre ça une nuit de plus.

Le même scénario se reproduit les jours suivants, puis le week-end et le début de la première semaine de juin. Iban est patient. Il sait qu'il doit attendre encore un peu. Il est prêt pour ça.

50

Le mercredi, à son retour du boulot, Eztia attend Iban Urtiz. Elle est recroquevillée devant la porte vitrée de l'immeuble, la tête posée sur les genoux. Ses doigts serrent une bouteille de vin.

Son dos lui fait mal, les paumes de ses mains sont remplies d'ampoules. Elle a bossé à l'exploitation agricole comme une damnée et accumulé les heures supplémentaires. Elle n'a rien avalé depuis la veille, à part un croissant et une dizaine de cafés.

Les déclarations d'Urtiz sur la disparition de son frère, la réaction violente de Peio quand elle les lui a rapportées, le mutisme d'Amaia, toutes ces conneries tournent en boucle dans son crâne comme un cauchemar sans fin.

Ce matin-là.

Ce 3 janvier fatidique où la vie de Jokin a basculé.

Son Opel Corsa en pièces détachées, éparpillées aux quatre coins de la France.

Le silence ou presque des indépendantistes.

La violence de Peio.

La haine, toujours la haine.

Alors qu'Eztia n'y croit plus, la Ford Fiesta du journaliste apparaît enfin à l'entrée du parking. Il a l'air exténué. Ses yeux brillent d'une drôle de lueur. Il s'avance vers elle.

— Ça fait cinq mois qu'il a disparu, dit-elle en guise de salut.

Urtiz hoche la tête en silence. Elle s'avance et lui chuchote à l'oreille :

— J'ai besoin de partager ce moment avec quelqu'un d'autre que ma mère.

Eztia repart au petit jour sans qu'ils aient pris le temps d'ouvrir la bouteille ou même simplement de parler.

Elle n'a pas versé une larme.

Iban n'a posé aucune question mais elle sait que le soir même, il sera de nouveau à la ferme Mora, plus déterminé que jamais à trouver les salauds qui ont enlevé son frère.

51

Samedi 6 juin, sur le coup des 15 heures, Iban est tiré de son poste d'observation par le bruit d'une tronçonneuse en provenance du chemin d'accès à la ferme.

Il attrape ses jumelles et règle la netteté pour découvrir la silhouette obèse de Jean-Pierre Mora, occupé à dégager la voie.

Iban fouille les environs du regard, mais il n'y a personne d'autre.

L'homme manie la tronçonneuse avec dextérité, mais l'enchevêtrement de pins est tel qu'il ne termine sa tâche qu'en début de soirée. Il remonte dans son 4 x 4, dégoulinant de sueur, et fait marche arrière sans même prendre la peine de pousser jusqu'à la ferme. Comme s'il craignait les mauvaises rencontres ou les fantômes.

Un break Volkswagen noir arrivé par le sud et immatriculé dans les Pyrénées-Atlantiques se présente au même endroit moins d'une heure après. Le soleil est bas, flirtant avec la ligne d'horizon et projetant des éclats de lumière trompeurs sur le pare-brise, mais Iban distingue nettement un homme massif à l'avant.

Il retient sa respiration pendant que le véhicule s'avance en slalomant sur le chemin afin d'éviter les ornières. Une fois à la ferme, le break s'immobilise au milieu de la cour. La portière avant gauche s'ouvre enfin sur un colosse, le genre sportif, jeans, baskets, T-shirt blanc et coupe de cheveux militaire. La quarantaine, peut-être plus. Inconnu des fichiers d'Iban. Peut-être l'un des gars du motel. Peut-être pas.

L'homme contourne le bâtiment. Iban zoome au maximum pour tenter d'apercevoir ses traits, mais l'homme reste dans l'ombre. Il hésite un instant à se rapprocher mais se dit que l'homme est probablement aux aguets.

Le colosse revient au pas de charge comme s'il avait le feu au cul et se penche vers la vitre du conducteur pour attraper quelque chose. Il exhibe un portable et compose un numéro. Il raccroche peu de temps après. Il ne se retourne pas une seule fois.

Iban s'efforce de rester stoïque pour ne pas en perdre une miette. Sa petite effraction, deux semaines plus tôt, n'est pas passée inaperçue. Mora a cafté et l'un de ses locataires est là pour faire le point, puis son rapport.

L'homme se précipite à nouveau à l'arrière du bâtiment. Le moteur tourne toujours. Il n'en a pas pour longtemps. Iban sort de sa cachette, rejoint le break par la droite et risque un œil à l'intérieur. L'habitacle est parfaitement propre et empeste l'après-rasage.

Putain de salopard ! pense Iban.

Des bruits de pas lui parviennent. Il est trop tard pour rejoindre sa planque. Il balaie la cour des yeux à la recherche d'un endroit où se réfugier. Il opte pour la porte d'entrée de la ferme et s'engouffre sous le porche au moment précis où l'homme déboule. Il s'aplatit dans un renfoncement, sort son portable et prend une dizaine de photos au jugé avant que le break s'éloigne en trombe.

Il compte ensuite jusqu'à cinq et pique un sprint à travers bois jusqu'à sa voiture. Il démarre, regagne la route et s'élance à sa poursuite. Il croit distinguer un point noir, cinq cents mètres devant lui, au bout d'une longue ligne droite. Il appuie de tout son poids sur la pédale d'accélérateur, mais la Fiesta est trop lente et quand il atteint enfin la première intersection, le break, si c'était bien lui, a disparu de son champ de vision.

Sur sa gauche, une route de campagne. Tout droit, le centre-ville. À droite, la bretelle d'accès à l'autoroute. Une chance sur deux.

Il opte pour l'autoroute et s'engage en direction du sud. Le compteur grimpe péniblement jusqu'à cent cinquante kilomètres par heure, mais le seul break qu'il dépasse en vingt-cinq kilomètres est gris, couvert de boue et conduit par une femme d'une trentaine d'années.

Il abandonne la poursuite avant la sortie numéro 11 et se gare, peu après, sur le parking de la mairie de Magescq, le souffle coupé.

Il arrête le moteur, s'adosse au siège et pousse un long soupir. Il glisse une Winston entre ses lèvres, insère un CD dans l'autoradio et sort son portable de sa poche.

La plupart des clichés sont flous et mal cadrés. Sur deux d'entre eux, pourtant, on distingue très nettement la nuque épaisse et le visage en gros plan de celui qui pourrait être Après-Rasage. L'homme fixe un point situé à droite de l'objectif. Son regard est sombre, presque halluciné. Des poches brunes cernent ses yeux et le type a tout l'air d'avoir vu le diable.

« L'impression que dégage une photo est parfois trompeuse, écrit Iban dans le message qu'il envoie aussitôt à Marko Elizabe. Merci de me dire si cette sale tête te rappelle quelqu'un. »

52

Quand Pinto s'aperçoit que la planque de la ferme Mora a été visitée, il se dit d'abord qu'il s'agit de maraudeurs ou de gitans. Il dresse l'inventaire du matériel mais a priori rien n'a été piqué ni déplacé. Il appelle Mora qui jure s'être contenté de déblayer le chemin d'accès. Il hésite à contacter Cruz, mais estime inutile de l'alarmer. Il revient alors sur ses pas, après une rapide inspection du corps de ferme, remonte dans le break et fait demi-tour. Il repère presque tout de suite la Ford Fiesta du journaliste en reprenant la route goudronnée qui mène à Morcenx, mal cachée dans un chemin défoncé.

Un voile rouge lui obscurcit la vue une fraction de seconde.

Il crache :

— Fils de pute.

Il compose le numéro de la ligne sécurisée d'urgence de Javier Cruz. Messagerie. Signal sonore. Pinto résume la situation, raccroche et se cale sur son siège en attendant les consignes.

Cruz rappelle aussitôt. Il est aussi excité qu'un junkie sous acide. Il lui demande une nouvelle fois de lui exposer la situation. Il veut des détails. Pinto s'exécute sans discuter.

Cruz ordonne :

— Je veux que tu nous débarrasses de ce connard de fouineur.

— Maintenant ?

— Non. Tu prépares ton coup, tu me tiens au jus et tu attends mon signal.

Pinto proteste :

— C'est le moment idéal. On est seuls, en pleine forêt. Y a pas un rat à deux kilomètres à la ronde.

— Je veux qu'on croie à un attentat, un truc qui fasse du bruit, pas à un assassinat prémédité signé Guardia Civil espagnole, tu m'as compris ?

— Ça va, ça va.

Le ton employé surprend Pinto moins que la décision. Agressif. Beaucoup trop agressif. Pas le genre de la maison.

Il demande :

— Il y a quelque chose que j'ignore ?

Cruz élude sa question.

— Après, tu reviendras faire le ménage.

— Et Mora ?

— Je m'occupe de lui.

Cruz soupire et ajoute :

— La comédie a assez duré.

Il raccroche sur ces paroles énigmatiques. Dubitatif, Pinto hoche la tête, regarde un instant le portable comme s'il allait se mettre à lui parler et lui apporter une réponse. Il le balance finalement sur le siège droit, avant de s'éloigner.

Il se gare plus au nord, en bordure de forêt, avec vue dégagée sur la route. Il coupe le moteur et attend. La Ford du journaliste ne tarde pas à pointer le bout de son nez puis à prendre la route du sud. Pinto le suit à distance jusqu'à la voie rapide. La circulation est fluide. Le filer est un jeu d'enfant. Sans raison apparente, Urtiz pousse son engin au maximum de ses capacités pour ralentir brusquement au niveau de la sortie 11. Il stationne un moment à Magesq puis emprunte la direction de Moliets. Cet abruti rentre chez lui. C'est presque trop facile.

Une fois sur place, Pinto patiente jusqu'à ce que la nuit tombe et que le parking soit complètement calme. Quartier résidentiel. Pas question de tomber bêtement sur un voisin promenant son chien. Une fois rassuré, sur le coup des 2 heures du matin, il sort du break, le contourne et ouvre le coffre d'où il extrait des explosifs. Il se faufile le long des haies et s'accroupit devant la Ford. Il force la grille de ventilation avant, installe sa bombe artisanale façon ETA et remet le tout en place. Il s'assure que personne ne l'observe, puis il regagne le break et entreprend de changer ses plaques d'immatriculation. Il s'installe au volant, règle le réveil de sa montre sur 4 h 15 et ferme les yeux.

Deux heures de sommeil, avec tout ce qu'il s'enfile en produits dopants, ce sera largement suffisant.

53

Dimanche 7 juin. Iban a dormi quatorze heures d'affilée. Il n'a pas encore prévenu Eztia de sa nouvelle trouvaille. L'appartement empeste le tabac froid.

Iban observe sa voiture par la fenêtre – non ! Iban *surveille* le parking. Il voit des Clio blanches, des breaks Volkswagen et des cagoulés partout. Il regarde son paquet de Winston de travers, comme s'il allait se transformer en Ducados bleues.

Elizabe l'appelle en début d'après-midi. Iban fait un bond quand la sonnerie du téléphone retentit.

54

Elizabe déclare :

— Alirio Pinto.

— Ce nom est-il supposé m'évoquer quelque chose ?

— Il devrait.

Elizabe parle vite, très vite. Il appelle d'une cabine téléphonique. Il n'a pas beaucoup de temps devant lui. Il a fini par trouver la trace de Pinto *avant* 2003 sous le nom de José Ramírez. Il remercie Urtiz pour la photo qui valide une partie de ses propres investigations. Après-Rasage a désormais un nom pour Urtiz. Elizabe sait où le trouver.

Mieux que ça :

Pinto, de nationalité espagnole, a un casier long comme le bras :

Réformé de l'armée en 1984, plusieurs fois incarcéré pour violences, détention illégale d'armes et trafic de stupéfiants entre 84 et 87, Pinto a été condamné en 1987 à vingt ans de réclusion criminelle pour le meurtre d'un civil soupçonné d'appartenir à ETA. Il n'en tire que seize et sort de prison en novembre 2003. Il est âgé de 43 ans. Sa libération a suscité une vague de protestation sans précédent dans la population basque. Sa photo a été placardée partout et diffusée sur tous les réseaux sociaux avec la mention « assassin » en gras et en lettres majuscules. Il disparaît de la circulation à peu près à ce moment-là.

Urtiz demande :

— L'homme qu'il a tué n'était pas d'ETA ?

— Ça n'a jamais été prouvé.

— Mais ce n'était pas un meurtre gratuit.

— Non.

— Qui les paie ?

Elizabe réfléchit. Urtiz répète sa question :

— Qui ?

— Dans le cas des GAL, les responsabilités des plus hauts dirigeants espagnols de la lutte antiterroriste d'alors ont été établies. Un secrétaire d'État au ministère de l'Intérieur, un colonel de la Guardia Civil... Mais ils n'étaient pas les seuls impliqués. Au moment de son arrestation, on a retrouvé sur Pinto les copies des papiers d'identité de trois réfugiés basques espagnols, fournis par la sous-préfecture de Bayonne. D'autres cibles à abattre.

Urtiz insiste :

— Tu m'as mal compris. Qui paie *aujourd'hui* un type comme Pinto ?

— Je n'en sais rien.

— Bordel, ce type a probablement torturé Élea Viscaya pendant des jours, et peut-être Txomin Zundan, aussi ! On doit pouvoir trouver quelque chose contre lui.

— Viscaya et Zunda, c'est de l'histoire ancienne. On ne prouvera rien pour ces deux-là.

— Qu'est-ce que tu me chantes ? Quelle histoire ancienne ? Tu vis dans quel monde ? C'était il y a moins d'un an.

— Si on veut coincer Pinto, il nous faut des preuves. Du concret.

— De quoi est-ce qu'on parle depuis cinq minutes ?

— Les Alirio Pinto et les Adis García sont encadrés par des pros. C'est un miracle que tu aies pu remonter jusqu'à leur planque de Morcenx, mais ta chance ne durera pas.

Urtiz manque de s'étouffer.

— Ma chance ?

— Écoute-moi ! Pour être efficaces, on doit les prendre sur le fait. Et le fait, là, maintenant, c'est Jokin Sasco et personne d'autre. Oublie la gamine, Zunda et les autres. Notre sésame, c'est Jokin Sasco. Grâce à lui, on peut mettre un grand coup de pied dans la fourmilière, tu comprends ? Cette fois, on peut espérer les baiser pour de bon.

— Baiser qui, putain ?

Elizabe se tait. Il n'a pas de réponse à ça. Il est comme Urtiz et Eztia Sasco, seul face à une armée de flics et de criminels cagoulés qui n'ont rien à perdre.

Il se borne à dire :

— Sois prudent, *erdaldun*. Ces types sont dangereux. Tu es sur leur liste noire.

— Je sais.

— Tu sais que dalle !

— J'ai parlé avec la sœur de Sasco.

— Eztia ?

— Elle m'a raconté toute l'histoire de son frère. Ce n'est pas ETA qui a fait le coup.

Elizabe ironise.
— Première nouvelle.
Urtiz fanfaronne :
— J'en sais bien plus encore.
— Putain, tu couches avec elle ?
— Et après ?
— T'es con ou quoi ?
Silence à l'autre bout du fil.
— Et merde. Tu fais ce que tu veux, après tout.
Urtiz doit se demander s'il s'agit d'une menace ou d'un conseil d'ami.
Elizabe dit :
— Il faut qu'on se voie.
Urtiz réfléchit un instant avant de répondre :
— Le motel de Tarnos où les cinq cagoulés ont peut-être créché du 22 novembre 2008 au 11 janvier. Je dois retourner voir la gérante pour lui montrer la photo de Pinto.
— Où ?
Elizabe note le nom et l'adresse et raccroche, perplexe. Il cache des tas de choses au petit journaliste, mais ce dernier n'est pas franc non plus. Il est impliqué personnellement. Il baise avec la sœur d'un symbole, il fouine dans son coin, il a franchi la ligne rouge. À qui cherche-t-il à en mettre plein les yeux ? Qui baise qui ? Pourquoi Eztia Sasco est-elle avec lui ?
Il médite là-dessus un moment en se préparant un café, puis il charge la vidéo de l'enlèvement de Sasco sur une clef USB, espérant qu'il fait le bon choix.

Elizabe passe les cinq heures suivantes à compiler ses notes et à rédiger un article sur la disparition de Sasco, l'implication de Delpierre et de l'antiterrorisme de Bordeaux, qu'il poste à Mikel Goiri et aux principales rédactions françaises et espagnoles. Enfin, il attrape ses clefs de voiture, son portable, et quitte l'hôtel, la trouille au ventre.

En claquant la porte, il se dit :

— Bon Dieu ! Il fallait bien que ce moment arrive.

55

Au réveil de Pinto, la voiture d'Urtiz est toujours à sa place et les lumières de son appartement encore éteintes. Le break Volkswagen sent le fauve. Pinto sort se dégourdir les jambes, puis réintègre son poste d'observation.

Deux cents mètres derrière lui, légèrement déformé par le miroir, l'immeuble où vit Iban Urtiz se réveille doucement.

Pinto mâche une barre chocolatée en jetant des coups d'œil répétés à l'écran de son portable. Un tic nerveux agite la partie droite de son visage. Trop d'amphétamines. Il devrait mettre la pédale douce. Il tripote la crosse du Herstal 9 mm du bout des doigts et se demande si cela affecterait la qualité de son tir. Il engloutit le reste de son petit déjeuner et descend la moitié de sa bouteille d'eau.

L'autoradio diffuse un flash d'informations sur une fréquence locale. Le son est réglé au minimum. Interviewée, une ministre énumère d'une voix alarmante le nombre de cas déclarés sur le territoire de grippe H1N1. Excédé par ses lamentations, Pinto éteint le poste et consulte son téléphone puis le rétroviseur pour la énième fois.

Iban Urtiz n'apparaît au pied de l'immeuble qu'en début d'après-midi. Il est monté sur ressorts. Il grimpe dans sa caisse et recule dans le parking. Pinto le perd de vue quelques secondes puis le voit réapparaître à l'entrée du lotissement.

Il lui laisse un peu d'avance et démarre à son tour. Un soleil de plomb cogne sur le pare-brise. Pinto met la climatisation à fond.

Des dizaines de camping-cars et de vans immatriculés en Espagne circulent dans les deux sens. Ils ralentissent la circulation et lui facilitent le travail. La plupart des campings sont déjà pleins. Des voitures neuves attendent sagement leurs propriétaires dans les contre-allées. Rouges comme des écrevisses, des touristes en tenues moulantes vulgaires arpentent inlassablement les pistes cyclables en vélo, en rollers ou à pied. La plupart ont dépassé la soixantaine. Ça sent le fric, la grippe H1N1, les stock-options et les pensions de retraite à plein nez.

La Ford longe la côte jusqu'à Hossegor, puis s'enfonce dans les terres pour rejoindre l'autoroute en direction de Bayonne. Pinto laisse un message à l'intention de Cruz qu'il conclut par :

— Maintenant ?

Il ne déclenche aucune réaction.

La filature se poursuit jusqu'à la sortie numéro 7, au niveau d'Ondres. La Ford s'arrête au péage, puis se dirige vers Tarnos sud. Pinto fronce les sourcils. Il connaît cette route par cœur. Il l'a empruntée des dizaines de fois entre novembre et janvier derniers.

Lorsque la Ford s'immobilise sur le parking du motel Les Acacias, quatre conclusions simples s'imposent à l'esprit de Pinto.

Un, le journaliste n'est évidemment pas là par hasard. Il a de quoi les faire tous tomber. Il a amassé un certain paquet de preuves. La planque Mora, d'abord. L'Opel Corsa verte, ensuite. Le motel, enfin. Et Dieu seul sait quoi d'autre encore.

Deux, tuer Iban Urtiz.

Trois, le commando Sasco a merdé sur toute la ligne.

Quatre, Javier Cruz était nerveux, tout à l'heure, au téléphone, parce qu'il *savait* qu'il envoyait Pinto dans la gueule du loup.

Le journaliste descend de voiture et pénètre dans l'enceinte du motel. Pinto se connecte précipitamment à la ligne sécurisée et se colle le portable à l'oreille. Il s'apprête à parler quand une deuxième voiture entre sur le parking. Il a juste le temps de plonger sur le siège passager pour ne pas être reconnu par Marko Elizabe.

Pinto tend la main et règle le rétroviseur sans se relever pour épier le nouveau venu. Il cherche son portable des yeux, mais ce foutu appareil a dû glisser sous un siège quand il s'est baissé.

Elizabe gare sa caisse du côté opposé à celle d'Urtiz. Il disparaît dans le motel à son tour.

Le cerveau de Pinto carbure à plein régime. Deux enfoirés de première, au même endroit. Ne manque plus que le cadavre de Sasco et la petite réunion de famille dominicale serait complète. Il finit par remettre la main sur le téléphone. La ligne a été coupée. Il renouvelle l'opération de cryptage, se trompe deux fois de numéro, recommence et finit par entendre le bip signifiant que c'est à lui de causer.

Il s'époumone. Il expose la situation aussi clairement que possible. La bombe est en place. Pinto a installé suffisamment de plastic pour que les pompiers mettent deux jours à identifier la marque de la voiture, après l'explosion. Le cratère sera si profond, putain, qu'il ne restera rien de vivant dans un rayon de quatre ou cinq mètres. Il en chierait presque dans son froc tant l'occasion est trop belle de régler le problème une bonne fois pour toutes.

Pinto raccroche. Il se redresse lentement pour évaluer la topographie du parking et évaluer le champ d'action et les dégâts potentiels. Les lieux sont déserts. Il démarre et déplace le break derrière le mur d'enceinte pour se mettre à l'abri.

La sonnerie du portable retentit comme une délivrance. La voix de Javier Cruz, comme celle de Dieu le Père en personne.

Pinto demande :

— Qu'est-ce que je fais, bordel ?

Il pense : *Ordonne-moi de faire sauter ces deux connards !*

56

La gérante du motel de Tarnos s'essuie les mains à un torchon en hochant la tête. Elle reconnaît le visage d'Après-Rasage.

Iban demande :

— Vous êtes absolument sûre qu'il s'agit du même homme ?

Elle sourit :

— Une sale bobine comme celle-là ne s'oublie pas.

Iban remet la photo dans sa poche. Il crève d'envie de voir sa réaction s'il lui révélait qui sont réellement des types comme Adis García et Alirio Pinto. Peut-être s'en fiche-t-elle. Peut-être en pisserait-elle dans sa culotte taille XXL. Il se contente de la remercier et de prendre congé.

Marko Elizabe l'attend sur le seuil. Iban est presque soulagé de le voir. Il prend un paquet neuf de Winston dans la poche de sa veste, serre la main que le journaliste lui tend et allume une cigarette.

Il dit :

— Pinto et García ont bien séjourné ici avec les trois autres membres du commando.

Elizabe hoche la tête d'un air pensif et sort une clef USB de sa poche.

— J'ai quelque chose pour toi.

Iban la prend.

— Qu'est-ce que c'est ?

— Surprise.

— À quoi tu joues ?

Elizabe lève son index devant ses lèvres et dit :

— Chuuut !

Il désigne la Ford Fiesta :

— On sera mieux là-dedans pour discuter.

Joignant le geste à la parole, il s'avance vers la voiture. À ce moment-là, trois véhicules pénètrent sur le parking. Deux d'entre elles sont des breaks de couleur sombre. Iban s'immobilise. L'une est immatriculée dans le Gers, l'autre dans le Rhône. Audi et Renault. Modèles différents de la Volkswagen d'Alirio Pinto.

Iban inspire un grand coup et les dépasse en se retenant de vérifier qu'aucun paquet de Ducados bleues ne repose sur leur tableau de bord, ni qu'aucune n'empeste l'après-rasage. Il presse le pas.

À trois pas de la Ford, son regard accroche une masse sombre derrière la grille du ventilateur, au-dessus du pare-chocs.

Iban ralentit et fait signe à Elizabe.

La grille est légèrement tordue. Une vis a sauté. Iban tend la main et réalise qu'elle tremble. Il jette un coup d'œil par-dessus son épaule. La gérante du motel est plantée devant le portail, les poings sur les hanches, et les dévisage d'un air étrange. Iban tourne la tête, échange un regard avec Elizabe et se concentre à nouveau sur sa voiture. Il glisse les doigts entre les fentes et tire d'un coup sec. La grille vient toute seule, laissant apparaître deux boîtiers de couleur noire reliés entre eux et solidement arrimés à la calandre par du chatterton. Deux câbles électriques en sortent.

L'un d'entre eux s'enfonce directement à l'intérieur du moteur de la Ford, Dieu sait où.

Iban se raidit et lâche la grille qui tombe à ses pieds dans un petit bruit métallique.

— Bordel de merde.

Le mot *bombe* se dessine sur les lèvres d'Iban à l'instant précis où Elizabe l'attrape par le bras pour l'entraîner en courant dans la direction opposée. Ils ont quasiment atteint le portail quand le souffle puissant de l'explosion les projette tous les deux au sol.

Iban relève la tête, hébété. Des cris sourds lui parviennent. Une fumée noire et épaisse enveloppe le parking. Les flammes ravagent la Ford Fiesta et un massif de mimosas. Une odeur de plastique brûlé rend l'atmosphère suffocante. La gérante est allongée sur le sol, une dizaine de mètres devant lui. Elle semble sonnée. Elizabe se redresse, péniblement, quelque part dans le champ de vision d'Iban.

Marko ne doit pas être très loin car sa voix est claire quand il demande :

— La bombe te visait toi, ou nous deux ?

Iban ressent une douleur vive dans le bras gauche. Il le lève et l'inspecte. Il n'a pas l'air d'être cassé mais il lui fait un mal de chien.

Il murmure :

— Je crois qu'il vaut mieux appeler les flics.

Son cerveau tient un autre discours : lesquels ? Ceux qui paient des mercenaires pour installer des bombes dans le moteur des journalistes ou ceux qui les neutralisent ?

La gérante les regarde d'une drôle de manière. Du sang coule sur sa tempe.

Iban extirpe son portable de sa poche avec difficulté et compose le 17. Une voix féminine décroche à la deuxième sonnerie.

Iban dit :

— Motel Les Acacias, Tarnos. Une bombe a explosé.

Il n'écoute pas les questions que son interlocutrice lui pose. Il écarte lentement son téléphone de son oreille et raccroche. Il ne voit que Marko Elizabe, les yeux rivés sur le capot d'un break noir qui dépasse de l'arrière du mur d'enceinte. Le temps qu'Iban réalise qu'il est de la marque Volkswagen, Elizabe a déjà atteint sa voiture. Il s'engouffre dedans, effectue une marche arrière et s'élance sur la route en soulevant un nuage de poussière. Le break noir démarre à son tour et le suit. Iban reconnaît instantanément Alirio Pinto. Son téléphone se met à sonner en même temps que la sirène des pompiers. Il décroche d'un geste mécanique.

— Allô ?

Il balbutie quelque chose. La sirène des pompiers s'enclenche et couvre sa voix.

— Qu'est-ce qu'il se passe, Iban ?

La question d'Eztia agit comme un électrochoc. Il réalise soudain qu'il a failli mourir et ferme les yeux pour tenter de supporter le choc de cette révélation.

Quand il les ouvre à nouveau, un temps indéfini s'est écoulé. Deux pompiers sont affairés à prendre son pouls et un gendarme en uniforme est penché sur lui.

Le visage de ce dernier exprime l'inquiétude, mais son regard semble vouloir dire : *On t'a pourtant prévenu, petit écureuil. Mais tu n'as pas écouté nos appels à la prudence et maintenant tu es sur liste noire.*

Iban secoue la tête pour chasser cette pensée. Il soulève son portable qu'il tient toujours serré dans le poing et le tend au flic.

Il dit :

— Prévenez Eztia.

57

Le pare-chocs arrière de la Peugeot de Marko Elizabe est tout près. En se concentrant, Pinto peut presque compter les éraflures qui émaillent sa surface.

Les pins défilent à vive allure de part et d'autre. Ils forment les parois d'un tunnel qui semble n'avoir aucune issue.

Après avoir quitté le motel, le journaliste a réussi à maintenir le break à distance, slalomant au milieu des voitures et grillant les feux tricolores, dans un concert de coups de klaxon. Sa première erreur fut de remonter vers le nord, au lieu de foncer vers la frontière espagnole ou vers la côte. La deuxième de s'engager dans cette fichue ligne droite peu fréquentée, en pleine pinède.

Le break Volkswagen est plus puissant. Pinto rétrograde en quatrième, se cramponne au volant et accélère à fond. Le moteur rugit. L'aiguille du compteur grimpe à cent trente. L'écart entre les deux véhicules se réduit. Le choc qui suit déporte la Peugeot sur la voie de gauche mais Elizabe ne perd pas le contrôle et se rétablit aussitôt.

Pinto remet ça une nouvelle fois, sans résultat. À la troisième tentative, Elizabe anticipe l'impact et freine brutalement, manquant de peu de l'envoyer dans le décor.

Pinto le traite de fils de pute. Il renouvelle la manœuvre. Cette fois-ci, au lieu de le percuter par l'arrière, il le dépasse au dernier moment par le côté et donne un brusque coup de volant sur la droite pour le contraindre à se rabattre.

La violence du choc précipite la Peugeot sur le bas-côté. Le tête-à-queue est spectaculaire. Pinto esquisse un sourire crispé. Elizabe ne maîtrise plus rien.

Son véhicule dérape sur le bas-côté recouvert d'herbe et d'aiguilles de pin en une glissade qui paraît durer une éternité. Ses pneus patinent désespérément. Il s'encastre plus loin dans un remblai qui borde la piste cyclable, soulevant une gerbe de sable.

Pinto pousse une bordée de jurons satisfaits. Il écrase la pédale de frein. Les traces de gomme dessinent deux lignes noires parfaites sur le bitume. Il fait demi-tour et revient sur ses pas.

La Peugeot a calé. Le démarreur couine à chaque fois qu'Elizabe tourne la clef pour relancer le moteur. Chaque inspiration lui arrache un grognement de douleur. Il crève de trouille. Il a déjà vécu cette scène au moins une fois. Il décroche sa ceinture en grimaçant, récupère son revolver dans la boîte à gants et le soupèse. Le visage qu'il croise dans le rétroviseur est celui d'un étranger. Il s'extrait du véhicule et s'avance dans les fougères en boitant.

Pinto ne voit qu'une partie de la scène. La route est déserte. Il arrête le break au niveau de la Peugeot et s'élance en courant sans hésiter.

Il murmure pour lui-même :

— Tu aimes les promenades en forêt, pas vrai ?

Il scrute les alentours. Elizabe n'a qu'une cinquantaine de mètres d'avance. Chaque mètre gagné sur lui l'excite davantage. Le thermomètre dépasse les trente degrés mais Pinto frissonne. Il crache sur le sol et accélère.

Devant lui, les épaules d'Elizabe s'affaissent peu à peu. Son pas s'alourdit. Il se retourne pour faire face. Pinto ricane mais ne ralentit pas. Il n'est plus qu'à dix mètres. Il ne remarque pas tout de suite l'extension noire au bout du bras droit d'Elizabe. Il comprend qu'il s'agit d'une arme au moment où le journaliste la brandit et presse la détente.

Pinto pousse un hurlement de rage, franchit les derniers mètres et se jette sur lui. Une deuxième détonation retentit et le fauche net. Sa cuisse gauche envoie des signaux d'alerte. Il chute de toute sa masse sur Elizabe mais reste concentré sur le revolver. Il saisit le poignet qui le tient et le projette violemment sur le sol pour qu'il le lâche. Il récupère l'arme et la jette loin derrière.

Il lui crache au visage :

— Va te faire mettre !

Il lève alors le poing et l'abat sur la figure du journaliste. Son nez éclate. Le cartilage s'est brisé dans un craquement sec. Des bulles de sang et de morve se forment, et un filet rougeâtre s'écoule jusqu'à ses oreilles. Elizabe a un haut-le-cœur. Ses poumons cherchent de l'oxygène.

Pinto transpire comme un bœuf. Sa cuisse est méchamment douloureuse. Menaçant, il lève à nouveau le poing.

Il dit :

— Tu en veux encore, fils de pute ?

Elizabe écarquille les yeux. Ses paupières battent l'air avec frénésie comme s'il était en plein cauchemar et cherchait à évacuer une vision d'horreur. De la bile suinte à la commissure de ses lèvres. Il ne bouge plus. Il sait qu'à ce petit jeu-là, il est battu d'avance.

Pinto a une moue de pitié. Il relâche la pression, abaisse son bras et caresse du plat de la main le front poisseux d'Elizabe.

Il demande :

— Ça fait mal, pas vrai ?

Elizabe cligne des yeux d'un air suppliant. Il se tortille et geint comme une fillette. Pinto serre les dents et lui balance son poing sur le nez, terminant le boulot commencé au coup précédent. Elizabe hurle.

Pinto déclare :

— Tu vas être sage, maintenant.

Des larmes coulent sur les joues d'Elizabe. Elles se mêlent au sang et à la morve. Le journaliste n'ose plus cligner des yeux ou hocher la tête, ni même seulement respirer. Son visage est écarlate. Une infinité de variantes de rouge.

Pinto dit :

— Je t'autorise à dire oui.

Elizabe hésite. Son regard est rivé sur le poing au-dessus de sa tête.

La voix de Pinto est douce.

— Dis « oui » !

La gorge d'Elizabe émet un gargouillis incompréhensible.

Pinto passe les doigts dans ses cheveux. Il décide que le journaliste a compris les règles du jeu.

Il se penche et lui susurre à l'oreille :

— Trèèès bien.

De sa poche, il extrait son portable et compose un numéro à quatorze chiffres.

Javier Cruz a une drôle de voix.

— Tu es où ?

Pinto couve Elizabe du regard comme s'il s'agissait de son propre enfant.

Il répond :

— En pleine forêt, avec mon vieil ami Marko.

— Vivant ?

— Oui.

Cruz pousse un soupir de soulagement.

— Changement de programme. On a encore besoin de lui. Il a tout balancé à ses amis de la presse, aux flics et au bureau du procureur. Nos noms, le déroulé à peu près complet de la matinée du 3 janvier, les liens entre toi et Delpierre, un portrait de vous deux, jolis costards, vous serrant la main, en Guadeloupe, des photos extraites de la vidéo avec ces putains de cagoules, Mora, l'interrogatoire de Sasco qui aurait mal tourné. Ce putain d'enfoiré aurait donné sa mère si, un jour, elle m'avait croisé dans la rue !

— Mais c'est faux !

— Arrête tes conneries. La majeure partie de ses allégations est vraie et tu le sais aussi bien que moi.

— Il a envoyé ça quand ?

— Cette nuit.

— Tes supérieurs sont au courant ? Il n'y a pas moyen d'arrêter ce merdier ?

— Quand on s'est parlé ce matin, je croyais qu'on pouvait encore endiguer le truc, mais à présent, c'est fichu. On se contente de recoller les morceaux. Nos services travaillent là-dessus à plein temps depuis cette nuit. Il y aura un démenti et une condamnation officielle. J'ai moi-même pondu un discours particulièrement émouvant pour l'assistant de Delpierre sur le rôle d'ETA dans toute cette histoire et l'implication de deux journalistes têtes brûlées dans une organisation terroriste.

Pinto déglutit. Il se repasse le film de l'aire de repos. Des sueurs froides lui parcourent le dos.

— Et la vidéo ?

— Elizabe l'évoque bien sûr, mais il ne l'a pas transmise. Seulement des photos. Pas de film. J'imagine qu'il garde ça pour plus tard.

Cruz ajoute, sur un ton parano :

— Je veux savoir où est la vidéo et s'il existe des copies. Au besoin, tu négocies, tu le pousses à la faute, tu lui parles de sa femme, tu fouilles chaque repli de son trou du cul, tu inventes ce que tu veux, mais il me faut un résultat.

— OK.

Pinto se redresse. Elizabe bascule sur le côté et vomit un paquet de glaires. Des spasmes agitent son corps. D'une menace de l'index, Pinto lui ordonne de ne pas bouger.

Il dit :

— Et Urtiz ?

Il n'ose pas demander : il s'en est sorti, n'est-ce pas ?

Cruz se racle la gorge. La question a l'air de l'agacer prodigieusement.

— Un scénario catastrophe.

— Merde.

— Il s'en est tiré avec quelques coupures. Les flics et les pompiers sont aux petits soins pour lui. Cordon sanitaire, tout le bazar. Eztia Sasco a rappliqué moins de vingt minutes plus tard. Avec elle, son frangin et une putain de flopée de journalistes sur les dents. Une vraie chierie.

— Il a parlé ?

Cruz s'énerve brusquement. Il gueule comme un veau dans le combiné :

— Manquerait plus que ça, bordel !

Pinto se tait. Cruz met un moment à se calmer et à prendre une voix normale. Il ajoute :

— On va s'occuper de lui.

— Comment ?

— J'en sais rien encore, mais on va trouver un moyen pour qu'il ferme sa gueule, fais-moi confiance.

Pinto pense à Adis García et aux promesses non tenues. Il se dit que ce n'est pas la première fois que Javier Cruz s'engage sur des choix qu'il n'est pas capable de tenir, mais cette fois-ci, c'est différent. Cruz est impliqué jusqu'au cou. Pinto est impliqué jusqu'au cou. García aussi était impliqué jusqu'au cou, mais il est mort. À présent, ils sont là, tous les deux, coincés dans cette saloperie d'impasse, et ils tiennent leur seule chance de s'en sortir.

Pinto sait des choses sur le compte de Cruz qu'il pourrait balancer, le cas échéant. Il peut encore se protéger s'il ne déconne pas. Pourtant, il ne peut s'empêcher d'éprouver une forme d'admiration pour le sang-froid dont Cruz fait preuve. Quel que soit le cul de basse-fosse dans lequel il se trouve, ce mec agit comme s'il y avait *toujours* une solution et qu'il allait la trouver *vite*. Un putain de messie. Quand ce type ordonne à un aveugle de voir, ce dernier s'exécute sans rechigner et quand il ouvre enfin les yeux, et que la lumière est, c'est pour s'apercevoir que son sauveur est un sociopathe qui vient d'abattre toute sa famille. Voilà le genre de chef que représente Javier Cruz. De la lignée des connards qui ne doutent de rien et à qui tout est permis parce qu'ils ne sont jamais tombés et qu'il y a toujours d'autres types plus influents qu'eux qui paient pour qu'ils restent dans le circuit.

Pinto demande :

— Autre chose ?

Cruz ricane :

— Commence par me ramener cette vidéo. On verra pour le reste après.

Pinto attache Elizabe sur un tronc couché et lui entrave les pieds et les mains. Ses gestes sont précis. Il a peu de temps devant lui. Il a déniché un bout de bois qui a la forme d'une batte de base-ball rudimentaire.

Pendant ces préparatifs, le journaliste a les yeux exorbités. Il a compris qu'il allait passer un mauvais moment. Ses vêtements empestent la pisse et la peur. Son visage, son cou et le haut de sa chemise sont barbouillés de sang et de bile séchés.

En guise de préambule, Pinto déclare :

— Je veux la vidéo.

Et il abat le bâton sur le poignet gauche d'Elizabe. Un os cède dans un craquement sinistre. Elizabe hurle et ses yeux se remplissent de larmes.

Pinto répète :

— Je veux la vidéo.

Tirant sur ses liens, Elizabe contracte ses muscles en prévision du prochain coup, mais Pinto se penche sur lui et dit :

— Tu as quelque chose à me dire ?

Elizabe émet des borborygmes incompréhensibles. Il bave. La souffrance ravage ses traits. Pinto se penche davantage et lui essuie les yeux et la bouche du revers de sa manche.

Il demande :

— Peux-tu répéter, s'il te plaît ?

— Ma veste.

Pinto pose son bout de bois et vide chacune de ses poches, sans rien trouver d'autre que le portrait d'une belle femme brune au regard pénétrant.

Il soupire :

— Il n'y a rien.

Il tend la photo devant le visage d'Elizabe qui se crispe :

— Mari.

Il pleure. Pinto hoche la tête, compréhensif, mais il empoche le cliché et revient à la charge :

— La vidéo.

— Cousue. Dans ma veste.

Pinto hoche la tête et s'exécute. Il passe les doigts sur le tissu et tâte chaque couture. Il finit par trouver une bosse, au niveau de la doublure du col. Il la déchire d'un geste sec. Une carte mémoire apparaît. Satisfait, il l'empoche. Sans plus s'en préoccuper, il reprend son bâton en main et le lève un peu, de manière à ce qu'Elizabe le voie distinctement.

Il demande :

— Il existe des copies ?

Terrorisé, le journaliste fait non de la tête. Pinto lève un peu plus le bout de bois.

— J'imagine qu'il est inutile que je te frappe à nouveau avec ça.

Elizabe acquiesce, la bouche ouverte, incapable de détacher ses yeux du sang qui macule le bois.

Pinto répète :

— Il n'existe aucune copie de cette vidéo, c'est ce que tu es en train de me dire ?

— Non.

Il raffermit sa prise sur le bout de bois.

— Tu es sûr de ça ?

— Oui.

— Je suis désolé.

Comme un danseur aux mouvements précis et calculés, Pinto se décale sur la droite et frappe ensuite le journaliste de toutes ses forces sur le cou, lui brisant la carotide. Elizabe ne hurle pas, ne vomit pas, ne crache pas. Il se contente de s'étouffer, lentement, un voile d'épouvante dans les yeux. Au bout d'une longue minute, il s'arc-boute, puis, plus rien.

La pression retombe d'un coup. Pinto s'assoit sur le tronc, à côté de la tête d'Elizabe. Il ne sent plus son pied. Il tremble quand il jette un œil à sa cuisse. Il touche la blessure. Apparemment, la balle a traversé le muscle et est ressortie sans toucher d'os ni d'artère.

Il se relève en serrant les dents. Il tient debout. Il devra nettoyer ça.

Il inspire une grande bouffée d'air, puis il défait les liens d'Elizabe, le charge sur son dos et retourne à la voiture en ahanant. La route est déserte.

Pinto installe le journaliste au volant de la Peugeot et lui passe la ceinture de sécurité. Il retourne au break récupérer un bidon d'essence dont il asperge l'habitacle, le capot et les pneus, puis il met le moteur en marche, sort la photo de la femme d'Elizabe et la dépose sur ses genoux comme s'il s'agissait d'une relique religieuse.

— Tout ça nous dépasse, Marko. Cette foutue guerre de merde n'est pas la nôtre et nous y sommes mêlés malgré nous.

Puis il craque une allumette et la jette à l'intérieur.

IV

58

Bayonne, urgences du centre hospitalier de la côte basque : branle-bas de combat. Iban est allongé sur un lit, sonné et la trouille au ventre.

Les flics et les infirmières sont aux petits soins. La porte donnant sur le couloir est ouverte. Deux gendarmes en uniforme montent la garde – *la sacro-sainte liberté de la presse a été bafouée ! Ce crime ne restera pas impuni !*

Un gradé passe deux fois prendre de ses nouvelles. Le genre soucieux à tête de fouine. Grand, malingre, nez démesuré et veste en velours improbable. Ses yeux traînent partout pendant qu'il parle. Il entre, il sort, il entre à nouveau. Il veut un récit détaillé des événements du motel. Iban raconte ce qu'il a vu. Il omet de mentionner la présence d'Alirio Pinto. Il explique qu'il a besoin de se reposer.

Le flic répond :

— Je comprends, je comprends.

Il dit qu'il repassera dans l'après-midi, puis il ressort. Iban ne l'a jamais vu auparavant. Il se demande s'il est là pour enquêter sur l'explosion ou terminer le travail commencé par Pinto.

Peu après, le grand chef des urgences en personne débarque, entouré d'une meute de membres du personnel soignant. Il a fière allure : tempes grisonnantes, collier en or, mains manucurées. Il lui recoud ses plaies au visage et au bras, comme si Iban revenait du front afghan.

La chambre est pleine à craquer. Iban a le sentiment d'être une putain de bête curieuse. En barbouillant ses cicatrices d'antiseptique, le chirurgien ironise :

— Vous êtes un vrai reporter de guerre.

Une infirmière glousse. Le chirurgien toussote de satisfaction. Iban ne répond pas. Il se retient in extremis de lui faire bouffer son sourire, son aiguille et ses gants en plastique. Il ferme les yeux et s'endort peu après, assommé par les sédatifs, l'image de sa voiture calcinée en surimpression.

Le chaud et le froid. Une infirmière qui ressemble à Meryl Streep, trente ans plus tôt dans *Voyage au bout de l'enfer,* est occupée à vérifier l'état de ses pansements et de la perfusion. Pendant qu'elle se penche sur lui, Iban aperçoit furtivement la bretelle d'un soutien-gorge.

Sa voix est pleine de miel :

— Vous vous sentez comment ?

Iban secoue la tête et parcourt la pièce du regard. La lumière crue des néons au-dessus du lit lui crève les yeux. Les rideaux de la fenêtre sont tirés. Il a l'impression qu'un type armé d'une masse lui enfonce un pieu dans le crâne.

Il demande :

— Quelle heure est-il ?

— Minuit passé.

— Merde.

Il réfléchit et ajoute :

— Une jeune femme du nom d'Eztia Sasco est-elle venue me voir ?

Elle secoue la tête.

— J'ai pris mon service il y a moins d'une heure, je suis désolée.

— Quand est-ce que je pourrai partir ?

L'infirmière bat des paupières et sourit tristement, puis elle disparaît dans le couloir. Mikel Goiri se tient dans l'encadrement de la porte. Le grand flic gradé est avec lui. Ils s'avancent sans un mot et referment derrière eux.

Goiri prend une chaise et s'assoit face à Iban. Il tire une gueule d'enterrement. Il frotte nerveusement les paumes de ses mains sur ses cuisses. Il déclare :

— Marko Elizabe est mort.

Iban sent le matelas se dérober sous lui. Son oreiller est un puits sans fond.

Il murmure :

— Continue.

— Le commandant de police Kleber vient de m'apprendre la nouvelle.

Le flic hoche la tête mais ne semble pas disposé à parler. Iban crève d'envie de fumer une cigarette, là, maintenant.

Goiri reprend, à regret :

— Ils ont retrouvé sa voiture à Saint-Vincent-de-Tyrosse, sur une route secondaire, en pleine forêt landaise. Entièrement brûlée et lui avec.

Kleber se racle la gorge. Goiri corrige, comme s'il récitait une leçon apprise par cœur :

— Il y avait un corps au volant, tout laisse à penser qu'il s'agit bien de Marko. Il y a eu une course-poursuite avec un break de couleur sombre. Des témoins affirment avoir vu les deux voitures lancées à vive allure à la sortie d'Ondres. Marko aurait perdu le contrôle de son véhicule et serait allé s'encastrer dans une butte de terre. L'incendie qui a suivi serait d'origine criminelle. La Peugeot a été arrosée d'essence. L'explosion de ta voiture, et maintenant le meurtre de Marko... L'enquête privilégie la piste terroriste.

Iban scrute les traits de Goiri. Il met un certain temps à réaliser ce qui cloche chez le rédacteur en chef : il empeste la peur. Elle suinte de tous les pores de sa peau comme un poison.

Le téléphone de Kleber sonne. Il s'excuse, recule près de la porte et décroche. Il acquiesce à deux reprises, s'avance et tend l'appareil à Iban :

— C'est pour vous.

Iban le saisit, interloqué.

— Allô ?

— Monsieur Urtiz. On me dit que vous êtes réveillé et tiré d'affaire.

Il reconnaît aussitôt la voix du procureur Jean-Marie Delpierre. Il n'en croit pas ses oreilles. Il se demande s'il n'est pas en train de faire un cauchemar éveillé.

— La gendarmerie de Tarnos m'a contacté pour m'avertir de ce qui vous était arrivé, à vous et à votre collègue, Marko Elizabe. Les crimes semblent avoir été motivés par des griefs d'ordre terroriste et idéologique.

Iban perd le fil quand Delpierre entame son couplet sur la liberté de la presse et son rôle crucial dans la démocratie. Il dévisage longuement Kleber, puis Goiri, avant de reprendre conscience de son interlocuteur, au bout du fil.

L'autre poursuit son laïus :

— Sachez que nous mettons, d'ores et déjà, tout en œuvre pour retrouver les responsables. Nous ferons preuve de la plus grande fermeté à leur égard. Nous vous protégerons.

Iban l'interrompt brutalement :

— Je suis obligé d'écouter toutes ces conneries ?

Delpierre bafouille :

— Pardon ?

— Marko était un putain de bon journaliste. Il a fait son travail. Il vous a mis dans la merde jusqu'au cou et voilà le résultat. Il est mort *parce qu'il a révélé vos petites magouilles*. Et pour rien d'autre. Vous le savez, je le sais. Personne n'est dupe de votre petit jeu.

Iban n'écoute pas les protestations du procureur et rend le portable à Kleber en tremblant.

— Dites-lui que l'affaire Sasco nous tuera tous. Dites-lui aussi d'aller se faire mettre.

Il se tourne alors vers Goiri :

— ETA n'a rien à voir là-dedans. Marko avait vu juste. Un type a essayé de me tuer aujourd'hui. Un mercenaire. Un de ceux qui ont participé à l'enlèvement de Jokin Sasco. Son nom est Alirio Pinto. Il bosse pour le compte d'un dénommé Javier Cruz. Lui aussi faisait partie du commando

Sasco. Pinto a posé une bombe dans le moteur de ma voiture, mais j'en ai réchappé. Il a ensuite pourchassé Marko avant de l'assassiner froidement. Bientôt, ce sera mon tour. Ceci est ma déposition. J'ai toutes les preuves.

Kleber a raccroché et s'est rapproché du lit. Il fait une mimique qui semble vouloir dire : *Et après ?*

Iban déclare :

— À partir de maintenant, je ne parlerai qu'en présence d'un avocat.

Kleber se gratte le sommet du crâne et échange un regard avec Goiri. Il soupire et pose la main sur le montant du lit. Son geste est empreint d'une immense lassitude.

— Pourquoi un avocat ? Vous n'êtes soupçonné de rien.

Iban ricane :

— Je ne suis pas prisonnier ?

— Non.

— Je peux partir quand je veux ?

— Bien sûr.

— Et les deux flics dans le couloir ?

Kleber tourne machinalement la tête en direction de la porte.

— Ils sont là pour vous protéger.

— Tu parles !

La figure de Kleber s'empourpre. Sa main glisse du montant du lit jusqu'à la cheville d'Iban. Il la serre à travers le drap.

Il siffle :

— Cette histoire te dépasse. Ne prends pas des décisions que tu regretterais plus tard. Ne joue pas au con. Tu pourrais être un héros.

Mikel Goiri se fait tout petit dans son coin. Il feint de ne rien voir et de ne rien entendre. Iban dégage sa jambe d'un mouvement du bassin, arrache son cathéter et se lève.

Il se plante devant Kleber.

— Je veux qu'on me ramène chez moi.

Iban pénètre dans son appartement et s'enferme à double tour dans le noir. L'atmosphère est étouffante. Il attend que le moteur de la voiture de gendarmerie s'éteigne dans la nuit avant d'ouvrir les fenêtres en grand pour profiter de la fraîcheur.

Le voyant du répondeur de sa ligne fixe clignote. Le cadran indique une douzaine d'appels en absence. Il presse la touche *lecture*. Des voix évoquant l'assassinat d'Elizabe et l'explosion du motel envahissent la pièce. Des petits malins ont trouvé son nom et son numéro de téléphone dans l'annuaire. Les mauvaises nouvelles attirent les journalistes et les curieux comme des mouches à merde.

Iban efface tous les messages, incapable de les écouter jusqu'au bout.

Il dégotte un paquet de Winston sur le buffet du salon et fouille dans ses poches en quête d'un briquet. Ses doigts frôlent la clef USB donnée par Marko Elizabe sur le parking du motel. Iban retire sa main comme si l'objet était brûlant.

Il se rend dans la cuisine et allume sa cigarette à la gazinière. Il inspire la fumée et retourne s'asseoir à son bureau. Il sort la clef, hésite un instant, puis il l'insère dans l'ordinateur et lance l'application vidéo. Une lumière bleutée éclaire faiblement les murs du salon. Des ombres dansent sur la baie vitrée.

Il voit :

Cinq types cagoulés, cinq professionnels, enlèvent et balancent sans ménagement Jokin Sasco dans le coffre d'une Mégane break grise.

Il reconnaît : Pinto, Cruz, García.

Il pense : *Putain de bordel de merde !*

Il écrase son mégot dans le cendrier. Il éteint l'ordinateur et fourre la clef USB dans sa chaussette droite. L'appartement est à nouveau plongé dans l'obscurité.

Sa main tremble. Son dos est trempé de sueur. La peur ouvre un abîme à l'intérieur de sa poitrine. Iban suffoque. Il quitte son T-shirt, le roule en boule et le balance à l'autre bout de la pièce. Il manque toujours d'air. À quelques mètres de lui, le téléphone fixe se met à sonner. L'abîme s'élargit.

Iban se lève pour aller décrocher.

— Oui ?

La ligne crépite. Iban croit entendre un raclement de gorge au bout du fil.

Il hurle pour se donner le courage de mentir :

— Vous ne me faites pas peur !

La communication est interrompue. Iban se fige. La tête lui tourne. Des étoiles noires brouillent sa vue. Il reste debout, un long moment, à l'affût du moindre bruit, avant de reposer doucement le combiné, comme s'il allait lui péter à la gueule. Il suffoque de plus en plus. Il s'imagine que l'appartement est en feu, tant la chaleur est insupportable. L'incendie de sa voiture et de celle d'Elizabe se propage à l'intérieur de son crâne et sous sa peau.

Le téléphone sonne à nouveau. Iban doit s'agripper des deux mains à la table pour ne pas défaillir. Lentement, il s'empare du combiné. Il s'apprête à le balancer par la fenêtre. La friture sur la ligne a disparu et il entend la voix d'Eztia.

Elle dit :

— Ils t'ont relâché.

Et :

— Tu es vivant, nom de Dieu !

Peut-être pas dans cet ordre-là.

Iban parvient à articuler « Oui » et « Viens me chercher sur-le-champ ! ». Il ne reconnaît pas sa propre voix.

— Ils ont eu Marko.

— Je suis au courant.

— Ces types ont enlevé, torturé et tué ton frère. Ils ont eu Marko, et maintenant, ils veulent ma peau. Tu sais pourquoi ? Parce qu'ils peuvent faire ce qu'ils veulent. *Tout* ce qu'ils veulent. Impunité totale. Mais on ne les laissera pas faire, pas vrai ?

Eztia pleure. Iban se tait et cherche son paquet de cigarettes à tâtons. Il sursaute quand la flamme jaillit du briquet. La nicotine lui apporte un semblant de calme. Il se laisse glisser sur le sol et s'assoit pour réfléchir. Il tripote la clef USB à travers le tissu de sa chaussette. À l'autre bout du fil, Eztia pleure toujours.

Iban déclare :

— Ils ne peuvent pas s'en tirer.

— Ils s'en tirent toujours.

— Pas cette fois.

Eztia ravale ses larmes et dit :

— Je ne crois pas aux miracles. Je serai là dans un quart d'heure. Tiens-toi prêt.

59

Dimanche 7 juin, fin d'après-midi. Alirio Pinto est à cran. Il fait les cent pas devant l'entrée d'un immeuble en apparence comme les autres, dont le loyer et les charges sont gracieusement réglés par le contribuable français. Une annexe discrète du commissariat central de Bordeaux. Police judiciaire, section répression du terrorisme séparatiste, groupe d'enquête dédié à la question basque.

Une berline noire immatriculée en Gironde se présente à la grille du parking. La vitre côté conducteur descend. Un bras émerge et des doigts pianotent un code à dix chiffres sur un boîtier. Le portail s'ouvre avec une lenteur épouvantable. La main disparaît. La voiture s'avance et vient se porter au niveau de Pinto. La portière avant droite s'ouvre.

Pinto grimpe et referme. La berline démarre aussitôt. L'habitacle climatisé sent le tabac froid et le désodorisant synthétique parfum vanille. La banquette arrière est vide, à l'exception d'un parapluie. La radio est allumée sur une fréquence régionale.

Javier Cruz est au volant et affiche son air froid et énigmatique des mauvais jours. Il porte des gants en cuir. Pinto tient une carte mémoire entre le pouce et l'index de la main droite. Il la lui tend.

Cruz déclare :

— L'original de la vidéo.

— C'est ce que Marko Elizabe a affirmé, dans la forêt.

— Des copies ?

Pinto le dévisage, surpris. Cruz connaît la réponse à cette question. Pinto lui a déjà tout raconté au téléphone. Une pensée désagréable lui traverse l'esprit une fraction de seconde. Javier Cruz le soupçonnerait-il de ne pas jouer cartes sur table ? Est-ce un test ? Pinto décide d'écarter cette hypothèse pour l'instant.

Il dit :

— Il a juré qu'il n'en existait aucune.

— Il a pu mentir.

— Ça m'étonnerait.

Cruz s'entête.

— Il est même hautement probable qu'il ait menti.

— Écoute. Il était attaché à un tronc, il avait le poignet brisé à coups de bâton et je m'apprêtais à faire subir un sort identique à chacun de ses os, si besoin était. Même un soldat entraîné pour supporter ce type de torture aurait livré sa mère pour que je m'arrête. Même moi, j'aurais craqué, bordel.

Cruz rempoche la carte mémoire et réfléchit.

— Tu dis qu'on peut lui faire confiance ?

Il fixe Pinto. Son regard s'éclaire d'une lueur inquiétante.

— Tu parierais ta vie là-dessus ?

Pinto en a marre de ce petit jeu. Il détourne les yeux et murmure :

— Il était avec Iban Urtiz au motel de Tarnos.

— Le jour de la publication de cette merde de reportage sur l'affaire Sasco.

— Ce jour-là, c'est vrai.

Cruz ironise :

— Quel drôle de hasard.

— Urtiz a peut-être une copie de la vidéo.

— Seulement Urtiz ?

— Il pourrait l'avoir montrée à Eztia Sasco.

— Seulement Eztia Sasco ?

— Elle pourrait l'avoir montrée à son frère Peio qui se serait empressé de faire de même avec tous ses amis basques.

Cruz feint de s'extasier devant sa clairvoyance.

— Dans le mille.

Il ajoute :

— Continue.

— Elle pourrait la faire circuler.

— Encore.

— Elle pourrait chercher à venger la mort de son frère.

Cruz est excité comme une puce.

— Encore !

— Les fantasmes d'Iban Urtiz et d'Eztia Sasco pourraient nous mettre dans la merde.

Cruz acquiesce mais ne le relance pas. Il balaie l'avenue du regard. La berline slalome entre les voitures. Cruz conduit avec un calme surprenant. Ses mains gantées glissent sur le volant comme des caresses.

Pinto dit :

— D'un autre côté, ce brave Marko a peut-être dit la vérité.

Cruz rétorque :

— Nous ne pouvons pas courir ce risque, tu es d'accord ?

Pinto hoche la tête.

— Qu'attends-tu de moi ?

Cruz pince les lèvres. Son visage s'assombrit et arbore une teinte inquiétante. Il monte le volume de la radio et engage la voiture sur le périphérique est. La circulation est fluide. Ils prennent la direction du sud et roulent jusqu'à Bayonne sans échanger un mot.

Dix kilomètres après le péage de Bénesse-Maremne, Cruz emprunte la sortie 6 et se dirige vers le centre-ville. Sans couper le moteur, il arrête la voiture devant un mur. Une inscription en langue basque a été tracée à la peinture rouge à hauteur d'homme.

Pinto n'a pas besoin d'un traducteur pour comprendre le message.

Il est écrit : *Jean-Marie Delpierre, menteur ! Jokin, vérité !*

Cruz se tourne vers Pinto et déclare :

— Toi et moi, on a un gros problème.

Pinto cligne des yeux, trois ou quatre fois. Il ouvre légèrement le pan de sa veste pour que Cruz voie son arme, l'air de dire : *J'ai la solution à notre problème, chef, tu n'as qu'à demander.*

Cruz fait « non » de la tête et redémarre.

Grand luxe et liasses de billets. Les amis de Javier Cruz ont mis les bouchées doubles. Ce dernier a tenu à faire l'article en personne : la nouvelle planque de Pinto est au cœur du Pays basque nord.

L'appartement est situé dans un quartier résidentiel de Saint-Jean-de-Luz. Cinq pièces, deux salles de bains, porte blindée, pas de vis-à-vis, digicode et caméra de vidéosurveillance à l'entrée, provisions plein les placards et BMW série 3, 143 chevaux, dans un garage, au pied de l'immeuble.

Cruz veut que l'affaire Sasco/Elizabe/Urtiz se tasse un peu. Le vacarme de l'explosion du motel et des révélations d'Elizabe a vrillé les tympans de ses supérieurs jusqu'à les rendre sourds.

Pinto a de nouvelles consignes : Iban Urtiz ne doit *pas* mourir.

Cruz est assis sur un siège éjectable – Pinto est installé sur ses genoux et il n'y a qu'un parachute pour deux. Cruz a été chargé de nettoyer les murs de la ville de Bayonne. Ses supérieurs lui ont donné un seau de javel et une brosse et lui ont dit : « Frotte ! Nettoie cette merde. »

Cruz est dans une impasse. Il doit résoudre le problème Sasco. Pinto est son bras armé. Cruz veut la vidéo, mais cette fois-ci, il réclame :

— De la subtilité !

Pas un carnage explosif, des os brisés, des flammes et des milliers de Basques dans les rues de Bayonne qui scandent : « Justiiice ! »

Pas des slogans inscrits en lettres rouge sang qui affirment : *Jokin Sasco ne s'est pas tiré avec l'argent d'ETA. Jokin Sasco n'est pas un traître. Jokin Sasco a été enlevé, torturé et tué par des mercenaires à la solde du pouvoir. Jean-Marie Delpierre est un menteur. Les flics de la* SDAT *sont des menteurs. Les technocrates des ministères de l'Intérieur français et espagnol sont des putains de menteurs.*

Cruz désire que Pinto fasse le ménage, mais « en douceur, bordel ! ». Iban Urtiz ne doit pas mourir mais Pinto doit l'aider à foncer dans le mur, « en douceur, bordel ! ». Cruz souhaite que Pinto rende visite à Mikel Goiri et trouve avec lui le moyen de réduire le journaliste au silence. Pinto doit régler les problèmes et faire preuve d'imagination. Il a carte blanche. Cruz lui enverra deux hommes dès le demain matin. L'antiterrorisme paiera la note.

Cruz martèle :

— Mais il faut des résultats.

Pinto hoche la tête. Il évalue mentalement les chances que Javier Cruz ne soit pas en train de l'entraîner dans sa chute.

Il dit :

— J'ai besoin de réfléchir.

Cruz ricane :

— C'est tout vu.

Il tend la main. Pinto la serre à contrecœur, puis il attrape les clefs de la nouvelle planque et empoche une enveloppe contenant trois mille euros en liquide pour les premiers frais.

La berline démarre et disparaît au coin de la rue comme par enchantement.

Pinto grimpe les étages, s'enferme à double tour et inspecte les lieux. Satisfait, il ouvre les fenêtres en grand, prend une douche pour se rafraîchir et s'allonge sur le lit de la chambre la plus spacieuse. Il réfléchit un moment aux consignes de Cruz et à la manière de les mettre en œuvre, puis il se lève, se rend dans la cuisine et se sert un verre d'eau. Les trois pilules magiques qu'il glisse sur sa langue ont un goût amer.

Pinto lève le verre, sourit et trinque avec son ami imaginaire :

— Bonne nuit, monsieur Urtiz !

Il avale le tout d'une traite. L'effet est immédiat. Les amphétamines stimulent ses neurones à la vitesse grand V. Désormais, sa vision est kaléidoscopique. Le portrait en gros plan d'Iban Urtiz apparaît sur chaque facette. L'affaire Sasco n'est plus un problème. Pinto n'a plus peur. Il respire par à-coups. Ses jambes flageolent. Ses mains tremblent. Il retourne s'étendre dans la chambre. Un sourire béat irradie son visage.

Pinto se réveille à l'aube avec la gueule de bois et les ongles rongés jusqu'au sang. Il repense aux événements du week-end et se dit que ça aurait pu être pire.

La sonnette d'entrée retentit. Une fois, deux fois.

Il fronce les sourcils, puis se souvient des deux types dont Cruz lui a parlé, la veille.

Il gueule :

— J'arrive !

60

L'onde de choc.

Les révélations de Marko Elizabe, couplées à l'annonce de sa mort, n'en finissent plus d'agiter les cercles militants.

Mercredi 10 juin, une pieuvre du nom de « sale guerre » étend ses tentacules jusque dans les esprits les plus sceptiques.

Bizarrement, passé les frontières du Pays basque, plus personne n'en entend parler. Les responsables de toute cette merde serrent les fesses et se frottent les mains.

Eztia a téléphoné toute la journée. Cette journée-ci et les précédentes. Jour et nuit. Contacter et recontacter les hôpitaux et les morgues de la région. Toulouse, Bordeaux, Dax, Mont-de-Marsan, Bayonne. On prend les mêmes et on recommence.

Entre deux coups de fil, la radio nationale fournit de quoi attiser sa colère. L'actualité de juin est aussi brûlante que les températures.

L'OMS déclare l'état de pandémie mondiale à la grippe H1N1. Niveau 6 : danger imminent de contamination. Les politiques de tout poil crient : « Attention ! Achetez nos vaccins ! »

Évidemment, pas un mot sur la mort de Marko Elizabe.

Près de Bordeaux, des dizaines de tracteurs sèment la pagaille sur les plates-formes de la grande distribution. Les mêmes politiques se marrent et hurlent à la mort, sous les sifflets et les huées des agriculteurs : « Vive le libre-échange ! »

Évidemment : le monde entier se contrefout de Jokin Sasco et des petits Basques qu'on torture comme au bon vieux temps de la Question – « Comment ? Ça se passe juste à côté de chez nous ? Vous délirez, ma pauvre amie ! »

Eztia éteint le poste et allume une cigarette. Elle la fume à moitié, l'écrase et compose un nouveau numéro. Au bout du fil, les voix changent, mais le résultat est toujours le même :

— Non, désolé.

Eztia persiste. Elle affirme que le vacarme suscité par l'assassinat de Marko et le regain d'intérêt pour la disparition de son frère ont le pouvoir de réveiller les consciences et de délier les langues. Elle ne lâche rien. Elle croit aux miracles.

Un sablier géant en forme de compte à rebours égrène les semaines à l'intérieur de son crâne. Elle poursuit son décompte macabre, inlassablement. Jokin n'a plus donné signe de vie depuis cent soixante-six jours.

Iban n'a pas quitté l'appartement depuis dimanche. Il dort dans son lit chaque nuit mais il n'a pas encore pénétré son espace vital. Elle n'arrive pas à se décider sur la nature de leur relation. Il admire sa détermination. Elle devine qu'il aimerait *vraiment* partager sa conviction *et* son espace vital *et* son lit. Pourtant elle perçoit une distance entre eux qu'elle évalue à des dizaines de milliers d'années-lumière.

Iban dit :

— Tu devrais te ménager.

— Je me reposerai quand on aura retrouvé Jokin.

— Tu ne manges rien.

— Toi non plus.

— Tu ne dors presque pas.

Elle rit.

— Toi non plus !

— Ce n'est pas la question.

— Jokin...

— Et si on ne le retrouvait pas.

Eztia se fige.

— Ne dis pas ça.

Il lève les mains en signe de reddition et l'embrasse. Elle se laisse faire. Il dit, d'une voix qui se veut pleine d'entrain :

— À mon tour. Donne-moi un autre numéro.

Mais ses yeux brillent d'un drôle d'éclat. Eztia n'est pas dupe. Il lui a avoué lutter en permanence contre une irrépressible envie de tout laisser tomber et de rejoindre sa mère à l'autre bout de la France, loin de ce pays de malheur.

Elle sourit tristement, lui tend le combiné du téléphone et répond :

— Cette fois-ci, c'est la bonne, je le sens.

Samedi 13 juin. Iban a terminé son dernier paquet de Winston ce matin. Il s'est mis aux Gauloises blondes light. Eztia en a des stocks impressionnants.

Accoudé à la fenêtre du salon, il jette un coup d'œil au parking. Il inspecte les voitures une à une. Il suspecte chaque type un peu louche. Il se demande : « Combien de cagoulés, planqués derrière leur volant, surveillent l'entrée du bâtiment ? » Son angoisse est permanente, surtout la nuit.

Une Clio blanche entre dans son champ de vision. Iban note l'heure : 17 h 34.

Le véhicule se gare au pied de la tour. Un homme d'une quarantaine d'années en sort, une mallette à la main. Deux fillettes se précipitent à sa rencontre et lui sautent dans les bras en piaffant. Une femme attend en retrait, souriante.

Écœuré, Iban écrase sa cigarette sur le rebord de la fenêtre et se tourne vers Eztia.

La jeune femme est assise du bout des fesses sur le bord du canapé. Une cigarette aux lèvres, son portable vissé à l'oreille. Son T-shirt trop large ne dissimule pas sa maigreur. Des cernes bleu-gris soulignent la noirceur de son regard.

Iban cible ses recherches autour du 11 janvier, date à laquelle les cagoulés de l'antiterrorisme ont lancé l'assaut sur la planque d'armes d'ETA à Bordeaux.

Il attend qu'Eztia ait raccroché pour la questionner.

— Tu pourrais demander à ton frère.

— Non.

— Il est forcément au courant.

— Ce n'est pas si simple.

— Merde, bien sûr que si, c'est simple. Tu l'appelles, tu lui poses la question, il se renseigne et il te répond.

Elle secoue la tête. Il insiste.
— S'il te plaît.
— Peio ne me dira rien parce qu'il sait bien que je te raconterai tout.
Iban change de stratégie.
— Il faut rappeler les hôpitaux et les morgues pour avoir la liste des corps ou des malades acceptés autour du samedi 10 et du dimanche 11 janvier.
Eztia soupire.
— Je ne fais que ça, putain !
— Écoute. Ton frère disparaît le 3 avec une valise pleine de billets alors qu'il se rendait à Bordeaux pour le compte d'ETA. Une semaine plus tard, une opération est lancée contre une planque surveillée depuis des semaines, voire des mois. Pourquoi ne pas l'avoir fait avant ? Pourquoi cette perquisition tardive ? Il y a forcément un lien entre ces deux événements et Peio ne peut pas l'ignorer.
— Peio ne parlera pas.
Iban s'emporte. Ses oreilles bourdonnent. Il est furieux.
— J'oubliais : l'organisation passe avant Jokin. Des fois, je me demande si vous voulez vraiment qu'on retrouve ton frère.
— Ne dis pas ça.
Les doigts d'Eztia se crispent sur le rebord de la table basse. Des sanglots lui brisent la voix. Iban la défie du regard.
— Je ne dis que ça, au contraire.
— Si Peio savait où est Jokin, il me le dirait.
Iban comprend qu'ils se trouvent dans une impasse. Il réfléchit et dit :

— D'accord. Prenons les choses sous un autre angle, si tu veux bien. Maintenant, la question est : qui paie ? Essaie de te focaliser là-dessus. Tu peux faire ça pour moi ?

Elle lève les yeux au plafond d'un air agacé, mais il l'ignore.

Il poursuit :

— Qui paie les mercenaires ? Qui finance les types comme Javier Cruz, Adis García et Alirio Pinto ? Qui paie la bombe placée sous ma voiture ? Et les cagoulés qui me traitent de petit écureuil ? Qui fournit les armes qui ont tué Marko ? Qui verse un salaire aux types qui ont fait ça ? Qui met de l'essence dans leur voiture ? Qui paie leur bouffe ? Qui paie le loyer de la ferme Mora ? Qui paie les beaux costards de Jean-Marie Delpierre ? Qui paie pour acheter le silence des flics ?

Il traverse la pièce jusqu'à la fenêtre et désigne le parking de la main.

— Qui paie les types qui nous surveillent nuit et jour ? Dis-moi, d'où vient-il, tout ce fric ? Demande à Peio. Ça coûte cher, non ? Il doit en falloir, des résultats, pour décider ceux qui paient à allonger encore plus de fric. En cinq mois, il a dû coûter un max d'argent, ton frère Jokin. Bien plus qu'il n'y en avait dans la valise qu'il transportait, crois-moi.

— Quel rapport ?

— La clef, c'est le fric. Le fric de la valise. Le fric qui finance l'enlèvement de ton frère. Suivre la piste du fric, c'est trouver les commanditaires. Ceux qui règlent la note. C'est ce qu'Elizabe cherchait et c'est pour ça qu'il est mort.

— Je ne vois toujours pas.

Iban tape sèchement du plat de la main sur le rebord de la fenêtre.

— Ceux qui paient sont les mêmes que ceux qui ont intérêt à ce que la mort de ton frère coïncide avec la rafle de quelques armes dans une planque d'ETA. Voilà pourquoi je veux que tu parles de cette planque à ton frère. Il a sûrement son idée là-dessus. Il a ses propres sources de renseignements. Ses indics. Ses propres connexions. Il sait, lui, ce que « financement occulte » signifie. Il sait où trouver le fric. Il connaît les circuits parallèles.

— Salaud.

— S'il te plaît.

— Tu surestimes le pouvoir de Peio.

— Peut-être.

— D'ailleurs, tu ne sais rien de lui.

— Sûrement.

— Va te faire foutre avec tes « peut-être » et tes « sûrement » !

Il répète :

— S'il te plaît.

— Il n'a pas confiance en toi.

— Ni en toi.

— Ta gueule.

— Il préfère se taire plutôt que de tout mettre en œuvre pour trouver le corps de son frère et soulager par la même occasion la peine de sa sœur et de sa mère.

Elle hurle :

— Ta gueule !

Eztia se lève d'un bond et s'enfuit en courant dans le couloir. Iban la suit jusque dans la chambre. Elle se jette sur le lit en pleurant. Il s'assoit près d'elle et se penche. Il trouve ses lèvres. Elle le repousse. Il enfouit son visage dans la masse brune de ses cheveux. Il glisse sa main dans la sienne et embrasse sa nuque. Elle le repousse encore une fois.

Il murmure :

— J'ai peur, Eztia. Et plus j'ai peur, plus cette idée fixe tourne à l'obsession : qui paie ?

Eztia s'écarte et se redresse de l'autre côté du lit. Elle allume la lampe de chevet et attrape le paquet de cigarettes posé sur la table de nuit. La flamme du briquet se reflète dans ses larmes.

Iban lui saisit le poignet.

— Qui paie, bordel ?

Vendredi 18. Les employés des hôpitaux et des morgues persistent dans leur mutisme. Eztia n'ouvre plus la bouche que pour avaler et expirer la fumée de ses cigarettes. Iban ne s'approche plus de la fenêtre, de peur d'apercevoir des types louches regarder dans sa direction.

Peio débarque à l'improviste sur les coups de 10 heures. Il embrasse sa sœur sur le front et refuse la main que lui tend Iban.

— Ça va, dit Eztia sur un ton de reproche.

Iban lui fait signe de laisser tomber. Peio exhibe un exemplaire du jour de *Lurrama* et l'envoie voler à travers la pièce. La tension monte d'un cran supplémentaire. Il s'avance jusqu'à Iban. Les articulations de ses poings serrés sont blanches.

Eztia s'interpose et se plante face à son frère.

— Qu'est-ce qu'il te prend ?

Iban se penche et ramasse le journal. En pages 2 et 3, des révélations fracassantes sur Marko Elizabe. Il n'en croit pas ses yeux.

Il lit à voix haute.

L'article raconte qu'avant sa mort, le journaliste s'est acoquiné avec les séparatistes et qu'il était un proche de Jokin Sasco. Il dresse le portrait irréel d'un Marko Elizabe pas aussi net que ses défenseurs ont bien voulu le prétendre.

L'article précise qu'un mandat d'arrêt européen a été lancé contre Elizabe par un juge espagnol pour participation à des réunions politiques illégales en Espagne. L'Audience nationale espagnole réclamerait sa tête à l'État français. Le vendredi 7 novembre 2008, la cour d'appel de Bordeaux s'est prononcée en faveur de sa remise aux autorités espagnoles. Le juge d'instruction espagnol a également ajouté l'accusation portant sur un article d'opinion à propos de Jokin Sasco publié le samedi 6 juin 2009 dans les colonnes du quotidien *Lurrama*. Le mandat d'arrêt raconte que Marko Elizabe n'est pas la victime que la presse indépendantiste et les *abertzale* présentent.

L'article est signé Iban Urtiz.

Eztia recule sous le coup de l'émotion. Peio veut la prendre dans ses bras. Elle refuse violemment. Iban lâche le journal.

— Je n'ai jamais écrit cette saloperie. Tu dois me croire. Je n'y suis pour rien. Tu étais avec moi toute la semaine. Tu sais que je n'ai rien fait.

Il s'avance vers Eztia.

— C'est un coup monté. Je ne connaissais même pas l'existence de ce mandat lancé contre Marko.

Peio pousse Iban des deux mains. Le journaliste perd l'équilibre et tombe sur le dos. Il se relève aussitôt et se jette sur Peio. Les deux hommes roulent sur le linoléum et renversent la table basse. Le contenu du cendrier se répand par terre. L'étagère vacille de gauche à droite. Des bibelots tombent et se brisent. Peio est massif. Il compte une bonne dizaine de kilos de plus qu'Iban. Il s'en donne à cœur joie. Il lui laboure les côtes et les bras. Iban se défend comme il peut, mais Peio lui plaque le visage sur le sol. Iban avale des cendres et des mégots. Il crache et tousse. Le sentiment d'injustice démultiplie sa colère. Il parvient à se mettre à quatre pattes, mais Peio n'a pas l'air décidé à céder le premier.

Eztia est hystérique. Elle leur crie d'arrêter de se battre. Elle s'agrippe au cou de Peio et parvient à le tirer en arrière. De guerre lasse, il finit par lâcher prise. Pas Eztia.

Iban se relève, essoufflé. Il crache dans la paume de sa main un mélange de salive et de sang. Il pointe un doigt accusateur vers Peio.

— Qui me dit que ce n'est pas toi qui as écrit cet article pour me discréditer et pour protéger ton fonds de commerce ?

— Sale connard ! Je t'interdis de…

Peio se rue sur Iban, mais Eztia l'en empêche. Elle les supplie de se calmer.

— C'est ce qu'ils veulent ! Nous diviser. Vous ne comprenez pas ?

Elle se tourne vers Iban.

— Casse-toi.

Il la fixe, l'air de dire : *Je te jure que ne suis pas l'auteur de cet article de merde.*

Eztia secoue la tête. Iban attrape sa veste et se dirige vers la porte d'entrée. Avant de sortir, il ramasse l'exemplaire de *Lurrama* et le fourre dans les mains d'Eztia.

— Souviens-toi de ce que je t'ai dit.

— Quoi ?

— Qui paie pour ces conneries ?

61

Eztia s'adosse au mur, face à Peio, et sèche ses larmes du dos de la main.

— Tu es content de toi ?

Son frère hausse les épaules.

— Ton petit chien journaliste reviendra, ne t'inquiète pas.

La gifle part toute seule. Peio la défie du regard sans broncher. Elle devine ses pensées. Elle le connaît par cœur.

Elle dit :

— Tu me regardes comme si j'avais trahi Jokin.

— Et ton petit chien ?

— Arrête de l'appeler comme ça, putain !

Peio lui désigne le journal qu'elle tient dans les mains.

— Et ça ?

— À toi de me le dire.

Il ne répond pas. Prise d'un vertige, elle jette l'exemplaire de *Lurrama* sur le canapé, puis elle se ressaisit.

— C'est bien ce que je pensais. Marko Elizabe est un journaliste et vous l'avez toujours tenu à distance. Il n'a jamais été *etarra*, je me trompe ?

Peio baisse les yeux.

— Pas à ma connaissance.

— S'ils sont capables d'inventer *ça*, comment peux-tu douter une seconde qu'ils hésiteraient à signer leur fichu papier du nom d'Iban.

— Je n'en sais rien.

Elle tend le bras et le force à relever la tête. Il s'efforce de masquer sa gêne.

— Regarde-moi, Peio. Regarde-moi bien.

— Quoi ?

Elle prend sa respiration.

— Jokin me manque.

— Moi aussi.

— Jokin me manque *terriblement*.

— Moi aussi.

— Jokin est mort, à l'heure qu'il est.

— Peut-être pas.

— Il est *mort* et tu le sais aussi bien que moi. Nous devons nous préparer à cette idée. Ils ne peuvent pas garder un homme vivant aussi longtemps dans l'une de leurs prisons *sans que ça se sache partout*. Même si je respecte votre combat, à Jokin et à toi – et tu sais que je le respecte, n'est-ce pas ? –, je veux que tu oublies cinq minutes ta parano et que tu sois franc. Traite-moi comme ta sœur. Parle-moi d'égal à égal, une fois dans ta vie.

— C'est justement pour…

Eztia l'interrompt d'un geste de la main pour marquer son agacement. À cet instant précis, elle ne supportera pas son couplet sur la nécessité de tenir les proches à l'écart pour les protéger. Elle en marre du silence et de ses conséquences sur leur vie.

Elle déclare :

— Dis-moi ce que tu sais.

Il proteste d'une voix peu convaincante. Ses lèvres tremblent. Ses doigts dessinent des formes bizarres sur le tissu de son pantalon.

Eztia précise :

— Commence par me parler de la planque de Bordeaux.

62

You get nothin' for nothin'. Iban court dans Bayonne tout l'après-midi, comme un fou. « Appetite for Destruction » à fond et en boucle dans la tête.

Mikel Goiri est injoignable, *comme par enchantement*. Il ne répond pas au téléphone, ni sur son portable, ni sur sa ligne professionnelle, ni chez lui.

Tu n'as rien sans rien.

Iban court de plus belle en vérifiant par-dessus son épaule que des cagoulés ne le suivent pas. Il grimpe les étages jusqu'aux locaux de *Lurrama*. Goiri a déserté la rédaction. Les tiroirs de son bureau sont verrouillés à double tour. La secrétaire l'observe avec animosité. Les journalistes assis à leur poste feignent d'ignorer sa présence. Iban gagne son bureau et s'immobilise. Les mots « Sale traître ! » ont été inscrits au feutre rouge sur son écran d'ordinateur.

Il hurle à la cantonade :

— Qui a fait ça ?

La secrétaire reste de marbre. Les autres lui tournent ostensiblement le dos. Il entend quelqu'un murmurer : « Bizarre comme ces bombes terroristes sont sélectives, de nos jours. » Un autre : « Il y a comme une odeur de merde, dans cette pièce, non ? » La sonnerie d'un téléphone déchire le silence sans que personne ne daigne répondre, puis une deuxième, trente secondes plus tard. Le moteur du fax ronronne, enfin.

— Allez tous vous faire foutre !

Iban tire sa chaise et allume son PC. Sa messagerie électronique est inondée d'emails d'insultes en provenance d'adresses anonymes. Du genre : *Alors comme ça, tu roules pour les flics, depuis le début,* erdaldun *?* Quand il relève la tête, la secrétaire se tient derrière lui, une feuille imprimée à la main.

— C'est pour toi.

Elle lâche le fax et tous deux le regardent voleter jusqu'au sol.

Elle dit :

— Tes amis ont encore bien fait leur sale boulot.

Elle fait demi-tour. Ses talons claquent sur le carrelage. Iban se retient de la rattraper par le bras et de la secouer jusqu'à ce qu'elle écoute – qu'ils écoutent *tous* ! – ce qu'il a à dire pour sa défense. Au lieu de ça, il se penche pour ramasser la feuille.

Batasuna.

Il est écrit « Communiqué » en haut de la page. Une courte déclaration suit, dénonçant l'arrestation de trois jeunes Basques, détenus à la gendarmerie de Bayonne pour « appartenance à une mouvance susceptible d'être impliquée dans divers attentats contre des agences immobilières au Pays basque français ».

Viennent enfin une liste de trois noms, dont celui de Txomin Zunda, puis un slogan : « Vérité ! »

L'entrée du bâtiment de la gendarmerie est en état de siège. Elle est gardée par une rangée de CRS en nage, armés jusqu'aux dents.

En demi-cercle autour d'eux, une poignée de journalistes et une centaine de jeunes Basques en jeans et survêtements. Ces derniers crient et chantent à tue-tête. Certains portent des cageots remplis de tomates, d'œufs et de pétards pour les gosses. Les autres y plongent les mains à intervalles réguliers et en projettent le contenu sur la façade, juste au-dessus du panneau « Gendarmerie Nationale ».

Iban n'en croit pas ses yeux : les flics *ne bougent pas*. Ils se contentent de bloquer l'accès à la porte et de les observer *comme si c'était normal, putain !* Il paraît que ce cirque dure déjà depuis trois heures et que Txomin Zunda et ses deux compagnons sont en garde à vue depuis près de deux jours.

Iban sort son portable et prend quelques photos. Un jeune homme aux cheveux longs l'interpelle. Il porte un T-shirt sur lequel sont imprimés une photo de Jokin Sasco et le slogan *Jokin, vérité !* Iban fait mine de ne pas le voir et recule. L'autre lui attrape le poignet.

— On veut que tu floutes nos visages sur tes photos.

— Portez des cagoules si vous ne voulez pas être reconnus.

Iban regrette aussitôt ses propos. Le jeune homme resserre sa prise. Son cou et ses joues s'empourprent. Il s'adresse à lui d'abord en basque. Iban fait « non » de la tête. Des têtes se tournent vers eux. L'autre traduit aussitôt en français.

— Tu es quoi, toi ? Un journaliste ou un flic ? Tu travailles pour quel canard ?

Iban se dégage. Le jeune homme ouvre la bouche pour parler, mais son regard se déporte sur un point situé derrière Iban. Il se ravise et disparaît dans la foule.

— Tu as rarement vu ça, j'imagine.

Iban reconnaît la voix d'Élea Viscaya. Il se retourne et répond :

— Jamais.

Élea sourit. Ses traits sont tirés mais elle semble en meilleure forme que la dernière fois qu'ils se sont vus. Elle l'embrasse comme s'ils étaient amis.

— Encore une particularité basque. Je ne connais pas d'autre endroit en France où une telle hostilité ne serait pas durement réprimée.

— C'est fréquent ?

— Pas tant que ça.

Il sort de sa poche un paquet de Gauloises et lui en offre une. Il désigne la gendarmerie du menton.

— Txomin Zunda est là-dedans.

Le sourire d'Élea s'évanouit.

— Ils prétendent que lui et les autres préparaient des attentats contre des complexes touristiques, mais tout le monde ici sait qu'il s'agit d'un mensonge de plus. En réalité, leur arrestation est plus une manière pour les flics de dire : « Regardez bien, nous sommes les chefs. Nous décidons qui, quand et où. » Cela rassure aussi le pouvoir, de l'autre côté de la frontière. Il y a eu des arrestations similaires, ces jours-ci, à Donostia. Il paraît qu'on a vu des gardes civils entrer dans la gendarmerie, la nuit dernière.

— Tu es sûre de ça ?

— Au Pays basque sud, il y a un proverbe qui dit que la Guardia Civil est le plus long fleuve d'Espagne. Il prend sa source en Andalousie, car seuls les flics les plus pauvres acceptent d'être mutés au Pays basque, et il termine sa course dans le sang des rues de Donostia. Alors, pourquoi pas jusqu'à Bayonne…

La nuit tombe, la foule augmente et les jets d'œufs et de tomates s'intensifient. Élea se joint à eux. Le thermomètre descend juste en dessous de la barre des trente degrés. Probablement dix degrés de plus sous les casques et les armures des CRS.

Iban ne lâche pas Élea d'une semelle. On lui fourre des œufs dans les mains. Il les laisse tomber par terre le plus discrètement possible. Il se fond dans la masse des manifestants pour échapper aux regards des gendarmes qui épient aux fenêtres du deuxième étage. L'un d'entre eux prend des photos à intervalles réguliers. Il lui semble que son objectif est braqué *sur lui*.

Iban se traite mentalement d'imbécile pour avoir quitté l'appartement d'Eztia.

Dans sa poche, la clef USB donnée par Elizabe avant sa mort lui brûle plus que jamais le bout des doigts. Iban est incapable d'en parler à Eztia. Il se donne des excuses. Il essaie de se persuader qu'il craint de la blesser et redoute la violence de sa réaction, mais la vérité, c'est qu'il a peur des conséquences pour lui, une fois la vidéo diffusée.

Il se dit : « On n'a rien sans rien. »

Il tripote la clef et se sent de plus en plus mal à cause du chantage qu'il fait subir à Eztia en lui demandant de faire parler Peio. Jokin contre Peio. Le mensonge contre la vérité. « Ton frère contre ton frère. »

Vers 23 heures, Zunda et les deux autres inculpés sont relâchés sous les cris et les vivats. Des personnalités politiques sont là. Le soulagement se lit sur les visages. Un sentiment de victoire gonfle les poitrines. La foule se disperse, des portières claquent et les klaxons retentissent. Élea embarque dans une Saxo avec Zunda et une autre fille. Tout le monde rit et se tape dans le dos pour se féliciter.

Iban, lui, commence à claquer des dents. La chaleur ambiante est à crever, mais son sang gèle dans ses veines.

Le photographe du deuxième étage baisse son appareil et colle son nez à la vitre. Iban croit reconnaître Javier Cruz. Le proverbe dont lui a parlé Élea lui revient aussitôt à l'esprit : la Guardia Civil est le plus long fleuve d'Espagne.

Il s'enfuit en courant comme un dératé pour ne pas se noyer.

Iban atteint les Hauts-de-Sainte-Croix vers 1 heure du matin. En contrebas, Bayonne brille de mille feux. Les néons des bars remplis de vacanciers espagnols, les lampadaires, les phares des voitures à touristes feraient presque oublier la nuit.

À l'intérieur, l'appartement est plongé dans le noir. Une odeur de cigarette plane dans l'air. Les fenêtres entrebâillées laissent entrer les cris des noctambules et les discussions des voisins. Essoufflé, Iban reste planté dans le hall d'entrée.

Ses yeux mettent un long moment à s'adapter à la pénombre.

Il réalise qu'Eztia est allongée sur le canapé. Il la rejoint. Elle lui tend son paquet de cigarettes. Il en prend une et l'allume avec difficulté tellement ses mains tremblent.

Eztia :

— J'ai parlé à Peio de la planque bordelaise. Tu avais raison. Contrairement à ce que les flics ont raconté, Jokin n'y a jamais mis les pieds. Il n'était même pas au courant de son existence. Il ne touchait aucune arme depuis sa libération. Trop risqué. Peio me l'a juré. Tout ça, ce n'est qu'un tissu de mensonges. Les empreintes de Jokin ont forcément été ajoutées pendant ou après la perquisition du 11 janvier. Ça renforce ton idée d'un lien entre l'enlèvement de Jokin et l'intervention des flics à la planque une semaine après. Pour Peio, ce n'est rien qu'un putain de coup monté.

Elle s'interrompt, laisse l'information atteindre le cerveau d'Iban, puis elle dit :

— Peio dit aussi que ça ressemble à de l'improvisation.

63

Samedi 20 juin, nuit noire après un coucher de soleil flamboyant. Un vent chaud souffle le sommet de la dune et projette du sable dans toutes les directions.

Alirio Pinto contourne son ancienne planque, muni de ses lunettes TN-21. Il scrute les environs et longe la dune.

Derrière lui, les repris de justice prêtés par Javier Cruz portent des pelles, une bâche et une housse en plastique. Ils arborent la parfaite panoplie de jeunes branleurs de la BAC : jeans, baskets, pull à capuche, casquette, biceps et pectoraux saillants. Deux types spécialisés avant ça dans le trafic de stupéfiants entre le Maroc et l'Espagne. Deux abrutis qui ne connaissent rien à l'affaire Sasco parce qu'ils n'y ont pas participé et parce qu'ils s'en tapent. Muets comme des tombes et sans nom.

Pinto se méfie. Il a le sentiment permanent d'être surveillé. Ses pilules magiques sont de moins en moins magiques. En surdose, elles aiguisent sa paranoïa et créent des ombres noires qui s'agitent sous ses paupières dès qu'il ferme les yeux. Les nuits blanches à répétition l'épuisent.

Il a surpris le plus jeune plusieurs fois au téléphone, en douce. Il parlait en espagnol et a raccroché en souriant dès que Pinto est entré dans la pièce. Celui-ci se demande s'il fait des rapports quotidiens à Cruz ou s'il est juste assez stupide pour appeler sa petite amie en pleine mission. Il le baptise Connard n° 1.

Pinto trouve enfin ce qu'il cherchait.

L'endroit où García a été enterré est tel qu'il l'a laissé, quatre mois plus tôt. Des herbes grasses ont même envahi les lieux.

Pinto s'immobilise, allume une lampe torche et braque le faisceau en direction du pied de la dune.

— C'est là.

Les deux types hochent la tête à l'unisson. Pinto leur tend des masques et des gants, puis il désigne les pelles du menton.

— Creusez.

Jean-Pierre Mora débarque à la casse d'Herm à l'aube. Il devient blanc comme un cachet d'aspirine en découvrant Pinto, flanqué de ses deux acolytes, tous confortablement installés dans son canapé.

Quand il aperçoit le corps, disposé sur son bureau, il vire franchement au gris.

Pinto s'arrache en grimaçant au confort du canapé en cuir et s'approche de la housse. Il descend lentement la fermeture éclair, révélant un visage en état de décomposition avancée. L'odeur de putréfaction qui s'en dégage est insoutenable.

Larves de mouches et coléoptères attirés par l'odeur de graisse rance rampent sur les tissus

Mora suffoque et se plie en deux pour vomir. Pinto se plaque un mouchoir devant le nez et fait signe à ses hommes. Ils bondissent et se placent derrière Mora. Pinto peut lire dans leurs yeux : « Ça commence à devenir salement excitant. »

Ils attrapent Mora sous les aisselles et le contraignent à se pencher vers le corps.

Pinto demande :

— Tu le reconnais ?

Mora tente de se dégager, mais les deux hommes resserrent leur étreinte. Pinto fouille dans la poche de sa veste. Il exhibe un paquet de Ducados bleues qu'il agite un instant devant le nez de Mora, avant de le balancer sur la housse.

— Et là, tu le reconnais ?

Mora est agité de spasmes. Il acquiesce péniblement. Ses lèvres forment les lettres : ADIS GARCÍA. Il n'est plus blanc, ni gris, mais livide et verdâtre. À ce rythme, toutes les couleurs de l'arc-en-ciel y passeront.

Il gémit :

— Je n'y suis pour rien.

Pinto ne répond pas tout de suite. Il a la nausée. Ce boulot le dégoûte. Mora le dégoûte. Ce cadavre le dégoûte. Les deux gamins dociles de 20 berges qui l'accompagnent le dégoûtent. Les ordres et les sous-entendus de Cruz le dégoûtent. Merde ! Il aurait envie d'être n'importe où sauf ici.

Il ne laisse rien transparaître.

Il déclare :

— Adis était mon ami.

Mora passe du vert au rouge. Pinto retire le paquet de cigarettes et le balance à l'un de ses hommes qui l'attrape au vol, puis il remonte leeentement la fermeture Éclair de la housse.

— Tu es aussi mon ami. Et tu sais quoi ?

Mora fait « non » de la tête. Pinto enchaîne :

— Tu vas le rester aussi longtemps que tu fermeras ta gueule. Est-ce que je peux te poser une question, *mon ami* ?

Mora fait « oui ». Pinto esquisse un sourire.

— J'aimerais que tu m'aides à cacher ce corps. C'est dans tes cordes, tu crois ?

— L'incinérateur, répond l'un de ses hommes.

Pinto se retourne et le dévisage, surpris de découvrir qu'il ne s'agit pas de Connard n° 1, mais de l'autre. Il lui demande quel est son nom.

— Sánchez, monsieur.

— Bien, bien.

Sánchez incline la tête. Pinto se tourne à nouveau et se concentre sur Mora. Il le regarde comme s'il attendait toujours une réponse à sa question. Mora jette un œil à Sánchez, puis revient sur Pinto.

— L'incinérateur est dans le fond, dit-il sans hésiter.

Pinto applaudit des deux mains et sourit à pleines dents.

— Bravo. Bravo. Tu as bien appris ta leçon.

Les joues de Mora retrouvent des couleurs presque normales. D'un geste de Pinto, Connard n° 1 et Sánchez le relâchent. Ils replient la bâche sur le corps, soulèvent leur brancard de fortune et se dirigent vers la sortie. Pinto traverse la pièce à grandes enjambées, saisit la poignée de la porte et se tourne vers Mora.

— Tu nous montres où ça se trouve ?

La tournée des popotes continue. Le volume de l'autoradio est à fond.

Les cendres d'Adis García volent à présent aux quatre vents. Ses dents et ses couronnes roulent avec les coquillages dans le flux et le reflux de l'océan, quelque part entre Moliets et Capbreton.

Pinto assure la distribution d'amphétamines pour pallier le manque de sommeil et donner un sérieux coup de fouet au moral.

Connard n° 1 prend vite de mauvaises habitudes. Après trois heures passées à nettoyer la ferme Mora, au Kärcher, à la javel et à l'essence, il gobe les pilules magiques comme s'il s'agissait de pastilles de vitamine C. À lui, elles font un effet bœuf. Un vrai cheval de course.

Sánchez est plus prudent. Pinto se dit que ce gamin a oublié d'être con.

Il empoigne le levier de vitesses.

— Putain de merde, marmonne-t-il.

Il débraie et appuie sur l'accélérateur pour faire rugir le moteur de la Série 3, puis quitte le chemin de la ferme et prend la direction du sud.

Lundi 22 juin. Encore un nouveau jeu.

Intimidation de témoins potentiels : gros bras, grosses voix, regards trèèès méchants, pose de micros et allez tous au diable, bande de terroristes !

Pinto a l'impression d'avoir de la merde dans les sinus et dans la gorge tant sa nausée est insupportable. Il met ça sur le compte d'une overdose de médicaments. À moins que ce ne soit parce qu'il s'apprête à reprendre contact avec une vieille connaissance.

Ils atteignent l'objectif en milieu d'après-midi. Pinto gare la voiture sur le parking, décroche son téléphone et compose le numéro d'Élea Viscaya. Le téléphone sonne dans le vide. L'appartement semble désert. Satisfait, il ouvre le coffre et récupère une mallette, puis il fait signe à ses deux sbires de le suivre.

Les trois hommes grimpent les étages. En bas, sur la boîte aux lettres, deux noms figurent sur une étiquette scotchée à même la porte : Viscaya – Terzaghi. Les informations de Javier Cruz étaient bonnes. Depuis Jokin Sasco, Élea a refait sa vie.

Pinto force la serrure et les introduit, un sourire forcé aux lèvres. Il referme derrière eux, pose la mallette sur une table et ouvre les bras.

— *Mi casa es su casa.*

Sánchez sourit et passe en premier.

La fouille en règle de l'appartement leur prend une bonne heure. La pose des micros dans le combiné du téléphone fixe, dans la cuisine, le salon et la chambre à coucher, une de plus.

Pinto sort un récepteur et le met en marche. Il demande à Connard n° 1 et à Sánchez de simuler une séance de baise dans la chambre, une dispute dans le salon et une autre baise de réconciliation dans la cuisine pour vérifier que leur petite installation fonctionne. Les types le dévisagent d'abord comme s'il avait pété un plomb, puis ils éclatent de rire.

Pinto se colle le récepteur contre l'oreille et rétorque :

— Dites trente-trois.

Et les deux hommes de se marrer comme des baleines dans toutes les pièces en gueulant :

— Trente-trois ! Trente-trois ! Trente-trois !

Pinto sonne alors le rappel des troupes et claque la porte derrière eux. Ils redescendent, s'installent dans la BMW, face à l'immeuble, et attendent.

Dix-huit heures sonnent à l'église voisine.

Pinto bondit à chaque fois qu'une silhouette féminine surgit. Il est presque soulagé quand Simon Terzaghi, le petit ami d'Élea, fait son apparition en premier à l'angle opposé du parking, les bras chargés de courses. L'homme est seul. Pinto en oublierait presque sa nausée et les boum boum frénétiques de son cœur dans sa poitrine.

64

Iban déclare :

— Ils sont encore là.

Eztia le rejoint à la fenêtre.

— Merde, c'est vrai.

— Tu les as déjà vus ?

Elle hausse les épaules.

— Ils n'ont pas des têtes de flics ou de militaires.

— Il faut une tête spéciale pour ça ?

— On dirait des Espagnols. Peut-être des dealers. Les flics ne planquent pas en grosse cylindrée.

— Ouais.

Deux ombres ont fait leur apparition sur le parking de l'immeuble, ces jours-ci. Deux types qui vivent dans leur voiture, une BMW tape-à-l'œil, et qui pourraient effectivement être des dealers. Ou pas.

Iban s'étire.

— Pas très discrets, en tout cas.

Eztia se tait. Elle est préoccupée. Élea n'est pas joignable. À chaque fois qu'elle appelle chez eux, le répondeur s'enclenche. La boîte vocale répond en boucle : *Nous ne sommes pas là pour le moment, mais veuillez laisser un message, nous vous rappel-*

lerons. Comme s'il s'agissait d'un mensonge destiné à muer en vérité à force de répétition.

Iban dit quelque chose qu'Eztia n'entend pas. Elle attrape son paquet de Gauloises blondes light et cherche un briquet des yeux. Elle fouille dans ses poches.

— Tu as du feu ?

Iban répond sans se retourner, les yeux perdus six étages plus bas.

— Regarde dans mon jeans.

Eztia se rend dans la chambre et s'accroupit devant le tas de fringues d'Iban. Ses doigts ne rencontrent pas de briquet, mais une clef USB noire sans étiquette. Elle se lève et l'observe un instant. Elle ne se souvient pas de l'avoir vue entre les mains d'Iban qui porte pourtant les mêmes vêtements depuis plusieurs jours. Intriguée, elle retire la protection plastique et insère la clef sur le côté droit de son portable.

Une vidéo. Une aire d'autoroute. Une date à laquelle elle ne prête pas attention tout de suite. Les premières images défilent. Elle met un certain temps à leur donner un sens. Puis, le visage de Jokin apparaît.

Soudain, Eztia comprend.

La pièce et les meubles se mettent à virevolter. Eztia se raccroche au montant du lit pour ne pas être emportée. Elle hurle.

Iban déboule dans la pièce et voit l'écran.

Il dit :

— Je comptais t'en parler.

Eztia se rue sur lui en criant :

— Jure-moi que tu n'étais pas au courant depuis le début !

65

Au signal de Pinto, les trois hommes s'éjectent de la voiture et se précipitent sur Simon Terzaghi. Ils le ceinturent, lui passent une cagoule sur la tête et l'entraînent à l'arrière de la BMW. Pinto démarre aussi calmement que s'ils étaient venus rendre visite à leur grand-mère malade.

Terzaghi n'a pas remué une oreille. Il est si tétanisé qu'il tient encore ses sacs dans les mains.

Pinto ordonne :

— Balancez-moi ça par la fenêtre.

Il rejoint la voie rapide, attrape la sortie suivante, pénètre à nouveau dans Bayonne, tourne un moment au hasard pour perturber les repères de Terzaghi, regagne la voie rapide, et les conduit jusqu'à leur planque de Saint-Jean-de-Luz. Temps de trajet réel : trente minutes. Temps effectif : cinquante-sept minutes.

Là, ils rentrent la caisse dans le garage, en extirpent leur prisonnier et le montent dans l'appartement. Ils l'emmènent dans la plus vaste des deux salles de bains, le déshabillent et remplissent la baignoire d'eau glacée.

Pinto compte :

— Un, deux...

Ils le plongent dedans. Terzaghi hurle et suffoque. Le froid agit sur sa poitrine comme un étau. Pinto lui retire sa cagoule, lui empoigne les cheveux et lui souffle :

— Je connais bien ta copine.

Le prisonnier roule des yeux. Il est encore trop perturbé pour réfléchir. L'information n'atteint pas instantanément son cerveau.

Pinto ajoute :

— Elle et moi, on a passé quelques bons moments ensemble, entre le 17 et le 22 juin 2008.

Le choc électrique est brutal. Terzaghi se propulse hors du bain et se jette sur Pinto en hurlant. Les deux sbires lui sautent dessus avant qu'il n'ait pu l'atteindre et lui enfoncent la tête sous l'eau sans ménagement.

Pinto compte :

— Dix, onze, douze...

Il tire la tête de Terzaghi à l'air libre, lui donne quelques secondes pour reprendre son souffle, avant de dire :

— Qui a le droit de vivre ?

Terzaghi balbutie :

— Moi.

— Toi ?

Pinto glousse et l'immerge à nouveau. Il lui maintient la tête un peu plus longtemps sous l'eau.

— Dix-neuf, vingt, vingt et un...

Il relâche la pression. Terzaghi émerge en crachant. Pinto lui laisse davantage de temps, puis il demande :

— Qui a le droit de vivre ?

Cette fois-ci, Terzaghi se tait. Pinto lève les yeux sur Sánchez qui répond à sa place :

— Simon Terzaghi.

Pinto hoche la tête et dit :

— Peut-être.

Terzaghi respire par à-coups.

Pinto demande encore :

— Qui d'autre ?

Sánchez répond :

— Élea Viscaya.

Terzaghi acquiesce vigoureusement, des larmes plein les yeux.

Pinto dit :

— Mouais.

Il fait signe à ses hommes. Ils le soulèvent et le déposent sur le carrelage. Pinto se penche sur lui et lui passe la main dans les cheveux.

— Il se raconte qu'au lieu de rester sagement à la maison avec toi et d'oublier le passé, Élea Viscaya court à droite à gauche, rend visite à la sœur de Jokin Sasco presque quotidiennement, participe à des manifestations en soutien à des terroristes, brandit des banderoles et signe des pétitions douteuses. Il paraît même qu'elle invente des histoires de mauvais goût sur nous qu'elle chante sur tous les toits. Tu as entendu parler de ça, toi aussi ?

Terzaghi fait « non » de la tête. Pinto pince les lèvres et joue le type un peu étonné mais rassuré. Il prend l'un de ses hommes à témoin :

— Tu vois, on s'inquiétait pour rien. Simon sait prendre soin de sa petite amie, on dirait.

66

L'étau se resserre.

Des trombes d'eau s'abattent tout l'après-midi du lundi sur le Pays basque. La canicule des derniers jours a engendré une espèce de brume qui laisse un goût de sel sur les lèvres.

Mauvais présage : la BMW a disparu.

Iban a l'impression étouffante que sa propre guerre sale le rattrape. *Son* affaire lui échappe. Certains signes ne trompent pas. La bombe Sasco, prête à exploser depuis des mois, se transforme en pétard mouillé.

Eztia n'a pas prononcé un mot depuis leur dispute à propos de la vidéo, une heure plus tôt. Elle reste cloîtrée dans la chambre où elle visionne encore et encore l'enlèvement de son frère. Jusqu'à en devenir folle.

Le verrou est tiré. Iban est enfermé dans le reste de l'appartement alors qu'elle est libre de le traiter de salaud, de salaud et de salaud.

« Tu n'as rien sans rien », marmonne-t-il pour tromper son angoisse.

Il décroche son téléphone et rappelle les hôpitaux et les morgues. Il supplie ses interlocuteurs de le contacter s'ils ont la moindre information concernant un type blessé ou un cadavre enregistré autour des 10 et 11 janvier 2009.

Il n'est pas le seul à réclamer la vérité.

Les radios basques ne parlent que de cela. Depuis ce matin, des manifestants tentent de se rassembler dans le calme à Bayonne aux cris de « Jokin Sasco, vérité ! ». Dans le reste du pays, les médias s'en foutent. Ils n'ont qu'une formule à la bouche : H1N1.

Personne ou presque n'en parle :

La plupart des bus du Pays basque sud ont été interceptés à la frontière de Biriatou et refoulés par la Guardia Civil. Ceux qui arrivent à passer malgré tout en traversant le péage à pied se font refouler par la gendarmerie française. D'autres se sont déjà fait attraper par la police basque, les *ertzaintzas*, puis ont été placés en garde à vue pour quelques heures.

Propagande, propagande.

Cela fait cinq mois que cette question apparaît partout en Euskal Herria mais n'en dépasse jamais les frontières. Plus le temps passe et plus l'ombre politique planant derrière la disparition de Jokin est évidente. Plus le temps passe et plus les craintes de terrorisme d'État et de guerre sale se précisent.

Les enlèvements qui ont été dénoncés par Marko Elizabe donnent, eux aussi, une nouvelle lumière à cet événement. Ce n'est pas la première fois que de tels faits trouvent leurs places dans les colonnes des journaux basques, où des sympathisants non actifs d'ETA déclarent avoir été interceptés par de faux policiers français, qui se présentent ensuite comme des « membres des forces de sécurité espagnoles », les intimidant pendant quelques heures, les relâchant ensuite après un interrogatoire violent.

Mais cela ne suffit pas.

Cela ne suffit toujours pas.

Propagande, propagande.

Un militant hurle au micro du journaliste :

— Jokin a disparu en conséquence de la guerre sale mise en place par le pouvoir espagnol, partagée et protégée par les autorités françaises.

Le journaliste essaie de l'interrompre. Le militant surenchérit :

— Plus le temps passe et plus l'espoir de le retrouver vivant s'amenuise. Nous appelons tous ceux qui se sont trouvés dans de telles situations ou qui ont été victimes d'autres sortes de pressions ou de violences policières à entrer en contact avec nous. De plus, nous appelons tous les citoyens basques à montrer leur soutien et leur solidarité à leur égard.

Le militant est grossièrement coupé. Le journaliste s'excuse pour ce *petit* problème technique et annonce une *petite* page de publicité.

Le téléphone sonne. Iban éteint le poste radio et décroche.

— Allô ?

La femme s'exprime avec calme. Iban écoute attentivement ses paroles. Son interlocutrice refuse de donner son nom au téléphone. Elle dit qu'elle est infirmière à l'hôpital Pellegrin de Bordeaux. Elle prétend avoir une histoire étrange à raconter se déroulant pendant la nuit du 10 au 11 janvier 2009.

Iban demande :

— Pourquoi seulement maintenant ?

— Je ne peux pas me taire plus longtemps.

— Cette histoire, elle parle de quoi, au juste ?

— Jokin Sasco.

Les jambes d'Iban se dérobent sous lui. Ses oreilles bourdonnent.

— Quand est-ce qu'on peut se voir ?

— Je ne prends mon service que dans trois heures. Je suis chez moi, à Langon, au sud de Bordeaux.

— Tout de suite ?

La femme lui donne un numéro de téléphone. Ils conviennent d'un rendez-vous. Iban la remercie et coupe la communication, à bout de souffle. Le combiné lui tombe des mains.

Il traverse l'appartement en courant et martèle la porte de la chambre comme un forcené.

Il crie :

— Jokiiin !

Plus rien d'autre n'existe que l'horloge de la mairie de Langon. Eztia et Iban attendent, les yeux rivés aux aiguilles. À l'heure dite, une jeune femme au regard affolé débarque sur la place. Iban et Eztia sortent de la voiture et se dirigent tout droit vers elle.

— Je suis Iban Urtiz et voici Eztia Sasco, la sœur de Jokin.

Elle les dévisage longuement avant de dire :

— Je sais qui vous êtes.

— Et vous ?

— Anne Mabille. Je suis infirmière de nuit à l'hôpital Pellegrin. Je travaille au service des urgences.

— Dites-moi ce qu'il s'est passé entre le 10 et le 11 janvier, madame Mabille.

Voilà ce que l'infirmière Anne Mabille sait :

Le 10 janvier 2009, à 23 h 50, les pompiers récupèrent un homme retrouvé inconscient et adossé à une palissade face à la brasserie le No Name.

Les premières constatations d'usage établissent quatre éléments :

L'homme est dans cet état depuis près de deux heures, alors que la brasserie est située à cinq cents mètres d'un commissariat, ce qui implique un passage fréquent des forces de police, et donc une défaillance surprenante *et* troublante. Le patron de l'établissement insiste auprès des employés du Samu sur le fait qu'il a composé une première fois le numéro d'urgence de police secours, le 17, aux alentours de 22 heures, puis, ne voyant personne venir, les pompiers, à 23 h 40.

Deuxième constat : le pronostic vital est engagé. Le diagnostic des pompiers est a priori sans appel. L'homme a été passé à tabac, il a du sang dans la bouche et souffre d'une hémorragie interne grave et de plusieurs côtes cassées.

Trois, il est dépourvu de papiers d'identité.

Anne Mabille dit :

— Enfin, ses poches contenaient près de 800 euros en espèces.

L'infirmière marque une pause dans son récit. Elle jette un œil par la baie vitrée du bar où ils se sont réfugiés pour parler. La pluie tape sur les carreaux à chaque rafale de vent.

Iban demande :
— Cet homme, c'était Jokin Sasco ?
— Il lui ressemble beaucoup.
— Vous n'en êtes pas certaine ?
— Il n'y a pas eu d'expertise ADN.
— Mais vous y croyez.
— Oui.
Iban réfléchit à toute vitesse.
— Que s'est-il passé ensuite ?
— L'homme est mort.
— De quoi ?
Nouvelle pause, puis :
— Mort naturelle. Malaise cardiaque.
Iban manque de s'étouffer.
— *Naturelle* ?
— C'est ce qui est inscrit sur mon registre. Date et heure du décès : dimanche 11 janvier 2009, 00 h 17, mort naturelle, suite à un malaise cardiaque. Il a été transporté à la morgue vingt minutes plus tard.
— Et le passage à tabac ? L'hémorragie interne ? Les côtes cassées ?
— La procédure...
— Quelle procédure ?
— Des policiers sont venus procéder à la certification du mort. Le corps a été classé « non identifié ». Un formulaire a été rempli, signé et tamponné, puis il a été placé dans un tiroir.
Iban lève les yeux au ciel.
— Vous avez ce registre ?
— Ils l'ont pris.
— Et ?
— C'est pour ça que je vous ai appelés.
— Je ne comprends pas.

— Le corps y est encore.

Eztia écarquille les yeux, horrifiée. Elle joint les mains devant sa bouche et réprime un cri pour entendre la suite.

Iban siffle :

— Nom de Dieu ! Vous êtes en train de me dire que Jokin Sasco est encore dans un tiroir de la morgue, c'est bien ça ?

— Oui.

— Vous vous rendez compte ?

Anne Mabille marque encore un temps d'arrêt, avant de répondre d'une voix claire :

— Je me rends *parfaitement* compte, monsieur Urtiz. Je ne dis rien *au hasard*.

Eztia attrape son portable. Iban lui fait signe d'attendre.

L'infirmière dit :

— Ça, c'était la version officielle.

— Il en existe une autre ?

— Je crois que le corps retrouvé devant le bar n'était pas si vivant que ça. Les documents ont été falsifiés dès le départ.

— Comment le savez-vous ?

— J'étais là, la nuit où l'homme a été amené. Le témoignage des pompiers a été écarté par les policiers venus constater le décès. Ces mêmes policiers sont arrivés très vite à la morgue. *Très très vite*, si vous voyez ce que je veux dire. Ils ont été très explicites quand je le leur ai fait remarquer. Ils m'ont demandé de l'oublier. Ils m'ont également demandé la liste des collègues qui s'étaient occupés du corps et leur ont à leur tour demandé de l'oublier.

Eztia dévisage Iban. Son regard est dur. Elle se penche vers lui et chuchote :

— La même nuit, une planque d'armes appartenant à ETA est découverte dans la même ville. *Quel drôle de hasard !*

Elle approche ses lèvres jusqu'à lui toucher la tempe. Elle ajoute :

— Qui paie pour ça ?

Iban hoche la tête et dit :

— Cinq mois, c'est long pour un cadavre non identifié. Il doit y avoir des embouteillages dans une morgue comme la vôtre.

L'infirmière dit :

— Très long.

— Ça coûte de l'argent, non ?

— Beaucoup.

— Qui paie ?

Un long silence suit sa remarque. Il insiste :

— Qui paie ?

— Je n'en sais rien.

— Mais vous avez une idée, je me trompe ?

Nouveau silence.

— Peut-être. Mon chef de service et le directeur sont forcément au courant, mais je n'ai aucune preuve pour ça.

— Le corps, on peut le voir ?

— Je ne sais pas.

— Quand ?

Eztia lui dit à l'oreille, articulant chaque syllabe :

— Main-te-nant.

L'infirmière hésite un moment avant de dire :

— Je prends ma voiture

— On vous suit.

Il se retient d'ajouter :

« Et profitez-en pour contacter un bon avocat, vous risquez d'en avoir salement besoin. »

Une fois la portière de la voiture refermée, Eztia pousse un rugissement de lionne. Une lionne prête à attaquer et à faire mal.

Elle hurle :

— Dans un tiroir de morgue, putain ! Mon frère est dans un tiroir de morgue depuis tout ce temps !

Pantelant, Iban regarde Eztia saisir son portable et composer le premier numéro de son répertoire, celui d'Élea Viscaya.

Il suit mentalement la ligne sinueuse qui l'a conduit jusqu'à cet instant précis. Il revoit par flashes la conférence de presse de la famille Sasco, puis les gosses torturés, la vidéo de l'enlèvement de Jokin et l'explosion de sa voiture. Il refait pas à pas le chemin. Il prend subitement conscience que tout était vrai, depuis le début.

Eztia Sasco, la lionne.

Peio et Jokin, les activistes d'ETA.

La gauche *abertzale* et tous ces gosses torturés.

Son enquête et celle de Marko Elizabe – les flics et les mercenaires en travers.

Il murmure :

— Nom de Dieu, quel putain de gâchis !

Il démarre et s'engage sur la chaussée derrière la Fiat Punto d'Anne Mabille.

67

Alirio Pinto n'en peut plus d'entendre Javier Cruz énumérer les raisons de ce nouveau fiasco. Il avale un cachet de codéine pour se détendre un peu.

— Ton foie ne tardera pas à te lâcher, lui a dit Sánchez, en l'accompagnant faire le plein, la veille, à la pharmacie de l'angle de la rue.

— Ça te regarde ?

Pinto grimace, glisse un deuxième cachet sur sa langue, et au diable son foie et ce donneur de leçons de Sánchez !

Cruz beugle à l'autre bout de la ligne.

Tout fonctionnait comme sur des roulettes, mais il a fallu que ses supérieurs lui demandent de garder le corps de Jokin Sasco pendant cinq longs mois dans un congélateur de l'hôpital Pellegrin en attendant de prendre la bonne décision. Au lieu de l'incinérer avec García. Au lieu de le jeter en haute mer. Ou mieux : de creuser une tombe si profonde que les flammes de l'enfer l'auraient avalé à jamais – *Voyez le résultat, messieurs !*

Pinto dit :

— J'ignorais ce détail.

Cruz beugle encore plus fort :

— Qu'est-ce que tu ignorais, connard ? Tu étais là le jour de l'enlèvement. Tu étais *encore là*, à la ferme Mora, au cours de ces cinq jours de séances de gymnastique forcée. *Là aussi* quand on l'a déposé devant ce bar pour cette putain de mise en scène de malaise cardiaque. *Toujours là* quand on a semé ses empreintes un peu partout dans la planque d'armes des Avauges.

— Vous êtes à cran. Vous oubliez qu'ensuite, j'ai dû me terrer pendant des semaines dans un trou pour me faire oublier. Moi et Adis García. Je ne savais rien de cette histoire de morgue. Je croyais que c'était le plan. Que d'autres prenaient le relais. La division des tâches, ce genre de conneries.

— Va te faire foutre !

Pinto supporte les insultes mais pas les accusations à tort et à travers. Il a fait le boulot. Il n'est pas responsable du résultat de leurs décisions.

Il durcit le ton de sa voix :

— C'était *votre* plan. Adis et moi, on s'est contentés d'exécuter *vos* ordres.

Sa remarque fait mouche. Cruz baisse d'un cran.

— Tu as raison.

Pinto pense : « Oh oooh ! »

Il traverse le salon, ignore Connard n° 1 et Sánchez, affalés sur le canapé, se rend dans la cuisine et attrape une bouteille d'eau dans le frigo qu'il boit à petites gorgées. Le liquide glacé lui irrite la gorge et lui éclaircit les idées.

— Voyons les choses sous un angle plus constructif, sans vouloir vous offenser. Grâce aux micros que nous avons placés chez Élea Viscaya et Simon Terzaghi, nous savons que la petite infirmière de l'hôpital a merdé et qu'Eztia Sasco et Iban Urtiz sont au courant. Nous avons un coup d'avance sur eux.

Cruz s'esclaffe.

— Tu me l'apprends, bordel !

— Qui d'autre ?

— Peio Sasco.

— C'est tout ?

— Ce qu'il ne faut pas entendre, comme conneries.

Pinto réfléchit.

— Ils sont déjà en route pour Bordeaux.

— Le contraire aurait été étonnant.

— On peut essayer de les intercepter.

— Trop tard.

— Vous les attendez sur place.

— Tu crois que je fais quoi, en ce moment ?

Cruz s'énerve à nouveau. Il crache dans son téléphone. Le haut-parleur crépite à chaque consonne comme si la ligne menaçait de sauter. Cruz reprend du poil de la bête et déroule son numéro de chefaillon.

Pinto coupe court :

— Vous avez besoin de moi sur Bordeaux ?

— Non. Tu arriveras trop tard. Je m'occupe de tout, ici. Ces connards ont certainement ameuté toute la presse basque. On marche sur des charbons ardents. Les flics courent dans tous les sens depuis que je leur ai annoncé la bonne nouvelle.

Ils redoutent l'étincelle qui foutra le feu à leur château de cartes.

« Et toi, tu es le putain de pompier pyromane », se dit Pinto pour lui-même.

Cruz marque une pause.

— Prends Sánchez avec toi et allez faire le ménage chez Urtiz. Fouillez son appartement de fond en comble, au cas où il aurait laissé une copie de la vidéo. Nettoyez ce qui a besoin de l'être. On se verra plus tard, quand tout ce bordel sera sous contrôle.

— Je suis censé réagir comment, si Urtiz se pointe pendant notre visite ?

Cruz prend son temps avant de répondre.

— Je serai là bien avant lui, ne t'inquiète pas.

— Et mon autre gars ?

— Dis-lui de ne pas bouger de la planque et d'attendre que je le contacte.

— Il pourrait nous être utile.

— Ne te pose pas de questions inutiles et fais ce que je te dis.

Pinto s'avance jusqu'à la porte du salon. Il jette un œil à Connard n° 1. L'intéressé se bidonne devant une série américaine de TF1, la main plongée dans un paquet de chips.

Sánchez, lui, l'observe tranquillement en se frottant les mains.

— Je transmets les ordres, conclut Pinto, pensif.

— Passe-moi Sánchez.

La même rengaine, répétée à l'infini. La piaule d'Urtiz, passée au peigne fin pour la énième fois.

Volets et fenêtres fermés, un véritable four, une chaleur à crever. Une fine couche de poussière recouvre les meubles. Des moisissures s'épanouissent sur la vaisselle sale, dans l'évier.

Pinto exhibe un cutter et un rouleau de sacs-poubelles de deux cents litres. Sánchez tient un pied de biche. Tous deux portent des gants en plastique.

— On cherche quoi ?

— Le moins d'emmerdes possibles.

Sánchez ricane.

— Mais encore ?

— La preuve que l'opération Sasco est une monumentale erreur depuis le début.

Pinto trace une forme rectangulaire dans l'air.

— Ça ressemble à un truc comme ça et c'est potentiellement bourré d'images animées que Cruz aimerait voir disparaître à jamais.

Sánchez émet un sifflement ironique qui pourrait signifier un truc du genre : *Cool ! J'adore les films d'espionnage et de disquettes mystérieuses ! J'ai vu tous les James Bond et je suis un fan de Sean Connery. On s'y colle tout de suite ?*

Pinto désigne le sol, les murs et le plafond du pouce.

— Le moins de bruit possible.

Sánchez porte son index à ses lèvres et fait :

— Chuuut !

Ils allument toutes les pièces et se mettent à l'ouvrage. Chaque plinthe, chaque pile de linge, chaque tiroir, chaque latte de parquet, chaque cloison. Tout est palpé, ausculté, sondé, désossé et palpé encore. Les papiers et les dossiers de travail sont fourrés dans les sacs-poubelles, puis descendus dans le coffre de la Volvo break grise qu'ils ont louée à Bayonne après le coup de fil de Cruz.

Urtiz est un maniaque. Il stocke des centaines de photos. Papier format A4, impression de mauvaise qualité. Des portraits d'Eztia Sasco en pagaille. Mais aussi : des agrandissements de flics espagnols ou français. Pinto en connaît certains de vue. Il reconnaît García et Cruz. Il se reconnaît, *lui,* dans la cour de la ferme Mora.

Il est sur le cul.

— Tiens donc ! Il a même pris des photos souvenirs de ma tronche.

Sánchez jette un œil. Il attrape une photo sur laquelle Pinto fait une grimace épouvantable. Il se marre et la brandit sous le nez de Pinto.

— Plutôt doué, le mec.

Pinto la lui arrache des mains.

— Quel fils de pute, ce journaliste !

— D'habitude, c'est nous qui prenons les photos, non ?

— Donne-moi un autre sac-poubelle, au lieu de dire des conneries.

Sur le bureau, dans la chambre, ils dénichent des dizaines de cartes mémoire, de clefs USB et de CD qu'ils empilent dans le bac à douche de la salle de bains avec le disque dur de l'ordinateur d'Urtiz et deux appareils photos.

Pinto calfeutre la bonde avec un T-shirt et ramène quatre bidons de Destop dont il arrose copieusement le tas d'objets, avant de s'écarter. La soude caustique ronge résines et plastiques en douceur, mais elle fait des étincelles au contact de certains composants en aluminium. Un petit feu d'artifice pour gosses éclate derrière le rideau de douche.

Sánchez le rejoint pour assister au spectacle :

— Il n'y a plus rien ici. Si Urtiz a encore des choses à nous cacher, il les porte sur lui.

— Bien, bien. On va pouvoir se reposer un peu en attendant Cruz.

— Tu ne crois pas si bien dire.

Pinto croise le regard de Sánchez dans le miroir brisé de la salle de bains. Il y décèle une lueur bizarre qu'il connaît bien. Il baisse les yeux et sait déjà ce qu'il va trouver. Il voit le pistolet Herstal 9 mm braqué vers un point situé à la verticale de sa colonne vertébrale, entre ses omoplates. *Son* pistolet Herstal. Celui qu'il se traîne depuis des semaines. Une bonne arme. À cette distance, impossible de manquer son coup.

Il se redresse, évalue ses chances et en arrive à la conclusion qu'elles sont à peu près nulles. Sánchez se tient à distance, dans l'encadrement de la porte. Il a l'air parfaitement détendu, comme s'il avait fait ça toute sa vie.

Pinto se retourne lentement pour lui faire face.

— C'était pour ça que Cruz voulait te parler au téléphone ?

Sánchez hausse les épaules. Pinto demande :

— Il t'a dit pourquoi ?

— Tu connais la réponse.

— Jokin Sasco.

Sánchez hoche la tête.

— Un putain de fiasco géant.

— Fait chier.

Pinto ferme les yeux. Sánchez tend le bras et place le canon de l'arme contre sa tempe.

Il déclare :

— *Viva España*, vive la France et vive le fric.

Son doigt se crispe sur la détente et il abat Pinto.

Sans plus se soucier du cadavre, il retire ses gants, les fourre dans sa poche, en enfile une nouvelle paire et sort un portable de sa poche, compose un code de ligne sécurisée à quatorze chiffres et bascule, comme prévu, sur une boîte vocale.

Il se contente de dire :

— C'est fait.

Il raccroche, extrait la carte SIM du téléphone et la dépose dans la soupe de Destop du bac à douche avec le portable et le reste des affaires d'Urtiz. Puis il retourne dans le salon, se laisse aller dans le canapé et s'accorde le droit de regarder ses mains trembler.

68

Des colonnes de poids lourds sillonnent le périphérique dans les deux sens. La chaussée est trempée, les essuie-glaces de la 106 vont et viennent à plein régime. Entre deux coups de fil, Eztia fume cigarette sur cigarette pendant tout le trajet jusqu'à Bordeaux.

Iban ne perd pas une seconde de vue le pare-chocs arrière de la Fiat Punto.

Eztia s'apprête à retrouver le cadavre de son frère. Elle souhaite organiser des funérailles dignes de ce nom. Elle et Peio préparent la riposte de toute une famille. Sur le trajet Langon-Bordeaux, elle contacte *tout le monde*. Leurs avocats sont en ce moment en train de rédiger un communiqué de presse à charge. Ils tracent les grandes lignes d'une plainte dont le pays se souviendra longtemps. La justice, ils n'y croient pas, mais le communiqué signifie : *Nous allons vous traîner dans la boue !* – et ceux qui se bouchent le nez pour ne pas sentir vos immondices avec vous.

Riposte.

Un mot trop radical et lourd de sens pour un rapport de force qui n'est pas en leur faveur. Ni eux ni le camp *abertzale* n'ont réellement les moyens de le concrétiser.

Iban n'est pas dupe. Il en a une version toute personnelle.

Ses vrais noms sont : *humiliation* et *amnésie garantie*.

Contrairement à Eztia et Peio, Iban est déjà passé à l'étape suivante. Il se demande quel va être le prochain coup foireux de Cruz & Cie. Il redoute le pire parce qu'il a déjà assisté au pire.

Il se cramponne au volant et dit :

— On sait que ton frère a été assassiné, on sait *qui, où* et *comment,* on sait même *pourquoi*. On a les preuves et on a les noms. Mais on sait aussi qu'ils ne reculeront devant rien pour arrêter la bombe médiatique que toi et ton frère comptez placer en plein cœur de Bayonne.

Eztia agite la clef USB devant ses yeux :

— Cette bombe, on aurait pu la placer avant, si tu n'étais pas un lâche. Fais-moi confiance, on va rattraper le temps perdu.

— Tu ne peux pas me traiter de lâche. Pas après tout ce que j'ai fait. Pas après ce que j'ai vécu depuis cinq mois.

Une grimace de dédain tord la lèvre supérieure de la jeune femme. Elle rempoche la clef.

— Tu crois que parce que tu as couché avec moi, ça te donne le droit de savoir ce qui est bien ou mal.

— Bon sang ! Bien sûr que non.

— Alors qu'est-ce que tu cherches ?

— Qu'on réfléchisse au moyen de ne pas se fourvoyer une fois de plus, au lieu de foncer tête baissée.

Eztia le dévisage comme s'il était subitement devenu fou.

— C'est bien ce que tu voulais, pourtant.

— Quoi ?

— La vérité à tout prix.

— Un communiqué de presse ne résoudra rien.

— Il suffit d'une petite étincelle pour que la mort de mon frère devienne une affaire d'État.

— Mais enfin, même moi, je ne suis pas aussi naïf !

— Va te faire foutre !

Eztia pointe du doigt un panneau surplombant le périphérique, « Hôpital – 2 km ».

— On y est.

Iban jette un œil dans le rétroviseur, une boule au ventre grosse comme le poing. Il pense : « Oh putain, oui, cette fois-ci, on y est ! » Le clignotant droit de la Punto s'allume. Ils tournent à droite, quittent la rocade et se rangent sur le parking de l'hôpital Pellegrin.

Un grand couloir blanc. Puis une succession de portes battantes anti-feu, avant un nouveau couloir, moins lumineux cette fois, un escalier aux marches jaunes empestant les produits désinfectants. Enfin, une salle sordide dont l'atmosphère glacée est saturée d'une odeur indéfinissable qui prend à la gorge. Le choc thermique a sur eux l'effet d'un coup de masse.

Anne Mabille se dirige tout droit vers une armoire située dans le fond, enfile une paire de gants et attrape la poignée d'un tiroir.

Elle se tourne vers Eztia.

— Pas de cris.

Vers Iban :

— Pas de photos.

Eztia cligne nerveusement des yeux. Elle sort une liasse de billets de vingt euros et les tend à l'infirmière qui lève la main gauche, dans un geste de refus.

— Pour vous remercier.

— Non.

— S'il vous plaît.

— Je ne fais pas ça pour l'argent.

Sans cesser de secouer la tête, Anne Mabille abaisse la poignée, s'appuie de tout son corps sur le tiroir et tire d'un coup sec, libérant une housse en plastique baignant dans un voile de vapeur d'eau. Elle brise les scellés et descend la fermeture éclair.

La tension nerveuse qui maintenait Eztia debout vole en éclats.

— Jokin.

Elle éclate en sanglots. Elle le reconnaît. C'est bien lui, c'est son frère Jokin. Elle effleure la joue, le front, le crâne rasé du cadavre du bout des doigts, avec précaution, par crainte de briser quelque chose.

— Il est si froid.

Anne Mabille recule. Iban regarde alternativement le visage du mort, fasciné, et celui d'Eztia. Il prend conscience d'un mouvement, derrière lui, à l'autre bout de la salle. Il fait volte-face et aperçoit un type ressemblant à un interne, vêtu d'une blouse bleue, arborant un classeur, accompagné par un autre type, en civil, la main appuyée sur le montant de la porte. Le bras du deuxième type arbore un brassard orange.

À cet instant, Iban comprend que la présence du brassard ne colle pas au décor.

Le type aboie un ordre. Des flics en tenue ou en civil débarquent par paquets entiers. Eztia se met à crier. Tout s'accélère.

La totale :

Police scientifique, unité antiterroriste, flics bordelais, képis, uniformes, jeans-baskets et gros bras.

Eztia est une lionne en larmes. Magnifique et hystérique.

Des policiers la tirent de force à l'extérieur de la morgue. La porte est refermée et gardée. Eztia les traite d'ordures. Elle pleure, elle s'égosille, elle supplie. Elle réclame haut et fort le corps de son frère. L'infirmière panique et se débat avec elle. Deux policiers les retiennent et continuent de les éloigner. Alertés par le vacarme, d'autres blouses blanches, des médecins, le directeur et des membres du personnel soignant entrent dans la mêlée, croyant qu'Anne Mabille est prise à partie. Les flics s'énervent.

Iban tente de sortir Eztia de là, mais des mains le tiennent à l'écart et l'emmènent vers la sortie. Il brandit sa carte de presse comme un étendard.

— Ne la touchez pas !

Le type au brassard s'interpose et lui demande de dégager. Iban le défie du regard. Il comprend que le type ne sait pas qui il est. Iban pointe le doigt en direction de la salle où repose Jokin Sasco dans un tiroir.

— Il y a son frère, là-bas.

— Casse-toi.

— Elle a le droit de le voir.
— Ce corps appartient à la justice.
— C'est son frère !
Brassard Orange s'énerve. Il pose la main sur sa poitrine pour le maintenir à distance. Son geste se veut une marque d'agressivité.
Sa voix claque :
— Tu n'as rien à foutre ici. Casse-toi ou je t'embarque.
Iban essaie désespérément de capter les yeux d'Eztia qui se débat comme une diablesse en furie. Il doit la rejoindre. Il peut encore se racheter. Une foule d'images se bouscule. Il ne pense qu'aux preuves, à la clef USB et la vidéo dans la poche d'Eztia. Il se dit que si les flics la lui prennent, ils l'enterreront dans un trou avec le cadavre de Sasco et la mort de Marko Elizabe n'aura servi à rien.
Rends-moi la clef.
Donne-moi une chance de racheter mon erreur.
Je n'ai qu'à me rendre chez moi, récupérer mon carnet d'adresses et poster le film de l'enlèvement de ton frère pour qu'il soit visible partout.
La clef.
Je t'en prie.
Iban repousse sèchement Brassard Orange et s'élance vers Eztia en hurlant. Il parvient à l'atteindre. Il s'accroche à elle de toutes ses forces. Brassard Orange est sur lui.
Iban murmure :
— On peut encore les baiser.
Elle écarquille les yeux. Il plonge la main dans sa poche et s'empare de la clef. Brassard Orange l'écarte d'Eztia et le projette à terre. Iban lève la

main en signe de reddition. Il se redresse doucement, sa carte de presse et son portable à la main, comme pour dire : « Pas de bavure, mon pote, même si tu me détestes, je suis journaliste et tu as l'ordre de *ne pas déconner avec les journalistes*. » Le flic fait partie d'une unité d'élite. Il joue au dur, au vrai, mais le message lui parvient cinq sur cinq. Il croit qu'Iban est uniquement à la recherche d'un scoop. Il lui attrape violemment le poignet pour l'aider à se mettre debout. Il le presse vers la sortie sans ménagement. Iban fait profil bas. Il guette les signaux d'alerte dans le regard de Brassard Orange. Il n'en voit aucun. Il serre la clef dans son poing comme un putain de trésor.

Ils traversent le hall, la porte principale coulisse, une femme et sa fille s'effacent pour les laisser passer. Le flic lui arrache son portable et l'empoche avec un sourire malveillant – *Tu as essayé de prendre des photos, pas vrai ? Tu t'es dit : ce con de flic, il n'y verra que du feu*. Il lui tord le bras et le déséquilibre de manière à le faire chuter. Iban dévale les marches et se cogne l'épaule sur un plot en béton.

Brassard Orange le toise, du haut du perron.

— Tire-toi, connard.

Iban ne se fait pas prier. Il se relève en grimaçant et décanille en slalomant entre les trois voitures de police et les deux fourgons de l'UCLAT[1] qui barrent le passage, hanté par l'envie de dénicher un flingue et de buter tous les connards comme Brassard Orange.

1. Unité de coordination de la lutte antiterroriste.

Il pense : « Nom de Dieu ! Tu n'as rien sans rien. »

Iban roule vitres baissées malgré la pluie. Une cigarette se consume entre son majeur et son index. Le compteur affiche cent soixante kilomètres heure.

Des cagoulés simulent une danse macabre avec les fantômes de Marko Elizabe et de Jokin Sasco sur le capot de la 106 blanche. Son cerveau carbure à la trouille et à la nicotine. Il a un don de clairvoyance depuis la conversation avec l'infirmière et la découverte du corps à la morgue. Les faits, les causes et les conséquences. Ça crève les yeux, maintenant qu'il communique directement avec les morts.

L'opération Sasco est une grenade à fragmentation pour paranos lancée par la France et l'Espagne afin de justifier leurs défaillances.

Un néon rouge sur lequel sont inscrits les termes « Danger de mort » clignote sur le toit de la voiture et se reflète dans les flaques d'eau devant lui, en surimpression.

Iban voit nettement :

Un enlèvement qui tourne mal – mais comment le fait même d'enlever et de torturer un mec pourrait-il *bien* tourner ?

Des responsables qui paniquent.

Les responsables de ces responsables qui paniquent à leur tour. Ils ont une vision brutale du problème. Ils ordonnent :

— *Nettoyez-moi ce bordel !*

— *Mais, monsieur…*

— *Vous me décevez beaucoup.*

— *Oui, monsieur.*

— *Voilà qui est mieux.*

— *Avez-vous une idée, monsieur ?*

— (Soupir prolongé) *Faites preuve d'imagination, que diable ! Utilisez vos méthodes illégales et délicieuses, si vous le jugez nécessaire, servez-vous dans les caisses noires, elles sont faites pour ça, trouvez de nouveaux boucs émissaires – au besoin, fabriquez-les de toutes pièces – perquisitionnez, enlevez et torturez encore, mais nettoyez-moi ce bordel avant que ça ne se voie !*

— *Oui, monsieur.*

— *Ça suffit avec vos « Oui, monsieur » !*

En conséquence, les responsables obéissent docilement et les responsables des responsables trouvent ça à pisser de rire.

Les mercenaires sont sommés de nettoyer les preuves.

Les bras armés.

Au service de la France et de l'Espagne – *Bien, monsieur. Oui, monsieur. Vous payez en espèces ou par virement bancaire, sur un compte à l'étranger ?*

Javier Cruz, Adis García, Alirio Pinto.

Mais aussi : deux échardes dans l'œil du cyclone. Ce fouille-merde de Marko Elizabe, d'un côté, et la menace terroriste, de l'autre.

Un cadavre – et personne pour oser prendre la décision de le faire disparaître, une bonne fois pour toutes. Ces lâches préfèrent l'oublier dans le congélateur d'un hôpital, comme un vulgaire bout de viande.

Une lionne.

Une multitude de hyènes affamées qui lui tournent autour.

Enfin, une vidéo qui se promène de poche en poche comme une patate chaude, et vous obtenez une formidable machine à fabriquer du ressentiment.

Reste le petit écureuil qui se croit plus malin que les autres. L'homme qui croit tenir les hommes qui ont tout vu. L'homme qui a vu l'homme qui a vu l'ours. L'*erdaldun* qui roule sous une pluie battante à cent soixante kilomètres heure sur la N10. Celui-là même qui a touché le jackpot, on ne sait par quel miracle. Que vient-il faire dans cette histoire ? Qui sait quelle somme de travail il a abattue pour amasser toutes ces preuves ? Qui sait *pourquoi* il s'est embarqué là-dedans ? Pas d'arme, aucun explosif, pas de cagoule sur la tête, juste un petit film vidéo de quatre minutes dans sa poche. 3 janvier 2009 : une Opel Corsa verte pénètre à 10 h 11 sur une aire d'autoroute et repart à 10 h 15. Entre les deux, un espoir aussi mince que le fil d'un détonateur.

Iban tire une bouffée sur sa cigarette et la jette par la vitre. Il chantonne :

— *You get nothin' for nothin', if that's what you do…*

Il dépasse deux poids lourds, aperçoit le panneau, écrase la pédale de frein et attrape in extremis la sortie 12. Il atteint Moliets dix minutes plus tard. Il pleut à verse. Iban gare la voiture et avale les escaliers comme un dératé.

Il ouvre, presse l'interrupteur et sa première pensée en apercevant le cadavre baignant dans une nappe de sang coagulé sur le parquet du salon est qu'il s'agit de son propre cadavre.

Iban s'avance, attiré par le mort. Il voit la traînée rougeâtre en provenance du couloir. Il se penche sur le corps, le repousse sur le côté et recule d'effroi.

En reconnaissant Alirio Pinto, il comprend qu'il est dans la merde parce que aucune explication logique ne peut expliquer la présence de son cadavre chez lui.

Il se redresse et se précipite vers l'entrée. Une masse surgit et l'envoie au tapis. La porte claque. Iban relève la tête. Un type d'une vingtaine d'années au regard vicieux le soulève comme s'il ne pesait rien et le balance sur le canapé. Iban fait mine de vouloir partir. Le type fronce les sourcils et lui présente un revolver.

Un deuxième homme fait son apparition dans son champ de vision. Il passe la main sur la table basse et s'assoit face à Iban. Le genre nonchalant. Son attitude multiplie par cent la peur d'Iban.

Javier Cruz dit d'une voix calme :

— Tu sais qui je suis ?

— Oui.

— Parfait. Je te présente mon ami Sánchez.

Sánchez lève les yeux au ciel. Cruz revient sur Iban.

— Où est la vidéo ?

— Je ne sais rien.

Cruz fait la moue.

— Tu ne gagneras rien à ce petit jeu-là.

— Je ne sais rien.

— Quelqu'un d'autre m'a déjà répondu la même chose, une fois.

— Marko Elizabe. Vous l'avez tué pour ça.

— C'est lui qui te l'a remise, ce jour-là ?

— Je ne sais rien.

Cruz se rembrunit. Il se gratte le sommet du crâne et contemple ses ongles d'un air pensif, puis il fait un signe à Sánchez.

L'homme jette un œil au cadavre de manière ostensible, pointe son arme sur la poitrine d'Iban et tend l'autre main. Iban suit son regard, glisse deux doigts dans sa poche et en extrait la clef USB, qu'il dépose dans la main de Sánchez.

Cruz applaudit en souriant.

— Bravo !

Sánchez lui remet la clef. Cruz la lève devant son visage et l'observe un instant.

— Y a-t-il d'autres copies ?

Iban baisse la tête.

— Non.

— Admettons que je te croie. Qu'est-ce qui me prouve qu'Elizabe n'a pas distribué des copies à ses amis ? Tu étais son ami, toi ?

— Je le connaissais à peine.

— Pourtant il devait salement te faire confiance.

— J'ignore pourquoi.

Cruz émet un ricanement dubitatif.

— Allons, allons. Parle-moi un peu de vos relations.

— Non.

— Par principe ?

— Oui.

— Tu as peur de salir la mémoire d'Elizabe ? Un mort est un mort. On ne peut plus rien pour lui. Sois honnête envers toi-même, tu t'apprêtais réellement à diffuser cette vidéo en l'honneur de ton vieil ami Marko ?

Il rit comme s'il s'agissait d'une excellente plaisanterie.

— Bien sûr que non. Tu allais faire cette énorme erreur pour le beau cul d'Eztia Sasco, je me trompe ?

Iban se raidit. Sánchez fait « non » de la tête et presse le canon de son arme contre son plexus pour qu'il reste à sa place.

Cruz croise les bras et prend un air grave.

— Elle te manipule.

— Je sais ce que j'ai vu sur la vidéo. Je sais pour la ferme Mora et le motel de Tarnos. Je sais pour l'opération Sasco. Je sais maintenant pour le cadavre de Jokin. Cela dépasse ma seule personne. Tout le monde sait.

— Tu n'as que du vent, connard ! Tu n'as rien.

— Des hommes sont morts pour ce *rien*.

— Qu'est-ce que tu *crois* avoir vu sur cette vidéo ? Rien d'autre qu'une banale opération de police destinée à intercepter un homme dangereux.

— Police ? Vous vous foutez de ma gueule ? Ni Adis García, ni Alirio Pinto ne sont des flics. À ma connaissance, vous êtes espagnol et vous n'avez aucune légitimité pour intervenir sur le territoire français. De quelle opération *officielle* de police vous me parlez, bordel ? Quelle putain de fable êtes-vous en train de me raconter ?

Cruz décroise les bras et se lève, agacé.

— Jokin Sasco est un terroriste. Il est impliqué dans plus d'une dizaine d'attentats. C'est ce mec-là que tu défends ? Sa sœur et Marko Elizabe t'ont retourné le cerveau, mon pauvre vieux.

Sánchez lui assène un violent coup sur la tempe avec la crosse de son revolver. Iban pousse un hurlement. Sánchez enfile une paire de gants en plastique, sort une deuxième arme de sa poche et la présente à Iban, par le canon.

— Tiens.

Iban le regarde sans comprendre. Un liquide chaud coule de sa blessure. Il passe la main dans son cou. Ses doigts sont poisseux.

Cruz désigne Pinto du menton.

— C'était son arme. Le chargeur est vide à présent. Prends-la, s'il te plaît.

Iban saisit la crosse à pleine main, le regard posé sur Pinto. Sánchez exhibe une pochette plastifiée et lui demande d'y glisser l'arme. Iban s'exécute. Sánchez referme la pochette et la donne à Cruz.

Iban réalise que la situation est encore pire que ce qu'il imaginait. Il se voit déjà au fond d'une fosse commune, son corps contre celui d'Alirio Pinto.

Il supplie :

— Dites-moi la vérité.

Cruz siffle et lève les bras, comme pour signifier : *Les hommes tels que moi n'ont pas de réponses à ce type de questions.*

— Je veux comprendre.

Il soupire.

— C'est un sentiment humain.

— Qui paie vos conneries ?

Cruz hausse les épaules.

— Quelle importance, pourvu qu'ils paient bien.

— D'où viennent les ordres ?

— De bien trop haut pour toi et moi.

Javier Cruz arbore un sourire satisfait. Il range la pochette contenant l'arme dans une mallette, puis il désigne du menton le cadavre, à leurs pieds.

— Tu as ressenti le besoin de venger ton ami Marko et ta copine Eztia Sasco, alors tu as tué Alirio Pinto, n'est-ce pas ? Tu l'as attiré ici, puis tu l'as abattu.

Iban baisse la tête pour échapper à l'œil torve du revolver de Sánchez. Il constate avec surprise que ses mains ne tremblent plus.

Il dit :

— Ça se termine comme ça, alors.

Cruz hoche la tête.

— J'imagine que oui.

69

20 décembre 2009. Bayonne la belle, Bayonne la douloureuse. Des guirlandes rouges et vertes ornent les murs, des boules scintillent dans les vitrines et des fantômes aux visages familiers hantent les rues.

Son portable à l'oreille, Eztia Sasco presse le pas en frissonnant. Cinq sonneries dans le vide, puis un répondeur. Elle hésite, puis raccroche. Elle se traite de folle et compose le numéro une deuxième fois.

Cinq sonneries dans le vide, la même voix sur le répondeur.

Elle dit :

— Bonjour, madame Urtiz. C'est Eztia. L'enterrement de mon frère aura lieu dans deux jours. Je me suis dit que vous aimeriez le savoir.

327 JOURS

Ça n'a été écrit nulle part : l'histoire ne s'arrête pourtant pas là.

Je m'appelle Jokin Sasco. J'ai été déclaré mort le 10 janvier 2009 par une poignée d'hommes qui croyaient qu'une cagoule suffisait à couvrir leurs erreurs et à dissimuler les noms et la noirceur des âmes de ceux qui les payaient pour faire le sale boulot.

Quelle est la part de réalité dans toute cette affaire ? Quelle proportion d'imagination et de tromperie ? Qui peut prétendre détenir la vérité et s'autoproclamer avocat ou bourreau ?

Qui a tort et qui a raison ?

Jugez par vous-mêmes.

Vous avez entre les mains les communiqués et les rapports, les directives et les textes de lois, les minutes des procès des bourreaux et des victimes passés et à venir, les témoignages d'Élea Viscaya, Patxi Errecart, Bixente Hirigoyen, Oihan Borotra, Julen Bertiz, Iñaki Goya, Txomin Zunda et quelles que soient leurs vraies identités. Mon histoire à elle seule vaut toutes les preuves. Pour peu que vous fassiez un effort, vous pouvez désormais raconter dans le détail les raisons qui ont poussé Javier Cruz, Adis García et Alirio Pinto à commettre leurs crimes. Vous parviendrez même à imaginer que l'argent et le pouvoir n'ont pas été leurs seuls moteurs. La frontière entre les salauds et les fous n'est pas imperméable.

J'insiste : qui croire ?

Aujourd'hui, ni vous, ni moi ne sommes certains de rien.

Pourquoi ?

Parce que les insultes et les coups ont plu sur mon corps sept jours durant. J'ai subi les pires atrocités, comme d'autres avant moi. Torturé, humilié, traité comme un rat. Ils ont joué avec ma vie. Ils ont effacé leurs traces quand le jeu est allé trop loin. Ils ont même cru pouvoir me rayer de leur mémoire et de celle de mon peuple. J'ai essuyé mensonges et calomnies. Perdu ma foi et mon honneur à maintes reprises. Assisté, impuissant, du tiroir de la morgue où ils ont tenté de me perdre, à ce qu'ont enduré ma sœur Eztia, mon frère Peio et ma mère Amaia. Qu'ils me pardonnent, s'ils en ont le courage et la force.

Aujourd'hui encore, mon nom est repris sur tous les fronts. De nombreux articles racontent mon histoire. Des tracts et des slogans portent encore mon nom. Mes avocats ont été arrêtés, spoliés de leurs titres, emprisonnés, puis relâchés aux termes de mois de procédures harassantes. Mon corps a dû subir l'outrage répété de deux autopsies, soldées par deux rapports honteux concluant à un arrêt cardiaque et une mort *naturelle*.

Certains individus ont évoqué mon passé pour justifier leurs actes, leur silence ou leurs ambitions. D'autres m'ont érigé en martyr.

De mon vivant, il m'est arrivé de me cacher derrière une cagoule et des slogans. Je plaide coupable pour la plupart des faits qui me sont reprochés. Je jure haut et fort que j'aurais tout donné pour les éviter. Le prix à payer était bien trop élevé pour un seul homme. Quoi que j'aie accompli, je ne méritais pas un pareil châtiment. Ils auront beau frotter et frotter encore de toutes leurs forces, ma mort ne les lavera pas de leurs péchés, pas plus qu'elle ne dissoudra les miens. Ils devront vivre avec, dormir et baiser avec. Leurs enfants et leurs petits-enfants en porteront encore la marque au fer rouge.

J'ai l'éternité devant moi pour me lamenter. Eux n'ont qu'une seule vie.

Mon corps a été retrouvé le lundi 22 juin 2009, puis identifié par un officier de police le mardi 23. Ceux que j'aime ont enterré mes cendres le 22 décembre de la même année, après six mois de procédures. Mon corps a été incinéré par décision de justice, avant d'être remis dans une urne à ma famille.

Un drapeau basque et trois cent vingt-sept jours de cris, de honte et de larmes enveloppaient mon cercueil. J'ose croire qu'ils le protégeaient aussi du rouleau compresseur de l'histoire.

Rien n'est moins sûr.

La violence s'est déchaînée et se déchaînera encore, d'un côté comme de l'autre. Le lent processus de la vengeance et de la colère ne s'est jamais interrompu.

Le jour de mon inhumation, alors que les vers et l'oubli achevaient de se partager mon cadavre, aucune des personnes présentes n'imaginait un instant que j'étais mort pour rien. Voilà pourtant la seule vérité qui vaille d'être inscrite sur ma tombe.

11012

Composition
NORD COMPO

Achevé d'imprimer en Slovaquie
par NOVOPRINT SLK
le 15 décembre 2014.

Dépôt légal décembre 2014.
EAN 9782290078785
L21EPNN000305N001

ÉDITIONS J'AI LU
87, quai Panhard-et-Levassor, 75013 Paris

Diffusion France et étranger : Flammarion